MALMARNA ET SES ENVIRONS
p. 100-133

LES ENVIRONS DE STOCKHOLM
p.134-145

LILLA VÄRTAN

DJURGÅRDEN

SALTSJÖN

DJURGÅRDEN
p. 84-99

0   500 m

GUIDES VOIR

STOCKHOLM

GUIDES VOIR

STOCKHOLM

Libre Expression
QUEBECOR MEDIA

Ce guide Voir a été établi par
Kaj Sandell

Direction
Cécile Boyer

Direction éditoriale
Catherine Marquet

Édition
Catherine Laussucq

Traduit et adapté de l'anglais par
Catherine Ludet
avec la collaboration
d'Isabelle de Jaham

Mise en page (PAO)
Maogani

Publié pour la première fois en Grande-Bretagne en 2000,
sous le titre : *Eyewitness Travel Guides : Stockholm*
© Dorling Kindersley Ltd, London 2001.
© Hachette Livre (Hachette Tourisme) 2003
pour la traduction et l'édition française.
Cartographie © Dorling Kindersley 2001.

© Éditions Libre Expression Ltée, 2003,
pour l'édition française au Canada.

Imprimé et relié en Chine par South China Printing

Aussi soigneusement qu'il ait été établi, ce guide
n'est pas à l'abri des changements de dernière heure.
Faites-nous part de vos remarques, informez-nous
de vos découvertes personnelles : nous accordons
la plus grande attention au courrier de nos lecteurs.

Éditions Libre Expression
7, chemin Bates
Outremont (Québec) H2V 4V7

Dépôt légal : 1er trimestre 2003
ISBN : 2-7648-0012-6

◁ La tombée du jour à Skeppsbron, depuis la rive est de Gamla Stan

SOMMAIRE

Sculpture de bois du *Vasa*,
vaisseau de guerre du xviie siècle

Kaknästornet, le plus haut
bâtiment de Stockholm (155 m)

Promenade à la fin de l'hiver sur les rives de Kungsholmen

La chapelle du Palais royal, récemment rénovée

Cheesecake aux framboises, un dessert traditionnel suédois

Le Palais royal, à Gamla Stan

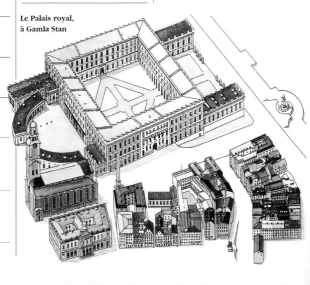

COMMENT UTILISER CE GUIDE

Ce guide a pour but de vous aider à profiter au mieux de votre séjour à Stockholm. L'introduction, *Présentation de Stockholm*, trace le plan de la ville et situe cette dernière dans ses contextes géographique et culturel, tandis que le chapitre *Histoire de Stockholm* fait ressurgir du passé de la Suède les événements fondateurs de sa capitale. Plans, textes et illustrations de *Stockholm quartier par quartier* vous permettent de visiter en détail les principaux sites du centre-ville. Des informations identiques sont fournies pour les quartiers excentrés de *Malmarna et ses environs. Les environs de Stockholm* décrit les sites que l'on peut visiter en un jour ou deux. Des informations sur les restaurants, les hôtels, les achats et les sorties sont proposés dans *Les bonnes adresses*. Les *Renseignements pratiques* fournissent des conseils utiles dans de multiples domaines, du transport à la sécurité. Référez-vous à l'*Atlas des lieux cités* et à l'*Index* pour vous orienter dans la capitale suédoise.

LA DESCRIPTION DES SITES

Les sections consacrées aux quatre zones du centre-ville – représentées avec des couleurs différentes – s'ouvrent chacune sur une présentation de l'histoire du quartier et de ses particularités, accompagnée d'un plan détaillé permettant de découvrir les sites importants pas à pas. Les secteurs décrits dans *Malmarna et ses environs* sont situés sur une carte.
Le repérage des lieux et monuments s'effectue à l'aide d'un système de numérotation simple.

1 La présentation du quartier
Les sites, divisés par catégories, portent un numéro reporté sur le plan, où figurent également stations de métro et arrêts de bus.

Chaque quartier est doté d'un repère de couleur.

La zone en rose du plan quartier par quartier fait l'objet d'un plan *pas à pas*, plus détaillé.

Une carte de situation renvoie à l'*Atlas des lieux cités.*

Une carte de situation permet de s'orienter par rapport aux autres quartiers.

2 Plan du quartier pas à pas
Il offre une vue aérienne des plus beaux sites de chaque quartier ; les bâtiments principaux font l'objet d'une illustration. Doté du numéro qui le place sur le plan quartier par quartier de Stockholm, chaque lieu ou monument est décrit dans les pages suivantes, dans l'ordre de numérotation.

Le meilleur itinéraire de promenade apparaît en rouge.

STOCKHOLM QUARTIER PAR QUARTIER

Chacun des quatre quartiers principaux indiqués sur ce plan par des couleurs différentes possède son propre chapitre dans la section *Stockholm quartier par quartier (p. 43-145)*. Les couleurs attribuées, qui sont reprises sur les autres cartes ou plans, y compris dans la section *Stockholm d'un coup d'œil (p. 30-39)*, permettent de localiser les sites aisément.

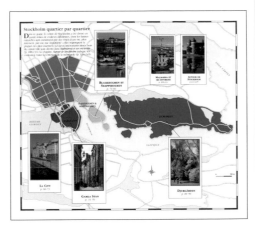

Un numéro situe le site sur le *Plan pas à pas* et indique l'ordre dans lequel il est abordé au sein de la section.

Des informations pratiques sont fournies à propos de chaque site ; une référence vous permet de vous reporter à l'*Atlas des lieux cités (p. 198-207)*.

3 Renseignements détaillés
Tous les sites importants sont décrits dans l'ordre de numérotation du Plan pas à pas, au début de chaque chapitre. La signification des symboles est indiquée sur le rabat à la fin du guide.

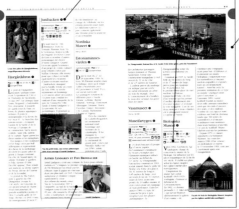

Des encadrés soulignent les particularités d'un site, et ses relations à l'histoire ou à l'actualité.

Le *Mode d'emploi* vous aide à organiser votre visite.

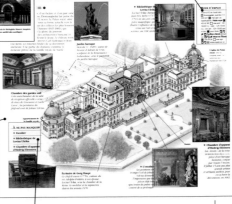

4 Principaux sites de Stockholm
Au moins deux pages leur sont consacrées dans chaque chapitre. Les bâtiments dont l'architecture est particulièrement remarquable bénéficient d'une représentation en coupe à laquelle s'ajoutent, pour les musées, des repères de couleur selon les niveaux.

Des étoiles indiquent les lieux, monuments ou objets à ne pas manquer.

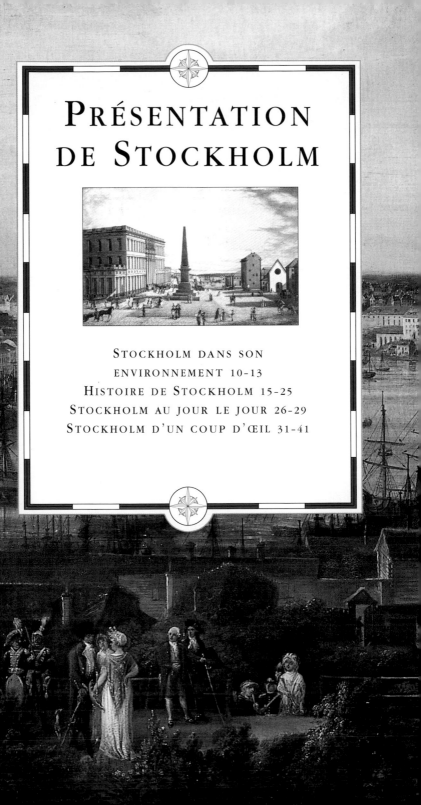

PRÉSENTATION DE STOCKHOLM

Stockholm dans son environnement

La Suède, qui s'étend sur une superficie de 486 661 kilomètres carrés, est le quatrième pays le plus vaste d'Europe ; son point le plus méridional est à la même latitude qu'Édimbourg ; son extrémité septentrionale se trouve à 280 kilomètres au-dessus du cercle polaire arctique. Dotée d'une frontière commune avec la Norvège à l'ouest et avec la Finlande à l'est, la Suède est, depuis l'an 2000, reliée au Danemark, situé au sud, grâce à un pont qui franchit le détroit d'Öresund. Stockholm, sa capitale, se dresse au sud-est du pays. La ville est construite sur des îles séparant la mer Baltique du lac Mälaren *(p. 40-41)* et compte environ un million d'habitants.

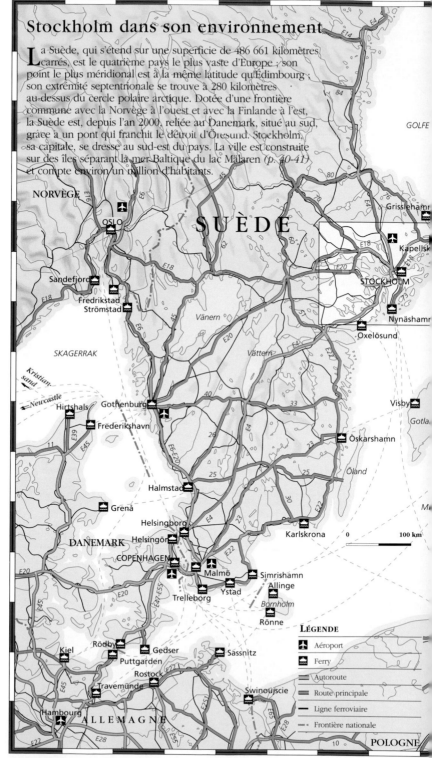

LÉGENDE

- ✈ Aéroport
- ⛴ Ferry
- ═ Autoroute
- ─ Route principale
- ─ Ligne ferroviaire
- ·-·- Frontière nationale

0   100 km

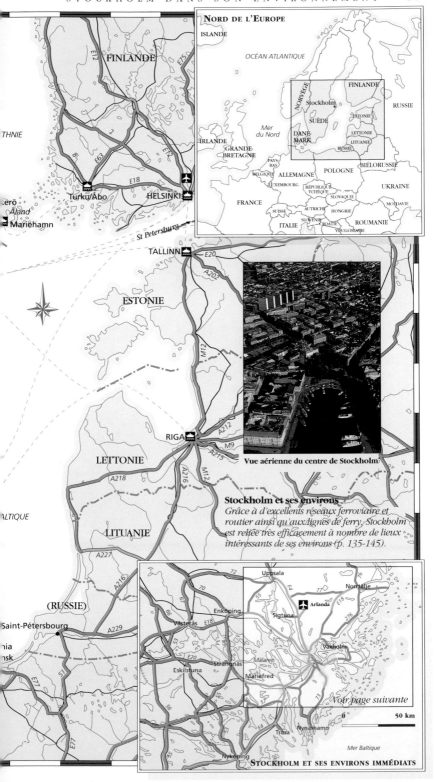

NORD DE L'EUROPE

ISLANDE

OCÉAN ATLANTIQUE

NORVÈGE
Stockholm
SUÈDE
Mer du Nord
DANE-MARK
FINLANDE
RUSSIE
ESTONIE
LETTONIE
LITUANIE
RUSSIE

IRLANDE
GRANDE-BRETAGNE
PAYS-BAS
BELGIQUE   ALLEMAGNE   POLOGNE
LUXEMBOURG
RÉPUBLIQUE TCHÈQUE
BIÉLORUSSIE
UKRAINE
FRANCE
SUISSE   AUTRICHE   HONGRIE
SLOVAQUIE
MOLDAVIE
SLOVÉNIE   ROUMANIE
ITALIE   CROATIE
YOUGOSLAVIE

FINLANDE
E12
E75
THNIE
E63
E18
Turku/Åbo
HELSINKI
erö
Åland
Mariehamn
St Petersburg

TALLINN   E20
A202
ESTONIE

M12

Vue aérienne du centre de Stockholm

RIGA
A212
A315
M9
LETTONIE
A218
A216
M12

Stockholm et ses environs
Grâce à d'excellents réseaux ferroviaire et routier ainsi qu'aux lignes de ferry, Stockholm est reliée très efficacement à nombre de lieux intéressants de ses environs (p. 135-145).

ALTIQUE

LITUANIE
A227
A216

(RUSSIE)
A229
Saint-Pétersbourg
hia
nsk

Uppsala
72
70
77
Norrtälje
76
55
E4
Arlanda
E18
Enköping
Sigtuna
276
Västerås   E18
E20
Mälaren
Vaxholm
Eskilstuna
Strängnäs
Mariefred
73
57
Voir page suivante
6°
50 km
Trosa
Nynäshamn
Nyköping
Mer Baltique
STOCKHOLM ET SES ENVIRONS IMMÉDIATS

Stockholm et ses environs

Les premiers bâtiments de Stockholm furent érigés sur une île du canal étroit de Strömmen, entre la mer Baltique et le lac Mälaren. Lorsque la ville se développa, les constructions envahirent les *malms*, de part et d'autre du canal. Aujourd'hui, Stockholm s'étend sur 14 îles. Ses banlieues tentaculaires rampent jusqu'aux résidences royales de campagne. Les réseaux des transports ferroviaires et routiers, auxquels s'ajoutent les lignes de ferry, permettent de gagner facilement les sites intéressants situés hors du centre *(p. 134-145)*.

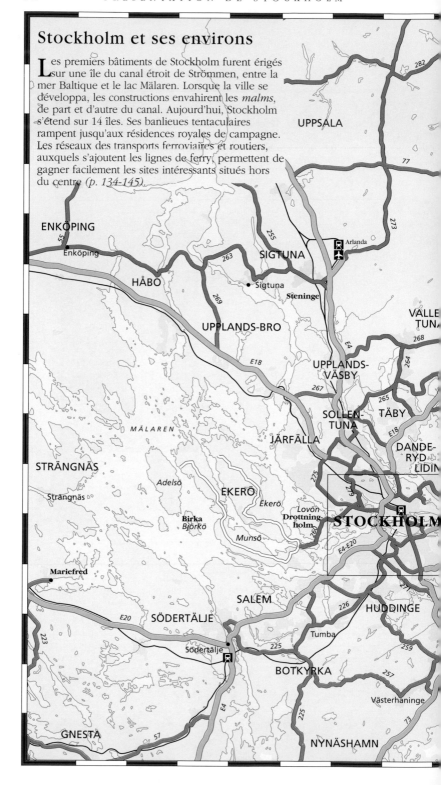

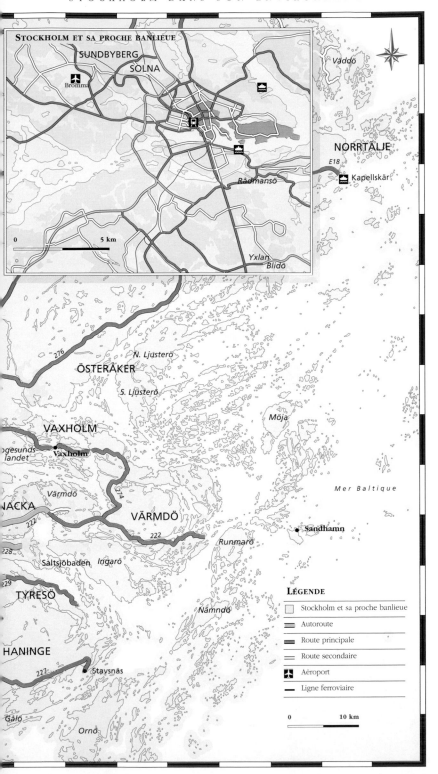

STOCKHOLM ET SA PROCHE BANLIEUE

SUNDBYBERG
SOLNA
Bromma
Väddö
NORRTÄLJE
E18
Kapellskär
Rådmansö
Yxlan
Blidö

0   5 km

276
N. Ljusterö
ÖSTERÅKER
S. Ljusterö
Möja
VAXHOLM
ogesunds
landet
Vaxholm
Mer Baltique
NACKA
Värmdö
274
222
VÄRMDÖ
222
Sandhamn
228
Runmarö
Saltsjöbaden   Ingarö
TYRESÖ
Nämndö
229
HANINGE
227
Stavsnäs
Galö
Ornö

LÉGENDE

Stockholm et sa proche banlieue
Autoroute
Route principale
Route secondaire
Aéroport
Ligne ferroviaire

0   10 km

HISTOIRE DE STOCKHOLM

*L*es origines de Stockholm ont fait l'objet de nombreuses théories et légendes. Parfois contradictoires, elles possèdent pourtant un point commun : la création de la cité serait due à une même visée, le contrôle des voies navigables. Selon la Chronique d'Erik, écrit du Moyen Âge, Birger Jarl, régent du XIIIe siècle, fonde la ville en y faisant dresser une forteresse pour protéger le lac Mälaren des pirates.

Il y a mille ans environ, les eaux entourant l'île appelée aujourd'hui Gamla Stan grouillent de bâtiments de guerre et de commerce, ainsi que de vaisseaux pirates qui empruntent le canal étroit situé entre la mer Baltique et le lac Mälaren. Snorre Sturlason (1178-1241), poète et auteur de sagas islandais, décrit pour la première fois ce qui allait devenir Stockholm : une barrière de pilotis dressée au travers d'une voie d'eau qu'il nomme Stocksundet – l'actuel Norrström. À la fin des années 1970, des fouilles mettent au jour les vestiges de nombreux piliers de bois du XIe siècle. Snorre Sturlasson mentionne également une tour de château du XIIe siècle, antérieure à la forteresse de Birger Jarl, sur l'emplacement de laquelle se dresse aujourd'hui le Palais royal.

Des documents attestent que Stockholm est déjà, en 1252, une ville importante, quatre ans après que Birger Jarl est nommé régent. Au début du XIIIe siècle, plusieurs cités ont commencé à se développer en Suède. Stockholm, plutôt retardataire au départ, les rattrape, puis les dépasse rapidement. Dans un docu-

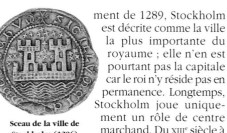

Sceau de la ville de Stockholm (1296)

ment de 1289, Stockholm est décrite comme la ville la plus importante du royaume ; elle n'en est pourtant pas la capitale car le roi n'y réside pas en permanence. Longtemps, Stockholm joue uniquement un rôle de centre marchand. Du XIIIe siècle à la fin du XVIIe siècle, elle est l'un des grands ports sur lesquels la Ligue hanséatique exerce le contrôle du commerce extérieur.

Les frontières des pays nordiques sont encore assez floues, la Suède, la Norvège et le Danemark, dont la langue et la culture sont proches, signent l'union de Kalmar en 1397 – la Finlande fait alors encore partie de la Suède. Cette ère de rassemblement se révèle une période de conflits et de violence. À la bataille de Brunkeberg, à Stockholm, en 1471, le roi du Danemark, qui tente d'établir sa domination sur la Suède, est vaincu par Sten Sture, régent de l'époque. En 1520, une nouvelle campagne danoise se termine à Stortorget par le tristement célèbre « Bain de sang de Stockholm », au cours duquel plus de 80 membres de la noblesse suédoise sont exécutés *(p. 54)*.

CHRONOLOGIE

Birger Jarl, fondateur de Stockholm

1000	1100	1200	1300	1400	1500
1008 Olof Skötkonung, converti au christianisme, est baptisé à Västergotland		**v.1250** Birger Jarl fonde Stockholm / **1350** Le code d'Eriksson remplace les lois provinciales	**1364** Albrecht de Mecklenburg est nommé roi de Suède / **1397** L'Union de Kalmar rassemble les pays nordiques		
800-975 Les Vikings s'installent à Birka *(p. 138)*	**1101** Le sommet des Trois Rois fixe les frontières de la Scandinavie / **1275** Magnus Ladulås est nommé roi de Suède à Mora	**1280** Les ordonnances d'Alsnö libèrent les nobles des impôts	**1349-1350** La peste ravage la Suède / **1471** Sten Sture l'Aîné vainc le roi Christian de Danemark à Brunkeberg	**1520** « Bain de sang de Stockholm », 82 nobles suédois sont exécutés	

◁ **La Parthélie**, Urban Mâlare, représente un phénomène visuel remarquable survenu en 1535

En 1523, jour de la Saint-Jean, le nouveau roi, Gustave Ier Vasa, entre solennellement à Stockholm

L'ÈRE DE GUSTAVE Ier VASA

À la fin de 1520, un jeune noble, Gustav Eriksson, qui a échappé au « Bain de sang de Stockholm », met sur pied une armée pour chasser de Suède Christian de Danemark. Il remporte la victoire et est nommé roi sous le nom de Gustave Ier Vasa, le 6 juin 1523, aujourd'hui fête nationale.

La nation traverse alors une grave crise financière. Gustave Vasa convoque le parlement et fait voter une loi permettant de transférer les biens de l'Église à l'État, créant ainsi la puissance économique la plus importante du pays. La mesure entraîne une séparation progressive du catholicisme et du pouvoir, ce qui permet au nouveau roi d'imposer le luthéranisme.

Au cours de son règne, Gustave Ier Vasa met en place une politique économique qui concentre le pouvoir central à Stockholm. Cette dictature efficace entraîne, en 1544, un vote du parlement qui décrète le caractère héréditaire de la monarchie.

Portrait d'Erik XIV (1561))

Les descendants de Gustave Ier Vasa assistent à la montée en puissance de la Suède en Europe. Durant le règne d'Erik XIV, fils de Gustave Ier, le pays entre en guerre contre le Danemark, Lübeck et la Pologne. Déposé par ses frères, le roi meurt en prison, probablement empoisonné par son frère Jean III Vasa. Sous le règne de son troisième frère, Karl IX, la Suède fait la guerre au Danemark et à la Russie.

GUSTAVE II ADOLPHE ET CHRISTINE DE SUÈDE

Lorsque le successeur de Karl IX, Gustave II Adolphe, accède au pouvoir en 1611, la Suède est en guerre contre la Russie, la Pologne et le Danemark. Sous son règne, le pays accroît régulièrement son influence sur les régions baltiques. Stockholm se transforme peu à peu en centre politique et administratif. En 1630, Gustave II Adolphe, aidé de son influent chancelier, Axel Oxenstierna, intervient dans la guerre de Trente Ans du côté des protestants pour des motifs

CHRONOLOGIE

1523 Gustave Vasa, nommé roi à Strängnäs, entre dans Stockholm	**1542** Nils Dacke et ses partisans organisent une révolte paysanne à Småland	*Blason de la dynastie des Vasa*	**1560** Mort de Gustave Vasa

1568 Erik XIV est emprisonné à Gripsholms Slott par ses frères	**1611** Gustave II Adolphe accède au pouvoir
1577 EriK XIV meurt, probablement empoisonné	

| **1525** | **1550** | **1575** | **1600** |

| **1527** La Réforme ; le parlement confisque les biens de l'Église | **1544** La monarchie devient héréditaire pour les descendants mâles de Gustave Vasa | **1561** Erik XIV, couronné roi, restreint le pouvoir de ses frères **1569** Jean III est couronné à Stockholm | **1570** Fin de la guerre nordique de Sept Ans **1587** Sigismond, fils de Jean III, nommé roi de Pologne | **1612** Axel Oxenstierna est nommé chancelier d'État |

religieux. La Suède connaît quelques succès militaires importants pendant la guerre mais paye un lourd tribut : lors de la victoire sanglante de Lützen, en 1632, le roi meurt en plein combat.

Le seul enfant de Gustave II Adolphe, Christine, monte sur le trône à l'âge de six ans. Pendant son règne, de 1633 à 1654, la vie à la cour est influencée par la science, la philosophie, les arts et les lettres. La reine, qui correspond avec les plus grands savants, invite notamment René Descartes.

Ce dernier meurt en 1650, quelques mois seulement après son arrivée à Stockholm. Christine fait du château de Tre Kronor sa résidence principale. Elle refuse de se marier, aussi son cousin Charles-Gustave est-il nommé prince héritier. La reine abdique et part pour Rome où elle se convertit au catholicisme.

Charles XII, la reine veuve à son bras, quitte la forteresse de Tre Kronor en flammes

La reine Christine, très érudite, correspond avec de grands savants

L'ÈRE CAROLIENNE

Charles-Gustave (1654-1660) est le premier des trois Charles à régner. Alors que la Suède est à son apogée, il conquiert le Danemark en faisant audacieusement traverser à son armée le Grand-Belt couvert de glace *(p. 19)*.

Charles XI (1660-1697) renforce la sécurité des provinces du Sud de la Suède et ordonne un partage des terres plus équitable entre la Couronne, les nobles et les paysans.

En 1697, un incendie détruisit une grande partie de Tre Kronor, où la dépouille en tenue d'apparat de Charles XI était conservée. Charles XII (1697-1718), roi adolescent, est confronté, en 1700, à l'alliance formée par la Pologne, le Danemark et la Russie afin d'annihiler le pouvoir de la Suède. Le jeune souverain se lance dans la bataille.

Le Danemark et la Pologne rendent bientôt les armes, mais la Russie résiste. Une poussée infructueuse de l'armée suédoise vers Moscou est suivie à Poltava, en 1709, d'une défaite écrasante, qui marque le déclin de la grande puissance suédoise.

À la suite d'une absence de quinze ans, Charles XII, monarque controversé, regagne son pays. Après de vaines tentatives pour rétablir la domination de son pays, il est tué en Norvège, en 1718.

La Suède traverse une crise importante. Des récoltes médiocres et des épidémies ont fait disparaître un tiers de la population de Stockholm et les caisses de l'État sont vides.

1617 Conversions au catholicisme punies de la peine de mort	1654 Christine abdique en faveur de Charles Gustave	1697 Tre Kronor détruit par un incendie ; Charles XII couronné roi à 15 ans
1632 Gustave II Adolphe est tué à Lützen / 1633 Christine monte sur le trône à six ans	1655 Christine reçoit à Rome un accueil solennel	

1625	1650	1675	1700

| 1618 Début de la guerre de Trente Ans | 1648 Paix de Wesphalie et nouveaux territoires. | 1657 Traversée du Grand-Belt et acquisition de nouveaux territoires par la paix de Roskilde | 1680 Charles XI, premier roi de l'autocratie carolienne, limite les pouvoirs des nobles | 1709 L'armée suédoise est vaincue par Pierre le Grand à Poltava / 1718 Mort de Charles XII |

Gustave II Adolphe

L'âge de la grande puissance

Pendant plus d'un siècle (1611-1721), la Suède, puissance dominante de l'Europe septentrionale, transforme la mer Baltique en une mer intérieure. Après la paix de Roskilde, en 1658, la Suède, qui obtient du Danemark et de la Norvège sept provinces nouvelles, est à son apogée. À son territoire actuel s'ajoutent la totalité de la Finlande, une grande partie des pays baltes et d'importantes régions du Nord de l'Allemagne. La suprématie suédoise, période de gouvernement efficace et de développement culturel, va durer 111 ans ; 72 années seront consacrées à la guerre, permettant de doter les nouveaux palais de nombreux trésors.

L'EMPIRE SUÉDOIS

■ *L'empire suédois après la paix de Roskilde, en 1658*

Château de Tre Kronor
Construit comme tour de défense dans les années 1180, ce château, qui abrite les monarques suédois à partir de 1520 environ, devient le centre administratif de l'empire. Son nom évoque les trois couronnes de la flèche, détruite par le feu en 1697.

Les troupes en colonne
avancent sur la glace vers
l'île de Lolland.

LA GUERRE DE TRENTE ANS

De 1618 à 1648, la guerre fait rage en Europe. Elle se déroule surtout en Allemagne. La Suède, alliée à la France, entre dans la lutte en 1631. Gustave II Adolphe, grand chef militaire doté d'une armée modernisée, remporte des victoires majeures à Breitenfeld (1631) et Lützen (1632), où il trouve la mort. Les Suédois ayant pénétré jusqu'au sud de l'Allemagne envahissent et pillent Prague (1648) ; dotant leur butin de guerre de trésors culturels inestimables. En 1648, les traités de Westphalie attribuent à la Suède d'importantes possessions de l'Allemagne du Nord.

Mort de Gustave-Adolphe à la bataille de Lützen, en 1632

Stockholm en 1640
La transformation de la petite ville médiévale en capitale se lit dans son réseau de rues rectilignes, similaire à celui d'aujourd'hui.

Triomphes de Charles XI
Le plafond de la galerie de Charles XI du Palais royal, peint en 1693 par l'artiste français Jacques Foucquet, représente sous une forme allégorique les victoires du roi à Halmstad, Lund et Landskrona.

Le comte Carl Gustav Wrangel *(p. 56)*

Charles-Gustav X
conduit son armée suédoise de 17 000 hommes.

Une noblesse puissante
Nombre de soldats victorieux furent anoblis sous l'empire, accédant ainsi à une classe très influente. Le blason de la famille Banér, datant de 1651, porte trois casques et des couronnes de baron.

Bondeska Palatset
Ce palais (p. 58), l'un des plus imposants de l'époque (1662-1673), fut conçu par Tessin l'Ancien et Jean de La Vallée pour Gustav Bonde, trésorier d'État.

LA TRAVERSÉE DU GRAND-BELT
À l'automne 1658, quand le Danemark déclare la guerre à la Suède, la flotte suédoise est en Pologne. Charles-Gustave soumet le continent danois mais ne peut franchir la mer jusqu'à Copenhague. L'hiver rigoureux recouvre la mer d'une glace épaisse, ce qui permet aux cavaliers de traverser le Grand-Belt et d'obtenir la reddition de l'ennemi.

Montre de poche de Charles XII
L'étui de montre du roi-guerrier, qui date de 1700, porte le blason de l'État et les armes des 49 provinces alors rattachées à la Suède.

Dernier voyage de Charles XII
Le roi a été tué par une balle à Fredrikshald (1718), en Norvège, son corps est transporté en territoire suédois, puis à Uddevalla pour y être embaumé. Peinture de Gustav Cederström (1878).

Gustav III et le brassard qu'il portait lors
du coup d'État de 1772

L'ÂGE DE LA LIBERTÉ
ET L'ÈRE GUSTAVIENNE

En 1719, une nouvelle constitution est votée, transférant le pouvoir du monarque au parlement. La Suède entreprend l'élaboration d'un système de démocratie parlementaire semblable à celui de l'Angleterre à la fin du XVIII⁰ siècle.

L'Âge de la liberté, qui coïncide avec le Siècle des lumières, voit une avancée prodigieuse dans les domaines culturel, scientifique et industriel. Le botaniste Carl von Linné devient l'un des Suédois les plus célèbres de son temps, tout comme Emmanuel Swedenborg, savant et théosophe. La production du textile se développe à Stockholm et le premier hôpital est construit sur Kungsholmen.

Vers 1770, des modifications dans l'équilibre du gouvernement fournissent au nouveau roi, Gustave III, une opportunité de restauration du pouvoir monarchique. Le 19 août 1772, au Palais royal, le souverain, assistant à la parade

des gardes, déclare son intention de monter un coup d'État non sanglant. Les gardes et les autres unités militaires de Stockholm prêtent serment d'allégeance au roi. Ce dernier noue autour de son bras un mouchoir blanc en signe de ralliement et, acclamé par le peuple, fait le tour de la ville. Le pouvoir absolu est ainsi rétabli.

Gustave III est un monarque influencé par le Siècle des lumières et par la culture française. Cette dernière a d'ailleurs une grosse emprise sur les Suédois *(p. 22-23)*. Progressivement, le pouvoir absolu du monarque est contesté, notamment à cause de la guerre coûteuse contre la Russie. En 1792, Gustave III est assassiné par le capitaine Anckarström lors d'un bal masqué à l'Opéra *(p. 23)*.

Sous Gustave IV Adolphe, qui succède à son père, la Suède est entraînée dans les guerres napoléoniennes. Après le conflit qui l'oppose à la Russie (1808-1809), elle perd sa souveraineté sur la Finlande qui représente alors un tiers de la surface du pays. Le roi abdique et s'enfuit à l'étranger.

L'ÈRE DE CHARLES XIV
ET DU LIBÉRALISME BOURGEOIS

Au début du XIX⁰ siècle, la monarchie

Ancien maréchal de Napoléon, Bernadotte, devenu
Charles-Jean de Suède, et sa famille

CHRONOLOGIE

Carl von Linné (1707-1778)

1719 Nouvelle constitution transférant le pouvoir royal au parlement

1738 Le « parti des Chapeaux », ayant gagné les élections, assoit le pouvoir parlementaire

1720

1741 Car von Linné nommé professeur à Uppsala

1740

1772 Couronnement de Gustave III et coup d'État pour retrouver le pouvoir absolu

1754 La famille royale s'installe au Palais royal

1780 La liberté religieuse est accordée aux immigrants

1760

1786 Fondation de l'Académie suédoise

1778 Le costume national imposé ; la peine de mort n'est plus systématique

1780

1790 Bataille de Svenskund : victoire sur la Russie

1792 Assassinat de Gustave III

1800

Lecteurs de l'*Aftonbladet*, devant le bureau du journal

absolue a définitivement disparu. En 1809, la nouvelle constitution qui distribue le pouvoir entre le roi, le gouvernement et le parlement amoindrit les privilèges de l'aristocratie .

Une nouvelle répartition des classes, ajoutée aux effets de la Révolution française, permet l'émergence d'une classe moyenne. Celle-ci exprime ses idées, notamment dans le célèbre journal *Aftonbladet*, organe du courant libéral.

Le trône vacant est offert à l'un des maréchaux de Napoléon Ier, Jean-Baptiste Bernadotte, dont les Suédois avaient précédemment apprécié la politique à leur égard. Bernadotte règne sous le nom de Charles XIV ou Charles-Jean. Fondateur de l'actuelle dynastie royale, le souverain, qui persiste à s'exprimer en français, ne maîtrisera jamais complètement le suédois. En 1813, une armée suédoise conduite par Charles XIV s'engage dans une campagne contre Napoléon. Après la bataille de Leipzig, où la France est vaincue, le Danemark doit céder la Norvège à la Suède. Les Norvégiens, malgré leur réticence,

Le moulin à vapeur Eldkvarn a été détruit par le feu en 1878

acceptent une alliance, qui durera de 1814 à 1905. Grâce à la longue période de paix qui s'ensuit, la population connaît un accroissement considérable : elle passe de 1 million en 1814 à 3,5 millions en 1850. Mais le manque de travail plonge de nombreux Suédois dans la pauvreté et provoque une émigration massive. De 1850 à 1930, près de 1,5 million de personnes quittent le pays, principalement pour l'Amérique du Nord.

MOUVEMENTS FOLKLORIQUES ET INDUSTRIALISATION

Au XIXe siècle, la Suède, société agricole, se transforme en un pays industrialisé et résout les problèmes posés par sa surpopulation. La révolution industrielle commence vers 1850 et gagne du terrain en quelques décennies. Les industries textiles et métallurgiques fournissent la plus grande partie des emplois. En 1806, sur l'emplacement de l'actuel hôtel de ville, est construit Eldkvarn, le premier moulin à vapeur de la nation. Il fonctionnera jusqu'à sa destruction par le feu en 1878.

Le XIXe siècle voit également la naissance de mouvements folkloriques, qui jouent encore aujourd'hui un rôle important dans la vie des Suédois. Alors qu'en 1820 la consommation annuelle de boissons fortes est de 46 litres par personne, une ligue antialcoolique est créée pour réagir contre l'abus d'alcool généralisé des Suédois.

1820	1840	1860	1880	1900
809 Perte de la Finlande et **dication** de Gustave IV **dolphe** **1810** Le parlement offre le trône à Bernadotte	**1842** Chaque paroisse est dotée d'une école primaire	**1869** Mauvaises récoltes et émigration massive vers l'Amérique du Nord	**1876** L. M. Ericsson entreprend la fabrication de téléphones *August Strindberg*	**1908** Ouverture du Théâtre dramatique royal
1818 Charles XIV est couronné roi de Suède et de Norvège		**1859** Premier chemin de fer suédois	**1879** Publication de *La Chambre rouge*, d'Auguste Strindberg	
1814 Traité de paix avec le Danemark, qui cède la Finlande		**1850** La Suède a 3,5 millions d'habitants, dont 93 000 vivent à Stockholm	**1905** Le parlement dissout l'union avec la Norvège	

Le règne de Gustave III

G ustave III est l'un des personnages les plus hauts en couleur de l'histoire de la Suède. Passionné par l'art, la littérature et le théâtre, il fait de la fin du XVIIIe siècle l'âge d'or de la culture suédoise. Plusieurs académies sont créées sous son règne (1771-1792). Après une révolution sans effusion de sang, en 1772, ce monarque au pouvoir absolu organise un vaste programme de réformes.
Mais ses attaques des privilèges de la noblesse et sa politique étrangère, audacieuse et coûteuse, lui valent de puissants ennemis. Il est assassiné en 1792 au cours d'un bal masqué à l'Opéra de Stockholm.

L'Académie suédoise
Elle est fondée par Gustave en 1786 pour préserver la langue suédoise. À chaque réunion, les membres reçoivent un jeton portant l'effigie du roi.

Un courtisan fait la lecture à voix haute.

Sacre de Gustave III, en 1772
Le couronnement de ce monarque absolu donna lieu à une somptueuse cérémonie illustrée ici par C. G. Pilo. Chaque détail fut réglé par le roi, dont le sens du spectacle s'exerçait également en politique.

Gustave III étudie des projets architecturaux.

VIE DE COUR À DROTTNINGHOLM
Peinte par Hilleström (1779) cette scène de cour à Drottningholm, résidence du roi de juin à novembre, montre le roi et la reine avec leur proche entourage dans l'actuel salon Bleu. La cour suivait l'étiquette de celle de France de façon encore plus stricte qu'à Versailles.

La bataille de Svenskund
Guerrier peu glorieux, Gustave III conduisit pourtant son pays à la plus brillante de ses victoires lorsqu'il vainquit la Russie lors d'une grande bataille maritime dans le golfe de Finlande (1790).

Les auberges
Stockholm regorgeait d'auberges joyeusement fréquentées par ses 70 000 habitants, ainsi que le montre ce dessin de J.-T. Sergel.

Meurtre au bal masqué
*En 1792, à l'Opéra, Gustave III est entouré
sur la scène de conspirateurs masqués.
L'un d'eux, le capitaine Anckarström, tire
sur le roi ; ce dernier succomba à ses
blessures 14 jours plus tard.*

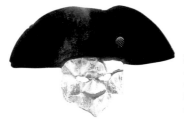

Masque et bicorne de Gustave III
*Masqué, Gustave III portait les insignes de deux
ordres de chevalerie qui le rendaient facile à
identifier. Son assassinat, qui intrigua toute
l'Europe, inspira* Un Ballo in Maschera (Verdi).

Flagellation de l'assassin du roi
*Anckarström fut le seul conspirateur à être
condamné à mort. Avant son exécution
à Södermalm, il subit une flagellation
publique trois jours consécutifs, sur
la place située devant Riddarhuset.*

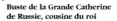
**Buste de la Grande Catherine
de Russie, cousine du roi**

**La reine Sofia
Magdalena** et ses
travaux d'aiguille.

LE STYLE GUSTAVE III

Au milieu du XVIIIᵉ siècle, le style néoclassique,
inspiré du style et des idéaux de la Grèce ancienne,

s'épanouit. Gustave III, amateur
enthousiaste, apporte son soutien
aux artistes. Il crée son propre
musée des Antiquités *(p. 53)*
afin d'accueillir des sculptures
de marbre rapportées d'Italie.
Les courbes mouvantes de
l'élégance rococo sont remplacées
par les lignes plus sobres
de ce qui prendra le nom
de style gustavien. La décoration
du Palais royal suit ce changement
de style.

**Chaise de style
gustavien**

Costume de cour suédois
*En 1778, Gustave III imposa
un costume de coupe
française à usage quotidien
afin de restreindre certains
excès vestimentaires.*

LE SUFFRAGE UNIVERSEL

Autour de 1900, en dépit d'une émigration massive aux États-Unis, le nombre de Suédois atteint 5 millions. La population affluant vers les villes pour travailler dans l'industrie, Stockholm compte 300 000 habitants, c'est-à-dire quatre fois plus qu'en 1800.

À cette époque, une conscience sociale plus forte, ajoutée à la montée des partis social démocrate et libéral, aboutit à la revendication du suffrage universel, appuyée par des auteurs radicaux, comme August Strindberg. La bataille politique fait rage jusqu'en 1921, date à laquelle le suffrage universel est établi pour les hommes et les femmes.

Au XIXe siècle, le rôle du roi et l'étendue de ses pouvoirs suscitent un autre débat animé. Lors d'un discours, Gustave V appelle au réarmement militaire. La crise constitutionnelle qui s'ensuit entraîne la démission du gouvernement libéral. Après les élections de 1917, le roi est contraint d'accepter un gouvernement de sociaux-démocrates aux sympathies républicaines, dont fait partie Hjalmar Branting, futur Premier ministre. Le choix du gouvernement est alors revenu au parlement.

Conversation entre Branting et Gustave V, 1909

L'ÉTAT-PROVIDENCE

En 1936, le parti social démocrate et des fermiers forment une coalition pour élaborer ce qui allait devenir l'« État-providence ». Selon Per Albin Hansson (1885-1946), Premier ministre social démocrate, celui-ci est une société dotée d'une conscience sociale assurant à tous la sécurité financière. De 1930 à 1940, des réformes instituant des allocations pour le chômage, des congés payés et des crèches font pratiquement disparaître la pauvreté en Suède.

Le droit au logement et le principe de proximité du travail et du domicile entraînent la construction de Vällingby, nouvelle banlieue de Stockholm, au début des années 1950. L'idée est de transformer les cités-dortoirs en communautés où l'on peut habiter et travailler. L'opération est un échec : certains habitants de Vällingby continuent de travailler loin de leur domicile et vice-versa. La grande pénurie de logements dans les années 1960 donne naissance au programme « million », qui prévoit la construction d'un million de logements en un temps extrêmement court. Ces habitations, malgré leur grande qualité de construction, sont rapidement qualifiées de « nouveaux taudis ».

En juin 1917, le besoin de réformes démocratiques conduit à des émeutes, ici devant le parlement de Stockholm

CHRONOLOGIE

1914 Discours de Gustave V

1921 Suffrage universel pour les deux sexes

1932 Suicide d'Ivar Krueger, magnat de l'industrie, suivi d'un krach boursier

1940 Accord germano-suédois sur le transit de militaires allemands

1958 Les femmes peuvent être ordonnées prêtres

1955 Assurance maladie obligatoire

1920

1940

Selma Lagerlöf gagne le prix Nobel de littérature

1930 L'architecture fonctionnaliste est stimulée par l'exposition de Stockholm

1939 Neutralité de la Suède dans le conflit mondial

1950 Première retransmission télévisée en Suède

1952 Ouverture de la première ligne de métro

LES ANNÉES DE GUERRE

La Suède déclare sa neutralité pendant les deux guerres mondiales. Durant la première, le pays qui

a poursuivi ses relations commerciales avec des pays engagés dans le conflit, subit un blocus économique des autres nations ; cette situation provoque quelques émeutes dues à la famine.

Durant la seconde guerre mondiale, les voisins nordiques de la Suède font partie des belligérants. Un mélange

Timbre illustrant la neutralité (1942)

de chance et d'adresse permet aux Suédois de rester en dehors du conflit, mais les concessions qu'ils doivent faire leur valent d'âpres critiques nationales et internationales.

L'APRÈS-GUERRE

Les sociaux démocrates sont majoritaires au gouvernement des années 1930 aux années 1970 mais les blocs socialiste et non socialiste cohabitent selon un équilibre relatif depuis la seconde guerre mondiale.

La Suède, malgré sa politique de neutralité est présente sur la scène internationale et aux Nations Unies. Le pays accueille des centaines de milliers de réfugiés fuyant la guerre ou l'oppression politique. Le Premier ministre

Vällingby attira l'attention des urbanistes du monde entier dans les années 1950

Olaf Palme (1927-1986), probablement le politicien suédois le plus connu à l'étranger, se montre très concerné par les questions de démocratie et de désarmement, ainsi que par les problèmes du tiers-monde. Il dénonce à de multiples reprises le comportement anti-démocratique des dictatures de la planète. Son assassinat dans une rue de Stockholm, en 1986, provoque une onde de choc dans le monde entier. Curieusement, ce meurtre n'a toujours pas été résolu.

D'importants changements se produisent dans les dernières décennies du XXᵉ siècle. La nouvelle constitution de 1974 retire au roi ses pouvoirs politiques. En 1995, la Suède rejoint l'Union européenne, après un référendum ayant approuvé cette adhésion à une très courte majorité.

L'entrée dans le nouveau millénaire est marquée par la séparation totale entre l'Église et l'État, mettant fin à un équilibre de plus de 400 ans.

Sveavägen, où Olaf Palme fut assassiné, en 1986

Le pays montre des signes de crise économique, même si la majorité de ses habitants a encore un bon niveau de vie. L'évolution technologique et la mondialisation fournissent à la Suède à la fois de nouvelles sources d'emploi, de nouveaux habitants et un rôle international prédominant pour les technologies d'information.

1967 Introduction de la conduite à droite

1974 Abolition du pouvoir monarchique

1980 La nouvelle constitution autorise les femmes à régner

2000 Ouverture du pont d'Öresund reliant le Danemark à la Suède

1986 Olof Palme est assassiné à Stockholm

1980		2000

1964 Le Moderna Museet expose Andy Warhol, Roy Lichtenstein et Claes Oldenburg

1974 Le groupe ABBA gagne le Grand Prix de l'Eurovision

1973 Mort de Gustave VI Adolphe et avènement de Charles XVI Gustave

1995 La Suède entre dans l'Union européenne

Victoria, princesse héritière

2000 Séparation de l'Église et de l'État

STOCKHOLM AU JOUR LE JOUR

Malgré les caprices du climat, le cœur de Stockholm bat toute l'année au même rythme. S'il est particulièrement agréable de visiter la capitale en été, cette dernière se pare en hiver d'une somptueuse parure de neige et de glace. Au fil des mois, la ville est le théâtre d'innombrables manifestations publiques. Ses multiples installations sportives attirent les plus grands noms du sport inter-

Crocus, fleurs de printemps

national et ses lieux de concert classique ou pop, à l'intérieur ou en plein air, accueillent les meilleurs musiciens du monde entier. Une foule d'habitants et de visiteurs se rassemble pour assister à la célébration des fêtes nationales suédoises. Autour de Stockholm, la campagne environnante et l'eau toute proche fournissent un large éventail d'activités de détente et de loisirs tout au long des saisons.

PRINTEMPS

Comme tous les peuples nordiques, les Suédois attendent le printemps après la semi-obscurité de l'hiver. Les adorateurs du soleil saluent son lever devant Konserthuset (Théâtre musical) et Kungliga Dramatiska Teatern (Théâtre royal) ; les bateaux sont remis en état ; football et hockey sur glace se partagent le public ; les fleurs sont en bouton dans Kungsträdgården ; et les *semla*, traditionnels, pains au lait fourrés de pâte d'amande, mettent fin au carême.

Le semla

MARS

Exposition nautique internationale de Stockholm *(début mars).* Grande exposition nautique au palais des expositions de Stockholm, Älvsjö.
Foire de plein air *(mars).* Camping, tourisme et matériel de loisirs, au centre des expositions de Sollentuna.

Détente au soleil à Djurgårdsbrunnsviken

Kuriosa *(début mars).* Foire aux antiquités et à la brocante, au centre des expositions de Sollentuna.
Festival de la Couture *(début mars).* Centre des expositions de Sollentuna.
Foire du Jardin *(mars).* Tout pour le jardin, centre des expositions de Sollentuna.
Foire artistique de Stockholm *(mars).* Vente d'œuvres d'art, centre des expositions de Sollentuna.
Salon de Printemps *(mars).* Exposition d'art annuelle consacrée aux nouveaux artistes, Liljevalchs Konsthall, Djurgården.

AVRIL

Gröna Lund *(dernier weekend d'avr.).* Ouverture du parc d'attractions de Djurgården.
Championnat de Football suédois *(dernier week-end d'avr.).* Éliminatoires aux stades de Råsunda et de Söder.
Nuit de Walpurgis à Skansen *(30 avr.)* Célébrations traditionnelles : porte-étendards, danses folkloriques, retraite aux flambeaux, chorales d'étudiants.
Anniversaire du roi *(30 avr.).* Hommage au souverain avec parade militaire à Kungliga Slottet (Palais royal).

MAI

Régate de Lidingö *(1ᵉʳ sam. de mai).* Des centaines de bateaux s'affrontent.
Parade des Chapeaux *(mi-mai).* La parade débute à Nordiska Museet et se termine à Skansen où le

Nuit de Walpurgis à Evert Taubes Terrass, Riddarholmen

« chapeau de l'année » est choisi.
Princesse du Cirque *(mai)* Des artistes de cirque féminines exécutent des numéros. La meilleure est nommée Princesse du cirque de l'année.
Foire de l'Archipel *(fin mai).* Vente, achat ou échange de bateaux de plaisance d'occasion.
Tjejtrampet *(dernier week-end de mai).* Course cycliste féminine de 40 km.
Festival historique *(dernier week-end de mai).* Manifestations culturelles à Gamla Stan, à Riddarholmen et Helgeandsholmen.
Prix Elite *(dernier week-end de mai).* Courses hippiques de trot à Solvalla.
Théâtre à Hagaparken *(fin mai).* Théâtre en plein air dans les ruines de l'ancien palais.
Kungsträdgården *(fin mai).* Début, sur la scène principale, du festival d'été du parc.
Popcorn *(fin mai).* Festival de cinéma dans les salles du centre-ville (8 jours).

DURÉE MOYENNE DE L'ENSOLEILLEMENT QUOTIDIEN

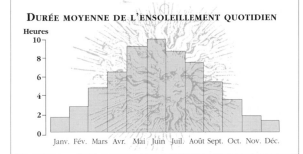

Heures
10
8
6
4
2
0

Janv. Fév. Mars Avr. Mai Juin Juil. Août Sept. Oct. Nov. Déc.

Ensoleillement

À Stockholm, en été, les périodes ensoleillées et chaudes peuvent être entrecoupés d'averses rafraîchissantes. Neige et températures glaciales caractérisent l'hiver nordique bien que les jours hivernaux, très courts, puissent parfois s'illuminer d'un soleil puissant. De la mi-juin à la mi-juillet, il ne fait jamais complètement nuit.

ÉTÉ

C'est à cette époque de l'année que Stockholm est la plus accueillante. Bien qu'il fasse chaud en mai, l'été ne commence pas avant début juin, lorsque ferment les écoles. Fin juin, le soleil, qui brille pratiquement jour et nuit, encourage les pique-niques et les animations de rue. La capitale se vide un peu en juillet, au moment des vacances. Fin août, à la réouverture des écoles, on déguste des écrevisses et des harengs de la Baltique fermentés.

La Saint-Jean : danses autour du mât, à Skansen

JUIN

Marathon de Stockholm *(1er sam. de juin).* L'un des 10 plus grands marathons du monde (13 000 participants).
Course de Gärdet *(début juin).* Course amicale de vieilles voitures à Gärdet.
Fête du Restaurant *(début juin).* Kungsträdgården devient le plus grand restaurant de plein air du monde.
Festival américain *(début juin).* Nourriture et culture américaines à Kungsträdgården.
Fête du Bateau de l'Archipel *(1er mer. de juin).* Des bateaux à vapeur se rassemblent à Strömkajen, pour un aller-retour à Vaxholm.
Riddardamen *(juin).* Régate féminine à Riddarfjärden.
Grand Prix de Stockholm *(juin).* Deuxième course la plus importante de la saison à l'hippodrome de Täby.
Fête nationale *(6 juin).* Cérémonies en présence de la famille royale, à Skansen.
Midsommarafton *(sam. proche du 24 juin).* Fête de la Saint-Jean. Trois jours de célébration : danses autour de mâts décorés, à Skansen.
Musique au Palais *(juin-août).* Début de la saison des concerts d'été dans la salle du Trône et la chapelle de Kungliga Slottet.
Drottningholms Slottsteater *(juin-août.)* Concerts, danses et opéras au théâtre de Cour du XVIIIe siècle.
Gala du Palais *(mi-juin)* Des interprètes célèbres régalent les amateurs d'airs classiques et modernes, dans le parc d'Ulriksdals Slott.

JUILLET

Écrevisse

Régate du Gotland *(1er week-end de juil.).* Course de bateaux internationale. Départ et retour à Sandhamm.
Festival de boules *(1er week-end de juil.).* Les amateurs de pétanque se réunissent à Kungsträdgården.
Festival international de Jazz et Blues de Stockholm *(3e semaine de juil.).* Des grands artistes jouent en plein air, dans le cadre admirable de Skeppsholmen.
DN Gala *(juil.).* Compétition d'athlétisme internationale, au Stadion de Stockholm.

AOÛT

Course de minuit *(début août).* Course à pied de nuit sur 10 km (16 000 participants environ.), à Söder.
Recykling *(2e semaine d'août).* Manifestation écologiste avec 4 000 cyclistes, à Kungsträdgården.
Philharmonikerna i det Gröna *(2e dim. d'août).* L'Orchestre philarmonique royal donne un concert gratuit sur la pelouse du Sjöhistoriska Museet.
Tjejmilen *(dernier dim. d'août).* Course féminine de 10 km (25 000 participantes), à Gärdet.
Fête de l'Écrevisse *(dernier week-end d'août).* La Suède déguste des écrevisses et entonne des « chansons à boire ».

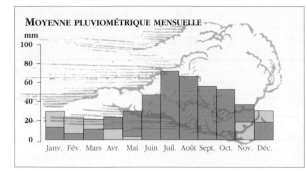

MOYENNE PLUVIOMÉTRIQUE MENSUELLE

mm

Janv. Fév. Mars Avr. Mai Juin Juil. Août Sept. Oct. Nov. Déc.

Diagramme pluviométrique
Alors que certains étés se révèlent pluvieux, le temps peut rester sec à Stockholm plusieurs semaines d'affilée. Les chutes de neige hivernales ne fondent parfois qu'en mars, mais certaines années, il ne neige pas.

Pluie (à partir du bas)
Neige (à partir du bas)

AUTOMNE

Au début de l'automne, les matinées peuvent être fraîches, mais le plus souvent, l'été jouant les prolongations, les arbres se parent d'une féerie de couleurs. Le Globen et les autres grandes salles accueillent un public croissant. Les activités culturelles reprennent dans les galeries et les théâtres, bien que de nombreuses manifestations artistiques se poursuivent en plein air.

Chanterelles

SEPTEMBRE

C'est le temps de la cueillette des champignons en forêt, ou des pommes, des poires et des prunes des vergers. Les maisons de campagne sont fermées mais la capitale reste très animée.
Régate de Riddarfjärden *(1er week-end de sept.)*. Course entre une centaine de bateaux de bois anciens.
Coupe de Stockholm *(1er week-end de sept.)*. Course de chevaux à l'hippodrome de Täby.
Séries Elite *(1er week-end de sept.)*. Premiers matchs de hockey sur glace, au Globen.
Parade de l'Armée suédoise *(1er week-end de sept., années paires)*. Musique et défilés militaires au Globen.
Course de Stockholm *(dernier week-end de sept.)*. Course de fond pour amateurs, à partir du Stadion.
Foire aux Animaux domestiques *(dernier week-end de sept.)*. Présentation d'animaux, palais des Expositions de Stockholm, Älvsjö.

OCTOBRE

Théâtres, cinémas, restaurants et clubs sont pleins. Les manifestations de plein air se raréfient mais les promenades dans les bois et les forêts se développent.
Course de Lidingö *(1er week-end d'oct.)*. La plus grande course de cross-country du monde (10 000 concurrents, réunissant coureurs d'élite, personnes du troisième âge et enfants).

NOVEMBRE

Tandis que l'obscurité tombe sur la ville, le

Salon International du Cheval de Stockholm, au Globen

nombre des manifestations se multiplie.
Foire aux Antiquités d'automne *(mi-nov.)*. Grand choix de meubles et objets anciens. Wasahallen expose les plus beaux.
Exposition de bateaux scandinaves à voile et à moteur *(mi-nov.)*, gros bateaux à moteur et yacht, palais des Expositions de Stockholm.
Salon de la Cuisine Det Goda Köket *(mi-nov.)*, au palais des Expositions de Stockholm. Aliments, vins et matériel de cuisine sont présentés, participation des chefs suédois.
Open de Stockholm *(mi-nov.)*. Tournoi de tennis au Kungliga Tennishallen.
Ouverture de la patinoire *(mi-nov.)*. Patinage en musique, à la patinoire de Kungsträdgården.
Salon international du Cheval de Stockholm *(fin nov.)*. Pour la coupe du monde : dressage, jumping et démonstrations au Globen.
Décorations de Noël *(fin nov.)*. Décoration des vitrines et des rues.

Symphonie de couleurs d'automne, Hagaparken

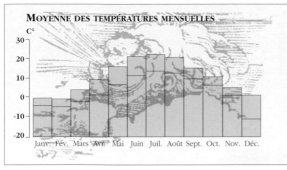

MOYENNE DES TEMPÉRATURES MENSUELLES

Janv. Fév. Mars Avr. Mai Juin Juil. Août Sept. Oct. Nov. Déc.

Diagramme des températures

Les températures de Stockholm, sont, grâce à son climat maritime, relativement douces. L'été est plutôt frais mais la chaleur s'installe parfois pendant plusieurs semaines d'affilée. L'hiver, le froid s'avère très rarement insupportable. Les moyennes minimales et maximales sont indiquées ci-contre.

HIVER

Lorsque les températures sont légèrement au-dessus de zéro, la ville peut prendre un aspect boueux. Quand les températures sont nettement au-dessous de zéro, la capitale suédoise se couvre d'un blanc manteau scintillant sous un soleil radieux. Les habitants de Stockholm sortent alors skis, luges et patins, ou font de longues promenades. Les événements sportifs et culturels sont nombreux.

DÉCEMBRE

Nombre des manifestations les plus importantes de l'année se déroulent début décembre.

Salon d'Art et d'Artisanat *(début déc.)*, Exposition très populaire au centre des expositions de Sollentuna.

Fête du Nobel *(10 déc.)*. Les lauréats du prix Nobel sont honorés lors d'une cérémonie à Konserthuset (salle de concert) ; le soir, la famille royale assiste au banquet du Stadhuset (hôtel de ville).

Sainte-Lucie, fête de la Lumière *(13 déc.)*. Lucie, la

Lucie, reine de la Lumière et ses dauphines, à Skansen

reine de la lumière habillée de blanc et entourée de ses dauphines et de ses « garçons », sert, très tôt le matin, aux lauréats du prix Nobel, du café et des petits pains au safran, après avoir interprété des chants traditionnels. Le soir, une procession s'achemine à travers la ville vers les cérémonies et le feu d'artifices de Skansen.

Marchés de Noël *(depuis début déc.)*. Les marchés traditionnels de Skansen, Rosendals Slott, Stortorget (à Gamla Stan et Drottningholms Slott) proposent des articles pour les achats de Noël.

Noël *(24-26 déc.)*. Noël est la fête la plus importante des Suédois. Le réveillon, où l'on déguste un abondant *smörgåsbord*, est suivi de la remise des cadeaux, souvent par un membre de la famille déguisé en Père Noël.

Soldes de Noël *(1er jour ouvrable après Noël).* Début des soldes.

Sculptures de glace *(fin déc.)*. Si le temps le permet, Djurgården accueille cette forme d'art originale.

Nouvel An *(31 déc. -1er janv.)* Nombre d'habitants de Stockholm sortent en ville. À Skansen, la célébration traditionnelle inclut une lecture à minuit du poème de Tennyson *Ring out wild bells... (Cloches, carillonnez).* Les cloches sonnent, sous un magnifique feu d'artifice.

Stortorget, Gamla Stan : le marché de Noël, prélude des festivités

JANVIER

Foire aux Antiquités *(début janv.)* La première grande foire de l'année, palais des expositions d'Älvsjö.

FÉVRIER

Matchs de Hockey suédois *(fév.)*. Tournoi de hockey sur glace, entre la Russie, la République tchèque, la Finlande et l'équipe nationale suédoise, Tre Kronor, au Globen.

Gala du Globen *(2e moitié de fév.)*. Compétition en salle entre grands sportifs internationaux.

JOURS FÉRIÉS

Nouvel An (1er janv.)
Épiphanie (6 janv.)
Vendredi saint (mars-avr.)
Lundi de Pâques (mars-avr.)
Ascension (6e jeudi après Pâques)
Fête du Travail (1er mai)
Lundi de Pentecôte (mai-juin)
Saint-Jean (fin juin)
Noël (25 déc.)
Lendemain de Noël (26 déc.)

STOCKHOLM D'UN COUP D'ŒIL

Autrefois considérée comme la petite capitale rustique d'un pays du Nord lointain et glacé, Stockholm est aujourd'hui une métropole dynamique, dotée d'un riche patrimoine culturel.

Belle à couper le souffle, la cité entourée d'eau avoisine une campagne encore intacte, qui s'étend jusqu'au cœur de la zone urbaine. De magnifiques bâtiments et de nombreux musées abritant une quantité impressionnante de trésors culturels témoignent de ses 750 riches années d'histoire.

Ce chapitre, qui constitue un guide succinct des plus grands musées et palais, ainsi que des réalisations architecturales les plus remarquables, fournit une introduction aux particularités du style suédois en matière de design. Il consacre également une section aux activités liées à la présence de l'eau dans la ville.

LES DIX MERVEILLES DE STOCKHOLM

Stadshuset
p. 114-115

Nordiska Museet
p. 90-91

Skansen
p. 96-97

Drottningholm
p. 140-143

Historiska Museet
p. 104-105

Moderna Museet
p. 80-81

Archipel de Stockholm
p. 144-145

Musée national
p. 82-83

Palais royal et sa garde
p. 50-53

Vasamuseet
p. 92-94

◁ Österlånggatan, l'une des rues romantiques de Gamla Stan, quartier très apprécié

Les trésors des musées

Nous avons sélectionné parmi les centaines de musées qui abritent de remarquables collections se rapportant à tous les sujets et centres d'intérêt imaginables, dix établissements particulièrement intéressants. Kungliga Slottet (Palais royal) rassemble quatre musées en un seul. Très spectaculaire, Vasamuseet expose le *Vasa*, un vaisseau de guerre remonté du fond de l'océan où il reposait depuis 333 ans.

Hallwylska Palatset
Ce palais décoré des années 1890 a été transformé en musée. Grâce à une comtesse très méthodique et au goût très sûr, il expose 67 000 pièces dans un décor original.

VASASTADEN

Medeltidsmuseet
Une partie des remparts de 1590 est visible au sous-sol du Musée médiéval de Stockholm, consacré aux origines de la ville. La reconstitution du mur illustre les techniques de construction du Moyen Âge.

CITY

SÖDERMALM

Nationalmuseum
Le grand Musée national des Beaux-Arts, abrite de belles collections de tableaux et d'objets artisanaux suédois des XVIIe et XVIIIe siècles, ainsi que des objets d'art français (XVIIIe siècle) et hollandais (XVIIe siècle). La Bacchanale sur le mont Andros de Rubens, remonte à 1630 environ.

0   500 m

Palais royal
Outre l'intérêt que suscite le palais, ce bâtiment abrite quatre musées spécialisés : le Trésor, qui expose le globe officiel d'Erik XIV (1561), l'Armurerie royale, le musée des Antiquités de Gustave III et le musée de Tre Kronor.

Historiska Museet
Les portes de bronze sculpté du musée des Antiquités nationales s'ouvrent sur des vestiges de la vie des Vikings et des objets préhistoriques inestimables, tels que le trésor de Timboholm (450-400 av. J.-C.) exposé dans la Chambre d'Or.

Moderna Museet
Paradise (1966) de Tinguely de Saint-Phalle accueille les visiteurs de ce musée aux superbes collections d'art moderne national et international.

Sjöhistoriska Museet
La poupe de l'Amphion, vaisseau amiral royal de la fin du XVIIIe siècle, est l'un des nombreux trésors du Musée maritime national conçu par Ragnar Östberg.

ÖSTERMALM

Nordiska Museet
Bâtiment colossal datant de 1907, ce musée contient nombre d'artefacts illustrant la vie quotidienne et les coutumes des Suédois. On y admire ce manteau du comte de Fersen (1780 env.).

SKEPPS-HOLMEN

DJURGÅRDEN

Skansen
Fondé en 1891, ce premier musée à ciel ouvert du monde fait revivre le passé avec ses fermes, ses manoirs, ses scènes urbaines et ses artisans, auxquels s'ajoute une exposition de la flore et de la faune nordiques.

Vasamuseet
Le Vasa, vaisseau de guerre, chavire dans le port de Stockholm en 1628, il est sorti des eaux 333 ans plus tard et a été restauré à 95 %.

Les musées de Stockholm

L es très nombreux musées de Stockholm permettent au visiteur d'admirer des expositions très variées. Beaucoup d'entre eux sont situés dans des palais ou d'autres bâtiments historiques et comportent l'équipement nécessaire pour présenter de façon vivante les objets présentés. Certains de ces établissements, comme les demeures d'artistes, se consacrent à un thème précis. En outre, d'importantes collections privées sont accessibles au public. Nous vous présentons ici une cinquantaine de musées parmi les plus intéressants de la ville.

**Broche de Viking décorative,
Historiska Museet**

**L'uniforme de Charles XII (1718),
Livrustkammaren**

MUSÉES DU PALAIS ROYAL

N ombre des somptueux bâtiments érigés durant l'âge d'or de la Suède (1611-1718) sont aujourd'hui des musées. Tel est le cas des palais royaux de la ville et des alentours. **Kungliga Slottet** (Palais royal, *p. 50-53*) est un musée en lui-même. Il abrite la **Skattkammaren** (le Trésor), comportant les joyaux de la Couronne, ainsi que les fonts baptismaux d'argent pour les baptêmes royaux.
Le Palais royal abrite également le **musée des Antiquités de Gustave III**, exposant les statues rapportées d'Italie par le roi, et la Livrustkammaren (Armurerie royale, *p. 48*) où l'on voit des objets utilisés à la cour au fil des siècles. **Le musée du Château** retrace l'histoire de la première résidence royale.
Parmi les autres musées royaux, citons **Rosendals Slott** (*p. 98*), sur Rosendalsvägen, bâtiment préfabriqué des années 1820 de style Empire ;

le **Paviljong de Gustave III** (*p. 122-123*), dans Hagaparken, dont le mobilier et la décoration sont de beaux exemples du style gustavien finissant de la fin du XVIIIe siècle ; et **Ulriksdals Slott** (*p. 125*) possédant d'intéressantes pièces, dont un salon utilisé autrefois par le roi Gustave VI Adolphe et la reine Louise. Unique en son genre, **Drottningholms Slott** (*p. 140-143*), qui fait partie du patrimoine mondial de l'Unesco, abrite un remarquable musée du Théâtre.

MUSÉES HISTORIQUES

P lusieurs musées de Stockholm se consacrent à l'histoire.
Historiska Museet (musée des Antiquités Nationales, *p. 104-105*), expose dans sa magnifique chambre Dorée des trésors préhistoriques, consacre une grande section aux Vikings.
Nordiska Museet (*p. 90-91*) et **Skansen** (*p. 96-97*), musée de plein air, présentent le mode de vie et les traditions suédois, recréés dans des maisons de bois traditionnelles.
Stadsmuseet (Musée municipal, *p. 127*), qui relate l'histoire de la ville et de ses habitants, possède une bibliothèque renommée.
Les premières années de la ville sont recréées au **Medeltids-museet** (Musée médiéval, *p. 59*).
Etnografiska Museet (Musée national

d'Ethnographie, *p. 108*) expose des artefacts anthropologiques du monde entier. L'histoire et la culture du peuple juif constituent le thème du **Judiska Museet** (*p. 118*).
Medelhavsmuseet (musée des Antiquités du monde méditerranéen et du Proche-Orient, *p. 65*) se consacre à l'architecture et à la sculpture de ces régions.
Östasiatiska Museet (musée des Antiquités d'Extrême-Orient, *p. 78*) rassemble de vastes collections d'objets d'art et d'artisanat de la Chine, du Japon, de la Corée et de l'Inde.

MUSÉES D'ART

L es différentes collections du **Nationalmuseum** (Musée national des Beaux-Arts, *p. 82-83*) couvrent la peinture européenne et suédoise jusqu'au début du Xe siècle, et présentent des objets et des meubles typiquement suédois.
Moderna Museet (*p. 80-81*), à Skeppsholmen, comporte une collection exceptionnelle d'art suédois et étranger. **Arkitektur-museet** (musée de l'Architecture, *p. 78*) met en évidence les techniques de construction suédoises au cours du dernier millénaire, tout en élargissant ce sujet au monde entier. Djurgården abrite

**Amour et Psyché, J.-T.
Sergel, Nationalmuseum**

trois superbes galeries d'art :
Liljevalchs Konsthall *(p. 95),*
consacrée à l'art suédois et
étranger du XXᵉ siècle ;
Waldemarsudde *(p. 99)* et
Thielska Galleriet *(p. 99),* qui
sont spécialisées dans l'art
nordique de la fin du XIXᵉ siècle
et du début du XXᵉ siècle.
Spökslottet (Palais hanté,
p. 116) expose les collections
universitaires de la peinture
classique et des verreries
artistiques suédoises.
Millesgården *(p. 144),* sur
Lidingö, domaine où vivait
et travaillait le sculpteur Carl
Milles, et où il est maintenant
inhumé, expose quelques-unes
de ses œuvres les plus belles
au sein d'un jardin offrant
une vue panoramique sur
Stockholm.

Salon du somptueux Hallwylska Palatset

MUSÉES MARITIMES

Ville sur l'eau, Stockholm
comble les visiteurs
passionnés par la mer et les
bateaux.
Vasamuseet *(p. 92-94),* l'une
des plus grandes attractions de
la cité, expose le *Vasa,*
magnifique vaisseau de guerre
pratiquement intact qui fit
naufrage dans le port de
Stockholm après un premier
parcours de 1 330 m. Outre la
coque, superbement restaurée
au prix d'un énorme travail,
admirez les objets évoquant la
vie à bord d'un bateau de
combat du XVIIᵉ siècle. Près du
Vasa sont amarrés les
Museifartygen (bateaux-
musées, *p. 89)* réunissant le
Finngrundet (1903), l'un des
derniers bateaux-feux suédois,
et le *Sankt Erik* (1915), puissant
brise-glace à vapeur le plus
grand d'Europe. Non loin,
Aquaria *(p. 95)* présente aux
visiteurs toute une variété
d'animaux et de plantes dans un
écosystème de forêts tropicales,
mer et cours d'eau nordiques.
Sjöhistoriska Museet (Musée
national de la Marine, *p. 106)*
expose une très belle collection
de maquettes de bateaux. Un
court trajet en bateau conduit
aux îles **Fjäderholmarna**
(p. 144), où se trouvent trois
musées, dont deux consacrés
aux bateaux et le troisième,
possédant aussi un aquarium,
à la pêche.

MUSÉES PRIVÉS

L'un des joyaux des musées
de Stockholm,
Hallwylska Palatset *(p. 73),*
opulente résidence privée
de la fin du XIXᵉ siècle,
a conservé ses meubles
d'origine. La maison d'August
Strindberg, dramaturge,
devenue **Strindbergsmuseet
Blå Tornet** (musée Strindberg
de la Tour Bleue
p. 69), nous fait pénétrer dans
la vie quotidienne de l'auteur.
Une statue de Strindberg
se dresse près de **Carl Eldhs
Ateljémuseum** (studio-
musée, *p. 121),* ancienne
résidence du sculpteur.

MUSÉES SPÉCIALISÉS

Kungliga Myntkabinettet
(Cabinet Royal de
la Monnaie, *p. 48)* expose
des pièces et différents
moyens de paiement
remontant à mille ans.
Junibacken *(p. 88)* est un

Costume de scène des Ballets
suédois (1920), Dansmuseet

charmant musée qui fait
revivre les classiques livres
pour enfants d'Astrid Lindgren.
Les jouets mécaniques,
les maquettes, les poupées
et leurs maisons attirent
à **Leksaksmuseet** (musée
du Jouet, *p. 131)* des visiteurs
de tout âge.
**Vin et Sprithistoriska
Museet** (musée des Vins et
Spiritueux, *p. 120),* montre une
cave et une distillerie, abrités
dans un entrepôt de vin.
Une autre des faiblesses
humaines, le tabac, possède
à Skansen *(p. 96-97)* son
Tobaksmuseet (musée du
Tabac).
Postmuseet (musée de la
Poste, *p. 55)* contient plus
de 4 millions de timbres
du monde entier.
Spårvägsmuseet (musée des
Transports, *p. 130)* abrite
quelque 40 tramways
originaux, ainsi qu'une vaste
collection de maquettes. Dans
le même quartier se dressent
Almgrens Sidenväveri
et **Almgrensmuseet** (atelier
de tissage et musée Almgren,
p. 127). À Långholmen,
Bellmanmuseet *(p. 132),*
retrace la vie d'un troubadour
du XVIIIᵉ siècle, Carl Michael
Bellman *(p. 98).* La superbe
collection internationale
du **Dansmuseet** (musée de la
Danse, *p. 65)* reflète tous
les aspects de la danse.
Musikmuseet (musée
de la Musique, *p. 72)* contient
près de 6 000 instruments,
ainsi que les archives musicales
les plus importantes du pays.
Les amateurs passionnés de
musique folk peuvent fouiller
dans une collection de disques
rassemblant plus de
20 000 ballades traditionnelles.

Les trésors de l'architecture

Épargnée par la seconde guerre mondiale, Stockholm a conservé de nombreux trésors architecturaux. Les premiers bâtiments de la ville furent érigés à Gamla Stan. Les quartiers environnant Stockholm baptisés Malmarna *(p. 101)*, gardent un caractère rural jusqu'à la période de construction intensive de la seconde moitié du XIXe siècle. À partir de 1930, la ville se développe, ainsi qu'en témoignent des édifices de style fonctionnaliste. Farsta et Vällingby apparaissent après 1945. Dans les années 1990, de nouveaux bâtiments sont érigés sur d'anciens sites industriels au sein de la capitale.

Stadsbiblioteket
(Erik Gunnar Asplund, 1920-1928). La bibliothèque municipale, très bel exemple du style néoclassique des années 1920, s'orne d'une salle de lecture de forme cylindrique au décor remarquable (p. 117).

Kungliga Dramatiska Teatern
(Fredrik Liljekvist, 1901-1908) Le Théâtre dramatique royal, l'un des rares bâtiments monumentaux de Stockholm, abrite, derrière ses façades Art nouveau de marbre blanc, un vestibule et un escalier ornés d'abondantes dorures (p.72-73).

VASASTADEN

CITY

KUNGSHOLMEN

GAMLA STAN

SÖDERMALM

Palais royal
(Nicodemus Tessin le Jeune, 1690-1704, terminé par Carl Hårleman). Les travaux du Palais royal, d'après des dessins de Tessin le Jeune, débutèrent après l'incendie de 1697. Inspirée des palais romains, la façade dissimule un décor somptueux de styles suédois et français (p. 50-53).

Wrangelska Palatset
(Nicodemus Tessin l'Ancien (1652-1670). C'est l'un des quelques majestueux palais construits à Riddarholmen dans le style imposant du XVIIe siècle. Le portail et l'arcade de la cour sont d'origine (p. 56).

Tessinparken
(Arvid Stille, 1930, projet urbain de Sture Frölén). Le style fonctionnaliste colossal fut appliqué à ces bâtiments de trois étages sur piliers (p. 110).

LES TROIS TESSIN

Nicodemus Tessin le Jeune (1654-1728), qui conçut le Palais Royal (p. 50-53) est l'architecte le plus important de Stockholm, car il influença non seulement l'architecture, mais également la planification urbaine, l'art paysager et l'artisanat. Son père, Nicodemus Tessin l'Ancien (1615-1681), conçut plusieurs châteaux de campagne, Drottningholm est son chef-d'œuvre (p. 140-143). Carl Gustav Tessin (1695-1770), introduisit le style rococo en Suède, aux côtés de Carl Hårleman.

Le Palais royal, auquel contribuèrent les trois Tessin

Nordiska Museet
(Isak Gustaf Clason, 1889-1907). Cet édifice imposant, de style Renaissance version scandinave, est un monument national à la culture nordique. Ses dimensions font le tiers de celles prévues à l'origine (p. 90-91).

ÖSTERMALM

Moderna Museet
(Rafael Moneo, 1995-1998). Les lignes sobres de ce spacieux musée d'Art moderne visent à ne pas heurter son environnement historique, sur l'île de Skeppsholmen (p. 80-81).

KEPPS-
OLMEN

DJURGÅRDEN

Cottages de Söder
Au début du XVIIIᵉ siècle, des cottages de bois furent construits pour les travailleurs du port. Söder en a conservé quelques-uns, à Åsöberget et sur Fjällgatan (p. 129).

500 m

LES ENVIRONS DE STOCKHOLM

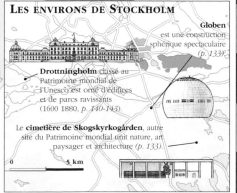

Globen est une construction sphérique spectaculaire *(p. 133)*.

Drottningholm classé au Patrimoine mondial de l'Unesco est orné d'édifices et de parcs ravissants (1600 1880, *p. 140-143*).

Le **cimetière de Skogskyrkogården**, autre site du Patrimoine mondial unit nature, art paysager et architecture *(p. 133)*.

0   5 km

Le style suédois

C'est lors de l'Exposition internationale de 1925, à Paris, que les meubles et objets suédois – les créations de verre, en particulier –, attirèrent l'attention du public, lançant ainsi le concept de « grâce suédoise ». Simplicité et fonctionnalité reposant sur des matériaux naturels caractérisent ce style, dont les objets, simples et beaux, sont destinés à un usage quotidien. Au cours des années 1990, les créateurs suédois de design contemporain, reconnus dans le monde entier, marquent le début d'un nouvel âge d'or.

Grès, Hans Hedberg
La poterie suédoise des années 1940 à 1960, de renommée internationale, suscita la passion des collectionneurs.

Fauteuil (1969), Bruno Mathsson
L'un des plus célèbres créateurs de meubles du xxᵉ siècle, qui fut avec quelques autres à l'origine du style baptisé « moderne suédois », conçut la première version du fauteuil Pernilla, en 1942.

Le bois clair et la simplicité sont étroitement associés au style suédois.

Les tapis de chiffon, issus de la tradition ancienne du tissage, ont été superbement repris par Karin Larsson, créatrice renommée.

Bureau (1952), Josef Frank
Frank, né en Australie, fit carrière en Suède. Cet autre disciple du « moderne suédois », conçut des meubles, mais est surtout réputé pour ses textiles imprimés, destinés aux créations de Svenskt Tenn (p. 176).

Tapis (1931), Märta Måås-Fjetterström
Dès 1919, cette créatrice tissa des tapis très admirés dans son atelier, au sud de la Suède. S'inspirant du folklore et de la nature, elle inventa un concept très nouveau et pourtant profondément enraciné dans la tradition.

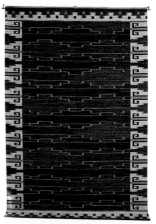

**Cafetière d'argent (1953),
Sigurd Persson**
*Persson, qui maîtrisait le
métal de façon magistrale,
joua un grand rôle dans
l'histoire du design,
tant pour ses objets
quotidiens
industriels que
pour ses créations
artistiques.*

**Chaise (1981),
Jonas Bohlin**
*La chaise Concrète, projet
pour l'obtention d'un
diplôme, est le meuble
le plus remarquable des
années 1980. Elle illustre
une approche complètement
nouvelle du design.*

es fleurs et ces plantes, devant une fenêtre sans rideaux,
ustrent les idées des Larsson en matière de décoration.

**Étagère (1989),
John Kandell**
*Les livres sont posés à plat
sur Pilastre, une étagère aux
lignes simples typiquement
scandinaves. Elle est
manufacturée par Källemo,
l'un des fabricants de meubles
les plus originaux de Suède.*

Le style gustavien (fin du XVIIIᵉ siècle),
dont certains éléments figurent depuis
deux siècles dans la décoration
suédoise, a fait un retour en force dans
les années 1990.

MAISON SUNDBORN, CARL LARSSON

La maison créée par Carl Larsson (1853-1919)
et son épouse Karin inspira le monde entier,
grâce aux aquarelles de l'artiste intitulées *Une
maison*. L'ancien mélangé au nouveau, les
couleurs pures, les plantes et les fenêtres sans
rideaux illustraient le mouvement
« La Beauté pour tous ».

**Vase (1998),
Ann Wåhlström**
*Cyclon, bel exemple
du travail du verre
contemporain,
est l'œuvre de l'une
des jeunes créatrices
de Kosta Boda.*

CARNET D'ADRESSES

Asplund
Södra Blasieholmshamnen.
Plan 3 E3.
*Grand choix de créations
du XXᵉ siècle.*

Asplund
Sibyllegatan 31. **Plan** 3 E3.
*Design contemporain
suédois et étranger.*

Svenskt Tenn
Strandvägen 5 **Plan** 3 E4.
*Josef Frank et d'autres
créateurs.*

Klara
Nytorgsgatan 36.
Plan 9 E3.
*Design contemporain
suédois et étranger.*

Bo
Östgötagatan 2. **Plan** 9 D2.
*Imitations de meubles
anciens.*

Jacksons
Tyska Brinken 20. **Plan** 4 B3.
*Imitations de meubles
anciens.*

Stockholm, ville aquatique

La capitale de la Suède, souvent surnommée la « Venise du Nord », est bâtie sur 14 îles entourées des eaux claires du lac Mälaren et du Saltsjön, bras de la mer Baltique. Cette situation exceptionnelle, l'un des plus beaux attraits de Stockholm, fait de sa visite un véritable enchantement. Les nombreux quais et voies navigables de la « verte cité flottante » et l'absence totale de pollution permettent un vaste choix d'activités, rares dans les autres métropoles.

Slalom en canoë
Une compétition de slalom en canoë se tient chaque année sur les eaux rapides du Strömmen, canal passant sous le square Gustav Adolf.

Régate sur le Riddarfjärden
Les voiliers sont toujours nombreux sur les eaux de Stockholm. Une course annuelle se déroule au début de septembre devant le Stadshuset (hôtel de ville).

CITY

KUNGSHOLMEN

Strömmen

GAMLA STAN

Riddarfjärden

Långholmen

SÖDERMALM

Natation au cœur de la ville
L'été, on peut se baigner dans les eaux claires et chaudes (20 °C) du centre-ville. Långholmen (p. 132), ses plages de sable et ses rochers offrent un cadre idéal pour un plongeon rafraîchissant.

Profession : pêcheur
Depuis 400 ans, les pêcheurs jettent leurs filets près de Kungliga Slottet (Palais royal), capturant 30 espèces de poissons dont l'éperlan. Aujourd'hui, subsistent quatre bateaux.

Bateaux d'époque

Les voies navigables de Stockholm accueillent quelques bateaux anciens, à l'acajou brillant et aux accessoires de cuivre, rénovés avec amour. Vous admirerez aussi des Riva, superbes et rares bateaux de course.

Découverte des voies navigables

Les visiteurs désirant explorer les eaux de Stockholm peuvent louer kayaks, pédalos, canots à rames ou à moteurs, et parfois dinghies. Rendez-vous près du pont de Djurgården.

0   500 m

ÖSTERMALM

Djurgårdsbrunnsviken

DJURGÅRDEN

Saltsjön

Pêche à la perche

Riches en poissons comestibles, les eaux limpides du centre-ville, attirent les pêcheurs de truites de mer. À Djurgårdsbrunn, on attrape la perche à l'hameçon – et à la mouche.

LÉGENDE

 Chemin pavé piétonnier

 Natation en plein air

Manœuvres de paquebots de croisière

Des hauteurs de Södermalm, on peut suivre le mouvement des bateaux parcourant l'étroit canal qui mène au quai central du port de Stockholm.

Le centre de Stockholm : Gamla Stan et Kungliga Slottet (Palais royal) se dressent au premier plan ▷

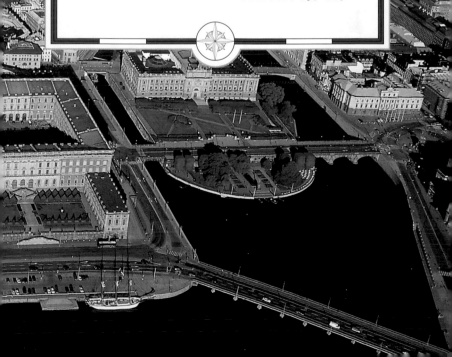

STOCKHOLM QUARTIER
PAR QUARTIER

GAMLA STAN

Des vestiges de l'histoire ancienne de Stockholm sont visibles à Stadsholmen, la plus grande île de Gamla Stan (la vieille ville). Les nombreux sites de l'île constituent un vaste patrimoine.

Le Palais royal, symbole de la grande puissance suédoise du XVIIe siècle et du début du XVIIIe siècle *(p. 18-19)*, abrite de somptueux appartements et des objets assortis à son architecture baroque. Les édifices historiques qui se dressent majestueusement autour de Slottsbacken soulignent le rôle de

Point d'ancrage sur une façade

capitale de la métropole.

Le quartier ne manque pas de charme grâce à l'atmosphère particulière qui s'en dégage : palais, églises et musées bordent des rues remplies de boutiques de souvenirs, de librairies et de magasins d'antiquités. Dans les ruelles étroites, des celliers médiévaux ont été transformés en restaurants et en cafés. Des ponts mènent à Riddarholmen, à son palais du XVIIe siècle et à sa crypte royale, ainsi qu'à Helgeandsholmen et aux splendeurs nouvelles du Riksdagshuset (parlement).

LES SITES D'UN COUP D'ŒIL

Palais et musées
Kungliga Myntkabinettet ❸
Livrustkammaren ❷
Medeltidsmuseet ⓳
Palais royal
p. 50-53 ❶
Postmuseum ❿

Édifices publics
Bondeska Palatset ⓱
Riddarhuset ⓰
Riksdagshuset ⓲
Stenbockska Palatset ⓯

Édifices historiques
Birger Jarls Torn ⓮

Tessinska Palatset ❹
Wrangelska Palatset ⓬

Rues et places
Evert Taubes Terrass ⓭
Mårten Trotzigs Gränd ❽
Stortorget ❻
Västerlånggatan ❾

Églises
Riddarholmskyrkan ⓫
Storkyrkan ❺
Tyska Kyrkan ❼

LÉGENDE

▢ Plan du quartier pas à pas
   p. 46-47

🚢 Débarcadère du ferry

Ⓣ Station de Tunnelbana

🚌 Arrêt de bus

🅿 Parking

0   250 m

◁ **Prästgatan, à Gamla Stan, et ses façades ocre typiques du XVIIIe siècle**

Slottsbacken pas à pas

Slottsbacken est beaucoup plus qu'une avenue escarpée reliant Skeppsbron à la partie haute de Gamla Stan (vieille ville). C'est ici que se déroule quotidiennement la relève de la garde et l'avenue, qui constitue le cadre de nombreuses processions officielles, est parcourue par les chefs d'État et les ambassadeurs étrangers lorsqu'ils ont une audience avec le souverain suédois. L'artère s'orne de la plus belle façade du Palais royal, celle qui abrite l'entrée du Trésor (Skattkammaren), de la salle du Trône (Rikssalen) et de la Chapelle royale (Slottskyrkan). L'ambition de Nicodemus Tessin le Jeune, qui désirait faire de la ville l'une des plus grandes d'Europe en termes de monuments, fut réalisée lorsqu'un obélisque y fut installé, en 1799.

La statue d'Olaus Petri (Storkyrkan) se dresse devant une plaque racontant l'histoire de la cathédrale depuis 1264.

Le palais d'Axel Oxenstiernas (1653) est un exemple du maniérisme romain. Durant 30 ans (1583-1654), son propriétaire fut une figure dominante du pouvoir politique suédois.

Cour extérieure

TRÄNGSUND

L'obélisque de Louis Jean Desprez fut érigé en 1799 pour remercier les citoyens de leur soutien lors de la guerre contre les Russes (1788-1790).

Bourse *(p. 54)*

STOR-TORGET

★ **Storkyrkan**
L'intérieur gothique de cette superbe cathédrale abrite de nombreux trésors de différentes époques ❺

Stortorget
Cette place au cœur de la « ville entre les ponts », qui s'orne d'un puits datant de 1778, fut le théâtre du « Bain de sang de Stockholm », en 1520 ❻

À NE PAS MANQUER

★ **Palais royal**

★ **Livrustkammaren**

★ **Storkyrkan**

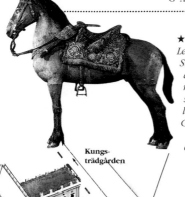

★ **Livrustkammaren**
*Le plus ancien musée de
Suède expose vêtements,
armes et carrosses
royaux des cinq derniers
siècles. Ci-contre, Streiff,
l'étalon monté par
Gustave II Adolphe à la
bataille de Lützen,
en 1632* ❷

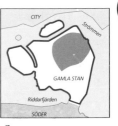

CARTE DE SITUATION
Voir Atlas des lieux cités, carte n° 4

★ **Palais royal**
*L'arc de triomphe
et les quatre niches
de statues de la façade
sud sont dus à des
artistes français du
XVIIIᵉ siècle* ❶

Kungs-
trädgården

SKEPPSBRON

SLOTTSBACKEN

ÖSTERLÅNGGATAN

**La statue de
Gustave III** a
été sculptée
par J.T. Sergel,
en 1799, en
mémoire du roi
assassiné
en 1792.

↓ **Slussen**

ÖPMANGATAN

Köpmantorget et sa
statue de saint Georges
et le dragon (1912).

Kungliga Myntkabinettet
*Dans un décor du XVIᵉ siècle,
le Cabinet royal de la Monnaie
abrite la plus grande pièce
du monde (1644)* ❸

Tessinska Palatset
*Construit de 1694 à 1697 par son
propriétaire, Tessin le Jeune, architecte
du Palais royal, ce palais est
depuis 1968 la résidence
du gouverneur du comté
de Stockholm* ❹

Finska Kyrkan,
l'édifice le plus ancien de
Slottsbacken (1940), était
la salle de jeu de balle
du Palais royal. Il abrite,
depuis 1725, le centre
religieux de la
communauté finlandaise.

0   100 m

LÉGENDE

- - - Itinéraire conseillé

Palais royal ❶

Voir p. 50-53.

Livrust-
kammaren ❷

Slottsbacken 3. **Plan** 4 C2.
🔲 *519 555 00.* 🔳 *Gamla Stan.*
🚌 *43, 46, 55, 59, 76.* ⭕ *mai-août :
10h-16h t.l.j. ; sept-avr. : 11h-17h
mar.-dim. (jeu. : 17h-20h).* 🔲 *angl. :
juil.-août.* 🔲 🔲 ⊘ 🔲 🔲
Ⓦ *www.lsh.se*

Le plus ancien musée de
Suède, l'Armurerie royale,
fondée en 1633, abrite, outre
des objets d'art, des
accessoires domestiques
utilisés par la famille royale
au fil des cinq derniers siècles
– le casque à cimier de
Gustave Vasa date de 1548.
Vous y verrez aussi des objets
illustrant des épisodes de
l'histoire de la Suède :
Streiff, l'étalon
empaillé que
chevaucha
Gustave II
Adolphe à la
bataille de Lützen,
en 1632 ; le
costume porté par
Gustave III lors de
son assassinat à
l'Opéra, en 1792,
et l'uniforme bleu de
Charles XII, ainsi que les
bottes couvertes de boue qu'il
portait au siège de
Frerikshald, en Norvège,
où il périt en 1718.
Les costumes du roi Adolphe-
Frédéric et de la reine Lovisa
Ulrika évoquent leur
couronnement, en 1751.
Fabriqué au XVIIᵉ siècle, le
carrosse de cérémonie fut
modernisé pour cette
occasion. Sa rénovation,

effectuée dans les années 1970,
dura huit ans et coûta
700 000 couronnes. La voûte
de la cave où le bois de
chauffage était autrefois
entreposé, savamment
éclairée, met en valeur toutes
les pièces exposées.

Kungliga
Myntkabinettet ❸

Slottsbacken 6. **Plan** 4 C3.
🔲 *519 553 00.* 🔳 *Gamla Stan.*
🚌 *43, 46, 55, 59, 76.* ⭕ *10h-16h
mar.-dim.* 🔲 *sur r.-v.* 🔲 🔲 🔲 🔲
🔲 Ⓦ *www.myntkabinettet.se*

Le cabinet royal de la
Monnaie retrace l'histoire
de la monnaie du Xᵉ siècle à
nos jours – de la coquille
de cauri aux cartes de
paiement d'aujourd'hui, en
passant par la drachme et le
denier. Des médailles
traditionnelles aux
créations plus
modernes, comme
les médailles des
lauréats du prix
Nobel, offrent
un aperçu de l'art
numismatique
au cours des six
derniers siècles.
Vous y verrez
la première pièce
suédoise, frappée au Xᵉ siècle,
par le roi Olof Skötkonung,
ainsi que la pièce la plus
lourde du monde, la pièce de
la reine Christine, qui pèse
19,7 kg et date de 1644.
Une « pierre rai » de l'île
de Yap, en Micronésie, le
plus impressionnant des
moyens de paiement,
accueille les visiteurs dans le
hall d'entrée. Le musée
compte de nombreux
départements, dont « L'Argent
dans le monde »,
« Les Finances
de l'État » et
« L'Épargne
dans une tirelire
et dans
une banque ».
« Summa
Summarum »
explique
aux enfants
l'utilisation
de l'argent dans
la vie réelle au
travers du jeu.

**Première pièce suédoise,
frappée vers l'an 995**

**L'élégant jardin baroque de
Tessinska Palatset**

Tessinska
Palatset ❹

Slottsbacken 4. **Plan** 4 C3.
🔳 *Gamla Stan.* 🚌 *43, 46, 55, 59,
76.* ● *au public.*

Le palais Tessin, à
Slottsbacken, est considéré
par ses admirateurs comme la
plus belle résidence au nord
de Paris. Ce palais, le mieux
préservé de l'âge d'or de la
Suède, fut conçu au XVIIᵉ siècle
par son propriétaire,
Tessin le Jeune (1654-1728),
l'architecte le plus renommé
de la nation.
Terminé en 1697, l'édifice se
dresse sur un site étroit qui
s'ouvre sur une cour ornée
d'un exquis jardin baroque.
La façade relativement
discrète et son porche superbe
fut inspirée par les palais de la
Rome antique, tandis que les
décorations intérieure et
paysagère doivent beaucoup
au séjour de Tessin à Paris
et à Versailles. L'architecte,
qui devint comte et conseiller
d'État, consacra d'énormes
sommes à l'ornementation
du palais : les sculptures et les
peintures furent exécutées par
les maîtres français engagés
pour le Palais royal. Le fils
de Tessin le Jeune, Carl
Gustav, dut vendre la demeure
pour des raisons financières.
Le domaine fut racheté
en 1773 par la ville, qui y
installa son gouverneur, puis
devint, en 1968, la résidence
du gouverneur du comté
de Stockholm.

**Carrosse du couronnement du roi Adolphe-
Frédéric et de la reine Lovisa Ulrika**

Storkyrkan ❺

Trångsund 1. **Plan** 4 B3. 723 30 16.
Gamla Stan. 43, 46, 55, 59, 76.
mai-août : 9h-18h t.l.j. ; sept.-avr. :
9h-16h t.l.j.. 11h sam. et dim.
angl. : juil. août : 13h (visite de la tour,
14h).

Vieille de 700 ans, la
cathédrale de Stockholm
a joué dans l'histoire un rôle
national. Le réformateur Olaus
Petri (1493-1552) y lança son
message luthérien qui se
répandit dans tout le royaume.
La cathédrale accueille les
cérémonies royales. À l'origine,
une petite église de village fut
construite sur ce site, au
XIIIᵉ siècle, probablement par
Birger Jarl, fondateur de la
ville. Elle fut remplacée
en 1306 par la basilique Saint-
Nicholas, beaucoup plus vaste.
Celle-ci fut modifiée au fil du
temps. L'intérieur de style
gothique, qui remonte au
XVᵉ siècle, fut redécouvert
en 1908 au cours de travaux de
restauration, lorsque le plâtre
qui recouvrait les colonnes fut
ôté, révélant la brique rouge
caractéristique de l'époque. Les
« chaises royales » et le pupitre
datent de la fin de la période
baroque, ainsi que la façade,
dont la décoration s'harmonise
avec le quartier entourant le
Palais royal. Le clocher, haut de
66 mètres et ajouté en 1743,

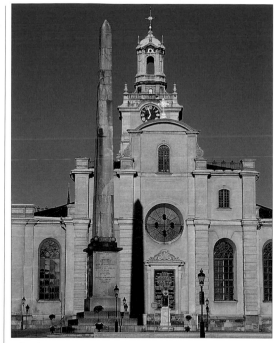

La façade italienne baroque de Storkyrkan, vue de Slottsbacken

possède quatre cloches dont
la plus lourde pèse environ
6 tonnes. Cet édifice abrite des
trésors artistiques inestimables :
une statue de *Saint Georges
terrassant le dragon*,
considérée comme l'une des
œuvres d'art gothique les plus
belles du Nord de
l'Europe. Cette
sculpture, située à
gauche de l'autel,
fut exécutée dans
du chêne et de la
corne d'élan par
Bernt Notke, artiste
de Lübeck.
Inaugurée en 1489,
elle commémore la
victoire de Sten
Sture l'Ancien sur
les Danois,
en 1471 *(p. 15)*.
*Le Jugement
dernier* (1696)
est une massive
peinture baroque
de David Klöcker
von Ehrenstrahl.
Depuis environ
600 ans, un
candélabre de
bronze de 3,7 m
de haut orne
la cathédrale

devant l'autel en argent. Ce
dernier, l'un des plus beaux
trésors de l'édifice, offert par le
diplomate Johan Adler Salvius,
vers 1650, modifia
profondément la
décoration
intérieure. Les
bancs proches
du chœur, les
« chaises
royales » furent
conçues par
Nicodemus
Tessin le Jeune,
en 1684, pour
les souverains.
En 1705, la
chaire fut
dressée au-
dessus du
tombeau d'Olaus Petri.
Le 20 avril 1535, eut lieu
un phénomène lumineux, la
parhélie : six anneaux aux halos
scintillants apparurent au-dessus
de Stockholm. Storkyrkan
contient un tableau *(p. 14)*
évoquant cet événement. Cette
œuvre, qui est peut-être la plus
ancienne représentation
picturale de la capitale, montre
une modeste perspective
de la petite ville d'alors,
dominée par la cathédrale.

**Saint Georges terrassant le dragon, sculpture
de Bernt Notke (1489), Storkyrkan**

**L'autel en argent de
Storkyrkan (détail)**

Palais royal (Kungliga Slottet) ❶

Sceptre royal

Au Xe siècle fut érigée à Stadsholmen la forteresse de Tre Kronor (Trois Couronnes), terminée au milieu du XIIIe siècle. Au cours du siècle suivant, elle fut convertie en résidence royale. Les rois Vasa la transformèrent en un palais Renaissance, mais celui-ci fut entièrement détruit par le feu en 1697. Nicodemus Tessin le Jeune, architecte royal, créa un nouveau château de style romain dont la façade italienne abrite un intérieur français, tempéré par quelques influences suédoises. Les 608 pièces de l'édifice furent décorées par les plus grands artistes et artisans européens. Le roi Adolphe-Frédéric y emménagea le premier, en 1754. Bien qu'ayant perdu sa fonction de résidence royale, ce monument reste l'un des sites les plus remarquables de la ville.

★ Relève de la garde
La relève quotidienne de la garde, à midi, dans la cour extérieure du palais, attire énormément de touristes.

Entrée des appartements de parade

Escalier ouest
Tessin était particulièrement fier de ses deux escaliers de marbre et de porphyre suédois. Celui qui est situé à l'ouest est orné d'un buste de l'architecte talentueux.

★ Salle du Trône
L'atmosphère de splendeur cérémonielle de cette opulente salle constitue un décor idéal pour le trône d'argent de la reine Christine, trésor le plus précieux du palais.

Appartements des hôtes

Entrée de la chambre du Trésor et de la Chapelle royale

LES FONCTIONS ROYALES

Le roi et la reine ont leurs bureaux au palais, où ils reçoivent les dignitaires et participent aux cérémonies officielles. Ils voyagent à travers tout le pays, assistant à des événements particuliers, inaugurations et commémorations, et effectuent des visites officielles à l'étranger. Le roi est réputé pour l'intérêt qu'il porte à l'environnement, tandis que la reine s'implique beaucoup dans des actions en faveur des enfants.

Le roi Carl XVI Gustav et la reine Silvia

Chapelle royale
Cette exquise petite église a été richement décorée par nombre d'artistes. Le pupitre est l'œuvre de J. P. Bouchardon.

À NE PAS MANQUER

★ **Galerie de Charles XI**

★ **La salle du Trône**

★ **La relève de la Garde**

Chambre d'apparat de Gustave III

La chambre où Gustave III mourut après l'attentat de l'Opéra, possède un buste du roi (Sergel, 1779). Le décor, de J. E. Rehn, date de 1770.

MODE D'EMPLOI

Gamla Stan. **Plan** 4 B2.
402 60 00. Gamla Stan, Kungsträdgården. 43, 46, 55, 59, 76. **Appartements royaux, chambre du trésor, musée des Antiquités de Gustave III, musée du Château** mai-août : 10h-16h t.l.j. ; sept.-avr. : 12h-15h, mar.-dim. 24, 25, 31 déc. Et durant les fonctions officielles de la Cour. visites en angl., appelez au 402 61 30 pour précisions. **La Chapelle royale** (ouv) mai-août : 10h-16h. (messe) mai-août : 11h dim. W www.royalcourt.se

Les appartements Bernadotte sont situés au-dessous de la galerie de Charles XI.

Entrée du musée du Château, sur Lejonbacken.

★ **Galerie de Charles XI**
Cette pièce, l'une des plus somptueuses du palais est un bel exemple de la fin du baroque suédois. Elle est utilisée pour des banquets présidés par les souverains. On y admire une inestimable salière datant de 1627 ou 1628.

Carl Hårleman joua un rôle important dans la conception du palais. Son buste orne cette niche.

Logården est une terrasse située entre les ailes ouest.

Livrustkammaren (p. 48)

Musée des Antiquités de Gustave III
Il abrite des statues antiques rapportées par Gustave III au retour de son voyage à Rome.

Palais royal

L es parties du Palais royal ouvertes au public permettent d'admirer, parmi un très grand nombre de pièces somptueusement meublées et riches d'objets d'art inestimables, la salle du Trône et la Chapelle, d'un luxe grandiose, ainsi que les sculptures antiques du musée des Antiquités de Gustave III, rapportées d'Italie par le roi. Le palais abrite également le Trésor, exposant les joyaux de la Couronne ; le musée du Château, évoquant l'histoire de Tre Kronor avant l'incendie qui le détruisit, en 1697, et le Livrustkammaren, l'Armurerie royale (p. 48).

Les appartements Bernadotte : la salle des Colonnes et son décor d'origine

La galerie de Charles XI est un magnifique exemple de la fin du baroque suédois

Gustave III, où ce dernier mourut après avoir été abattu à l'Opéra, en 1792 (p. 23) résume l'élégance gustavienne. Elle fut décorée par Jean-Eric Rehn, architecte qui conçut également la chambre d'apparat de la reine Sofia Magdalena. Les linteaux des portes donnant accès à la salle de Don Quichotte – ainsi baptisée en raison du thème de ses tapisseries –, exécutés par François Boucher, constituent l'un des trésors les plus inestimables du palais.

APPARTEMENTS D'APPARAT

B ien que la résidence de la famille royale se trouve, depuis 1982, à Drottningholm (p. 140-143), les appartements d'apparat restent le cadre des cérémonies officielles, en particulier des banquets offerts par le roi aux chefs d'État étrangers. Chaque année s'y déroulent les festivités en l'honneur des lauréats du prix Nobel.

Les repas sont servis dans la galerie de Charles XI, magnifique exemple de la fin du baroque suédois, inspirée par la galerie des Glaces du château de Versailles. À chaque fenêtre correspond une niche exposant de précieuses œuvres d'art, parmi lesquelles on remarque une salière en ivoire et en argent plaqué créée par Rubens (1577-1640). La pièce baptisée « La Mer blanche » sert de salle de réception. La chambre d'apparat de

Coquetier de Charles XIV

APPARTEMENTS DES INVITÉS

L es chefs d'État en visite séjournent dans ces imposants appartements. Ils se composent du salon Meleager, où s'échangent les cadeaux et les décorations officielles, et d'une grande chambre à coucher au lit sculpté et orné de dorures. Citons également le Salon intérieur, dont le décor s'inspire des fouilles archéologiques de Pompéi, et la chambre Margareta, qui porte le nom de la grand-mère de l'actuel souverain, et abrite des tableaux peints de sa main.

Les appartements contiennent de remarquables œuvres de maîtres artisans du XVIIIe siècle, tels que Georg Haupt, Ephraim Ståhle et Jean-Baptiste Masreliez.

APPARTEMENTS BERNADOTTE

L a galerie exposant les portraits des membres de la dynastie Bernadotte a donné son nom à cette suite somptueuse, utilisée pour certaines cérémonies. Ses plafonds sont décorés de peintures remarquables et de lustres du milieu du XVIIIe siècle. Dans l'élégante salle des Colonnes se déroulent les investitures. Les ambassadeurs étrangers sont reçus par le roi dans le Cabinet octogonal, abritant le décor rococo le plus spectaculaire du palais ; à l'instar du cabinet ouest, l'intérieur de cette pièce est resté tel qu'il a été conçu par Carl Hårleman.

Le bureau très masculin du roi Oscar II, qui date des années 1870, a également gardé l'aspect de jadis. Le château a toutefois bénéficié des progrès de la technique : l'électricité y fut installée en 1883.

SALLE DU TRÔNE

L orsqu'ils conçurent les deux niveaux de la salle du Trône, Nicodemus Tessin le Jeune et Carl Hårleman mêlèrent les styles classique et rococo dans une harmonie parfaite. Cette pièce constitue un décor idéal pour le trône d'argent de la reine Christine. Offert à la souveraine par Magnus Gabriel de la Gardie, pour son couronnement, en 1650, il fut fabriqué par Abraham Drentwett, orfèvre d'Augsburg. Le dais, conçu par Jean-Eric Rehn, fut ajouté cent ans plus tard, lors du couronnement du roi Adolphe-Frédéric.

Le trône est flanqué de statues colossales de Charles XIV et de Gustave II Adolphe ; les sculptures de la corniche symbolisent la Paix, la Force, la Religion et la Justice.

Jusqu'en 1975, la salle du Trône abritait la cérémonie d'ouverture du Riksdagen (parlement suédois) accompagnée d'un défilé de la Garde royale en costume d'apparat. On l'utilise actuellement pour d'autres événements officiels. L'été, à l'instar de la Chapelle royale, elle accueille régulièrement des concerts *(p. 168-169)*.

La salle du Trône accueille les grandes cérémonies

CHAPELLE ROYALE

S'il fallut 50 ans pour construire le Palais royal, beaucoup d'efforts furent consacrés à la décoration de la Chapelle, essentiellement par Carl Hårleman, sous la direction de Tessin. Comme pour la salle du Trône, la collaboration de ces deux artistes aboutit à une œuvre somptueuse, à laquelle nombre de leurs collègues étrangers vinrent participer.

Au fil des siècles, beaucoup d'objets remarquables se sont ajoutés à ce décor. L'apport le plus récent est constitué par six couronnes de bronze de style XVIIe siècle et deux couronnes de cristal, offertes par la cour à Charles XVI Gustave et à la reine Silvia à l'occasion de leur mariage en 1976. La Chapelle abrite également quelques rares reliques de la

forteresse de Tre Kronor : des bancs commandés par Tessin purent être sauvés lors de l'incendie qui détruisit le palais en 1697, mais ils ne furent installés dans la Chapelle qu'au XIXe siècle. Ces sièges furent réalisés par Gorg Haupt, grand-père du décorateur du XVIIIe siècle qui créa pour le château certains de ses meubles les plus précieux *(p. 82)*.

MUSÉE DES ANTIQUITÉS DE GUSTAVE III

Ouvert en 1794, pour préserver la mémoire du roi assassiné, le musée des Antiquités exposait à l'origine plus de 200 pièces, essentiellement acquises lors du voyage du souverain en Italie en 1783-1784.

En 1866, toute la collection fut transportée au Musée national de la ville *(p. 82-83)*. Au cours des années 1950, la galerie principale fut rénovée ; les galeries secondaires furent restaurées trente ans plus tard. Ces travaux permirent à la collection de retrouver son cadre initial.

Les objets d'art les plus précieux sont exposés dans la galerie principale, en particulier la statue d'Endymion, jeune berger plongé dans un sommeil éternel, amant de Séléné, personnification de la Lune. *La Prêtresse*, œuvre de Johan Tobias Sergel, sculpteur du XVIIIe siècle, est flanquée de deux immenses candélabres.

TRÉSOR

Au sud du palais, sous la salle du Trône, en bas d'un escalier de 56 marches usées, se trouve l'entrée du Trésor (Skattkammaren), où sont conservés les fabuleux joyaux de la Couronne.

Lors des rares occasions où sont sortis de leur vitrine la couronne, le sceptre, le globe d'Erik XIV et les clés du royaume, ils sont déposés auprès de Charles XVI, roi non couronné. Les fonts

Couronne d'Eric XIV, exécutée par Cornelis ver Weiden, Stockholm, 1561

baptismaux en argent massif de 1 m de haut, que Jean-François Cousinet, artiste français, mit onze ans à réaliser, sont toujours utilisés pour les baptêmes royaux. L'un des murs de la chambre s'orne d'une tapisserie des années 1560, la seule, sur un ensemble de sept, sortie intacte de l'incendie de 1697.

MUSÉE DU CHÂTEAU

Ouvert depuis quelques années, sous la partie nord du Palais royal, le musée du Château est installé dans les vestiges les plus anciens de la forteresse de Tre Kronor. La moitié d'un mur défensif du XIIe siècle, ainsi que des voûtes de brique des XVIe et XVIIe siècles constituent un cadre unique pour les pièces exposées, illustrant les mille ans d'histoire de ce palais.

Deux maquettes de la forteresse de Tre Kronor montrent les transformations effectuées au cours de la seconde moitié du XVIIe siècle et l'aspect de l'édifice lorsqu'il fut détruit par le feu. Quelques objets purent être sauvés des cendres : un verre à schnaps, des pots d'ambre et des coupes de cristal de montagne.

Coupe de verre sauvée des flammes, en 1697, musée du Château

L'imposant édifice de la Bourse, sur le côté nord de Stortorget

Stortorget ❻

Plan 4 B3. Ⓣ *Gamla Stan.* 🚌 *3, 43, 46, 53, 55, 59, 76.*

L'achèvement de la Bourse (Börsen) en 1778 donna à Stortorget (grande place) au cœur de la ville, une apparence harmonieuse. Le côté nord était déjà occupé par plusieurs bâtiments servant d'hôtel de ville. Dès le début du Moyen Âge, la place, dotée d'un puits et d'un marché, était bordée d'éventaires les jours de foire. Elle accueillait également un pilori appartenant à la prison, autrefois située sur Kåkbrinken. Le pilori se trouve aujourd'hui dans l'hôtel de ville, à Kungsholmen *(p. 112-115)*.

Le tracé médiéval de la cité apparaît clairement sur le côté ouest de Stortorget, la maison rouge Schantzska Huset (n° 20) et la maison étroite Seyfridtska Huset y furent bâties vers 1650. La première, inchangée, s'orne d'un charmant porche en calcaire aux effigies allongées de guerriers romains – Johan Wendelstam signa la plupart des porches les plus remarquables de la vieille ville. Grilska Huset (n° 3) possède un superbe pignon du XVIIᵉ siècle. Aujourd'hui, quelques caves voûtées médiévales abritent des cafés et des restaurants.

La décision de construire la Bourse fut prise en 1667, mais des guerres successives repoussèrent son érection de cent ans. Erik Palmstedt (1741-1803), jeune architecte talentueux, conçut le bâtiment et créa la couverture décorative du vieux puits. La Bourse, qui abrita pendant 200 ans des transactions commerciales, ferma, en 1990. À l'étage supérieur de l'édifice, l'Académie suédoise tient régulièrement ses réunions, tradition maintenue depuis le célèbre discours d'inauguration de Gustave III, le 5 avril 1786. Trois rues principales, Köpmangatan, Svartmangatan et Skomakargatan, rayonnent à partir de Stortorget ; la largeur de celles-ci avait été fixée à 8 ells (environ 4,80 m) pour permettre le passage des charrettes.

Tyska Kyrkan ❼

Svartmangatan 16. **Plan** 4 B3. 📞 *411 11 88.* Ⓣ *Gamla Stan.* 🚌 *3, 43, 46, 53, 55, 59, 76.* 🕐 *mai-août : 12h-16h t.l.j. ; sept.-avr. : 12h-16h, sam. et dim.* ✝ *11h dim., allemand.* 🎧 *sur r.-v. en suédois et allemand* ♿

L'église allemande illustre de façon impressionnante l'énorme influence que l'Allemagne exerça sur Stockholm au XVIIIᵉ siècle. À l'époque de la domination marchande hanséatique, la Ligue contrôlait la Baltique et ses ports, ce qui explique pourquoi le tracé originel de Gamla Stan reprenait celui de Lübeck. L'influence politique germanique fut brisée après le « Bain de sang de Stockholm » et l'accession au trône de Gustave Vasa en 1523 *(p. 16)*. Cependant, l'installation dans la capitale de marchands et artisans allemands maintint le poids culturel et commercial de l'Allemagne.

La paroisse de l'église, qui rassemble aujourd'hui quelque 2 000 fidèles, fut fondée en 1571. L'édifice actuel, à double nef, fut construit de 1638 à 1642, agrandissant une petite église existante depuis 1576.

La galerie royale, ajoutée en 1672 pour les membres allemands de la maison souveraine, est typique des styles fin Renaissance et baroque allemands. La chaire

Le « Bain de sang de Stockholm »

Le « Bain de sang » (détail d'une peinture, 1524)

En novembre 1520, Christian II, roi de Danemark assiégea Sten Sture le Jeune, jusqu'à la reddition de ce dernier. Les Suédois choisirent Christian II pour nouveau roi et celui-ci promit une amnistie aux partisans de son ennemi. Il ordonna trois jours de fête à la forteresse de Tre Kronor mais lorsque les festivités s'achevèrent, nobles et citoyens suédois furent soudain encerclés et arrêtés pour hérésie. Le lendemain, plus de 80 d'entre-eux furent décapités sur Stortorget.

La galerie royale de Tyska Kyrkan (XVIIᵉ siècle)

(1660) d'ébène et d'albâtre est une pièce unique en Suède ; l'autel, (1640) recouvert de magnifiques peintures, est entouré de statues des apôtres et des évangélistes.

La sculpture du porche sud, qui date de 1643, signée de Jobst Hennen, montre Jésus et Moïse accompagnés de trois figures allégoriques : la Foi, l'Espoir et l'Amour.

Marten Trotzigs Gränd, la rue la plus étroite de la ville

Mårten Trotzigs Gränd ❽

Plan 4 C4. 🔲 *Gamla Stan.* 🚌 *3, 43, 46, 53, 55, 59, 76.*

Large de 90 cm seulement, cette rue est la plus étroite de la vieille ville. Lorsqu'on en gravit les 36 marches, la perspective permet de constater les différences de niveau des bâtiments et de mieux voir l'ensemble compact formé par les maisons.

Mårten Trotzigs Gränd fut baptisée en hommage à un marchand allemand nommé Traubzich, qui y possédait deux maisons à la fin du XVIᵉ siècle. Après avoir été clôturée à ses deux extrémités pendant une centaine d'années, la rue fut rouverte en 1945.

Västerlånggatan ❾

Plan 4 B3. 🔲 *Gamla Stan.* 🚌 *3, 43, 46, 53, 55, 59, 76.*

Autrefois rue principale construite le long des premiers remparts, hors de la ville proprement dite, Västerlånggatan, traverse aujourd'hui le cœur de la vieille ville. Habitants ou touristes se promènent ou font du lèche-vitrines dans cette artère toujours très animée. Démarrant au nord, à Mynttorget, près de la Chancellerie (Kanslihuset) et de Lejonbacken, la rue s'arrête à Järntorget, au sud, là où l'on contrôlait autrefois l'exportation du fer. Västerlånggatan abrite Bancohuset, qui servit de siège principal à la Banque nationale, de 1680 à 1906.

Le n° 7 abrite le Parlement suédois depuis le milieu des années 1990 sa façade de la fin du XIXᵉ siècle témoigne de la forte influence de l'Europe méridionale.

Le n° 27 était la demeure d'Erik Palmstedt, l'architecte talentueux qui conçut la Bourse et le puits de Stortorget. Au n° 29 se dresse un édifice vénérable du XVᵉ siècle ; ses arcs gothiques furent mis au jour au cours de travaux de restauration, dans les années 1940.

Au n° 33, on voit comment, à la fin du XIXᵉ siècle, des techniques et des matériaux nouveaux permirent d'insérer des vitrines de magasins dans les façades de maisons anciennes. Les colonnes de fonte, présentes dans d'autres édifices de la ville, datent de cette période.

La maison Von der Lindeska, au n° 68, possède une majestueuse façade du XVIIᵉ siècle et un porche magnifique, orné de statues de Mercure et de Neptune.

Postmuseum ❿

Lilla Nygatan 6. **Plan** 4 B3. 📞 *781 17 55.* 🔲 *Gamla Stan.* 🚌 *3, 53.* 🕐 *11h-16h : mar.-dim., sept.-avr. aussi mer. 16h-19h* 🚭 *sur autorisation.* ♿ 🚻 📷 ⓦ *www.posten.se/museum*

Västerlånggatan, la rue commerçante de Gamla Stan

Le bâtiment du musée de la Poste, qui offre lui-même un grand intérêt, occupe un secteur acheté, en 1720, par la Poste suédoise. Près de cent ans plus tard, un majestueux bureau, englobant une partie des édifices du XVIIᵉ siècle déjà présents, fut édifié. C'était le seul centre d'acheminement du courrier à Stockholm jusqu'en 1869 ; il fut transformé en musée en 1906.

La poste fonctionne en Suède depuis 1636. L'une des expositions permanentes du musée montre une représentation des premiers « facteurs paysans », luttant contre les vagues furieuses de la mer d'Åland dans leur barque, *Simpan.* On y voit également une diligence autrefois utilisée à l'ouest du pays, ainsi que le premier car postal qui parcourut la Suède septentrionale, au début des années 1920.

Timbre mauricien du Postmuseum

Les collections du musée comprennent, outre la première presse de timbres, environ quatre millions de timbres, parmi lesquels figurent les tout premiers timbres suédois émis en 1855 et le « Penny Black », premier timbre du monde, émis et oblitéré en Angleterre en 1840.

Le sous-sol abrite une collection destinée aux enfants.

Riddarhuset, érigé au XVIIᵉ siècle, est un bel exemple du baroque hollandais

Riddarhuset 🔟

Riddarhustorget 10. **Plan** 4 A3.
📞 723 39 90. 🅣 *Gamla Stan.*
🚌 *3, 53.* 🕐 *11h30-12h30 lun.-ven.*
📷 📹 *sur autorisation.*
🌐 *www.riddarhuset.se*

Souvent considéré comme
l'un des plus beaux édifices
de Stockholm, Riddarhuset
(palais de la Noblesse) se
dresse sur Riddarhustorget, qui
fut, jusqu'au milieu du
XIXᵉ siècle, le centre de la ville.

Érigé en 1641-1647, à
l'initiative du chancelier d'État,
le palais fut conçu par
plusieurs architectes : Simon et
Jean de La Vallée, Heinrich
Wilhelm et Joost Vingboons.
Riddarhuset abritait
réunions et cérémonies
de la noblesse, qui
depuis 1280 bénéficiait
de privilèges.

Exemple suprême
du style baroque
hollandais, la façade
du palais porte la
devise *Arte et Marte*
(Art et guerre),
encadrée par des effigies de
Minerve, déesse de l'art et de la
science, et de Mars, dieu de la
guerre.

Les sculptures du plafond
voûté symbolisent les vertus
chevaleresques ; au sud,
Nobilitas (la Noblesse), qui
tient une petite Minerve armée
d'une lance, est flanquée de
Studium (le Zèle) et de *Valor*
(le Courage). Face au nord,
son homologue masculin,
Honor (l'Honneur) est encadré
de Prudentia (la Prudence) et
de *Fortitudo* (la Force).

L'intérieur de l'édifice est
aussi majestueux. La salle basse
est dominée par un double
escalier qui conduit à la

**La devise de
Riddarhuset**

chambre des Chevaliers, ornée
d'un splendide plafond peint
par David Klöcker Ehrenstrahl
(1628-1698), et du trésor le
plus précieux de Riddarhuset,
une chaise en ébène sculpté
qui date de 1623. Les murs
sont recouverts de quelque
2 380 blasons.

Bondeska Palatset 🔟

Riddarhustorget 8. **Plan** 4 B3.
🅣 *Gamla Stan.* 🚌 *3, 53.* 🕐 *au public.*

En 1948, Gustav Bonde,
trésorier d'État, avait
acheté le domaine situé en
face de Riddarhuset pour y
construire un palais
destiné à être en
grande partie loué.
Le palais Bonde fut
créé en 1662-1673 par
Nicodemus Tessin
l'Ancien dans le style
des hôtels de ville
français.

L'édifice,
endommagé par deux
incendies en 1710 et en 1753,
eut différents propriétaires. En
1730, le bâtiment, racheté par

**Bondeska Palatset est le siège de la
Cour suprême**

la ville, abrita l'hôtel de ville
jusqu'en 1915. Il fut ensuite
oublié, jusqu'aux travaux de
rénovation menés par l'architecte Ivar Tengbom, à la fin
des années 1940. Depuis 1949,
Bondeska Palatset est le siège
de la Cour suprême. La
destruction du bâtiment fut
un moment envisagée, mais,
grâce à une mobilisation des
habitants de Stockholm, il est,
jusqu'à présent, resté intact.

Riksdagshuset 🔟

Riksgatan 3 A. **Plan** 4 B2. 📞 *020-
34 99 00.* 🅣 *Kungsträdgården.* 🚌 *3,
43, 53, 62.* 🕐 *Visites et réunions
parlementaires.* 📷 *tél. pour détails
sur les visites du bâtiment et de ses
œuvres d'art.* ♿ 🚻
🌐 *www.riksdagen.se*

Le parlement (Riksdagshuset)
et la Banque nationale
(Riksbanken), situés sur
Helgeandsholmen, furent
respectivement inaugurés
en 1905 et 1906. Depuis 1983,
date à laquelle le premier se
réinstalla dans ses locaux après
douze années passées à Sergels
Torg, les deux bâtiments ont
été réunis et agrandis. Le
parlement occupe également
cinq autres sites à Gamla Stan,
ainsi qu'un bureau de
renseignements situé sur
Västerlånggatan (n° 1). Tous les
édifices, qui communiquent
par des passages souterrains,
s'étendent sur 130 000 m², et
abritent environ 600 employés,
auxquels s'ajoutent
250 personnes dans les sièges
des partis politiques.

On peut assister aux débats
parlementaires de la galerie,
qui peut accueillir 500 visiteurs.
Le parlement se visite tous les
jours en été, et le week-end
en hiver – l'entrée du public
se situe Riksgatan 3A.

La galerie offre une vue
magnifique qui s'étend jusqu'à
Gustav Adolf Torg. Meublée de
bancs en bouleau de Suède, la
Chambre principale possède
des lambris sculptés en
bouleau de Finlande, exécutés
en Norvège ; on y admire
Mémoire d'un paysage (1983),
tapisserie de 51 m², pesant
100 kg, réalisée par Élisabeth
Hasselberg-Olsson.

Les somptueuses pièces de l'ancien parlement abritent aujourd'hui les réunions du parti de la majorité. L'ancienne Chambre haute compte trois peintures d'Otte Sköld (1894-1958), tandis que la Chambre basse comporte des œuvres posthumes d'Axel Törneman, réalisées par Georg Pauli d'après des esquisses de l'auteur. Une salle longue de 45 mètres, ornée de lustres, de peintures et de blasons sépare les deux pièces. La commission des Finances se réunit dans la bibliothèque aux lambris de chêne, décorée de gravures anciennes et de lampes Art nouveau.

Face à l'entrée de Norrbro, autrefois utilisée, la cage d'escalier a conservé ses couleurs d'origine (1905).

La Chambre réunit les 349 membres du parlement

Huit colonnes, un plancher, des marches et des balustres constitués de marbres différents évoquent la splendeur passée. L'entrée actuelle fut jusqu'en 1976, le hall de la Banque nationale.

Le nouveau parlement avec, en arrière-plan, les anciens bâtiments

ERRANCES PARLEMENTAIRES

Le premier parlement de Stockholm s'installe vers 1860, sur Riddarholmen, dans les maisons Fleming et Hebbe. Les simples citoyens – bourgeois, fermiers et prêtres – se réunissent déjà depuis plusieurs années dans la maison Fleming, celle-ci est bientôt désignée sous le nom de « Chambre des communes », tandis que les nobles siègent non loin de là, à Riddarhuset. Située derrière Riddarholmskyrkan, Birger Jarls Torg 5, la maison Fleming se dresse sur le site de l'abbaye franciscaine déserté par les moines lors de leur fuite forcée ayant suivi la Réforme, au XVIIᵉ siècle *(p. 57)* ; quelques vestiges de l'abbaye subsistent dans la cave du bâtiment.

En 1905, le parlement, constitué de deux Chambres, s'installe à Helgeandsholmen. Lorsqu'une Chambre unique est instituée, en 1971, il déménage de nouveau, dans le Kulturhuset *(p. 67)*, sur Sergels Torg, puis réintègre enfin ses locaux à Helgeandsholmen en 1983, dans un bâtiment beaucoup plus vaste.

« Mère Svea » domine l'ancien parlement

Medeltids-museet ⓳

Strömparterren, Norrbro. **Plan** 4 B2.
📞 508 317 90. 🚇 Kungsträdgården.
🚌 43, 62. 🕐 juil. et août : 11h-18h mar.-jeu., 11h-16h ven.-lun. ; sept.-juin : 11h-16h mar.-dim., (aussi 16h-18h mer.). 🎫 ♿ 📷 🚫 📷
ⓦ www.medeltidsmuseet.stockholm.se

Cet étonnant musée médiéval s'organise autour des vestiges archéologiques de la ville, des remparts, en particulier, construits vers 1530. Des fouilles intensives en 1978-1980 mirent au jour des vestiges de la cité moyenâgeuse. Entièrement souterrain, le musée contient également des artefacts de différentes parties de la ville ; dont un bateau de 22 mètres de long, datant de 1520 environ, découvert au large de Riddarholmen en 1930.

Le musée permet de se faire une idée de la capitale moyenâgeuse. À l'entrée, une galerie vieille de 350 ans conduit les visiteurs au cœur d'une reconstitution du monde médiéval. On y voit un pilori dressé au milieu d'une place et une potence, accompagnée des accessoires du bourreau. Le vieux port a été entièrement reconstruit avec ses quais, ses jetées, ses hangars et entrepôts ; on y respire même d'authentiques odeurs marines. Une couronne d'épicéa, suspendue à l'entrée de la cave à vins, indique l'arrivée de chargements de vin et de bière en provenance du continent. Le vaste bâtiment fut construit avec 6 000 briques anciennes.

Effigie de Birger Jarl, pierre sculptée médiévale, Medeltidsmuseet

Autour de Kungsträdgården pas à pas

Le « jardin du Roi », dont l'histoire remonte au XVe siècle, est depuis longtemps le lieu de rencontre et de détente favori des Suédois. Habitants et visiteurs s'y réunissent pour les festivals et concerts d'été, ou tout simplement pour se promener sous les ormes. Non loin de ce parc entouré d'une profusion d'églises, de musées, de magasins, de petites boutiques et de restaurants, se dresse la maison de la Suède, abritant, entre autres, l'office du tourisme. En quelques pas, vous atteignez Gustav Adolfs Torg, place bordée du ministère des Affaires étrangères suédois, de l'Opéra royal et d'autres édifices aussi imposants.

Dansmuseet
Costumes, esquisses de mises en scènes et affiches relatives aux célèbres Ballets suédois y sont exposés ❺

★ **Medelhavsmuseet**
Près de Gustav Adolfs Torg, ce musée abrite de vastes collections d'histoire antique méditerranéenne ❻

La statue équestre de Gustave II Adolphe, conçue par L'Archevêques, fut inaugurée en 1796.

Sagerska Palatset

FREDSGATAN

REGERINGSGATAN

STRÖMGATAN

GUSTAV ADOLFS TORG

STRÖMGATAN

NORRBRO

NORRSTRÖM

Arvfurstens Palats
Le palais fut construit pour Sofia Albertina, sœur de Gustave III, en 1794. Il abrite le ministère des Affaires étrangères suédois ❼

LÉGENDE

− − − Itinéraire conseillé

Operakällaren
(p. 160)

★ **Kungliga Operan**
Édifié en 1898, l'Opéra royal, qui a remplacé celui de l'époque de Gustave III, abrite une salle somptueusement décorée ❹

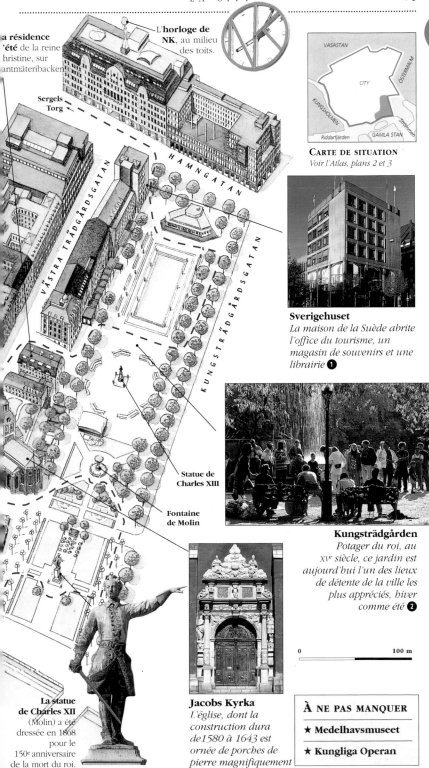

L'horloge de NK, au milieu des toits.

La résidence d'été de la reine Christine, sur Brantmäteribacken

Sergels Torg

HAMNGATAN

VÄSTRA TRÄDGÅRDSGATAN

KUNGSTRÄDGÅRDSGATAN

CARTE DE SITUATION
Voir l'Atlas, plans 2 et 3

VASASTAN

CITY

ÖSTERMALM

KUNGSHOLMEN

Strömmen

Riddarfjärden   GAMLA STAN

Sverigehuset
*La maison de la Suède abrite
l'office du tourisme, un
magasin de souvenirs et une
librairie* ❶

Kungsträdgården
*Potager du roi, au
XVᵉ siècle, ce jardin est
aujourd'hui l'un des lieux
de détente de la ville les
plus appréciés, hiver
comme été* ❷

Statue de
Charles XIII

Fontaine
de Molin

0   100 m

**La statue
de Charles XII**
(Molin) a été
dressée en 1868
pour le
150ᵉ anniversaire
de la mort du roi.

Jacobs Kyrka
*L'église, dont la
construction dura
de 1580 à 1643 est
ornée de porches de
pierre magnifiquement
travaillés* ❸

À NE PAS MANQUER
─────────────────
★ **Medelhavsmuseet**
─────────────────
★ **Kungliga Operan**

Sverigehuset ❶

Hamngatan 27. **Plan** 3 D4. 📞 789 24 00. 🇹 Kungsträdgården. 🚌 46, 47, 55, 59, 62, 76. **Office de Tourisme** 🕐 juin-août : 8h-19h lun.-ven., 9h-17h sam. et dim. ; sept.-mai : 9h-18h lun.-ven. ; avr.-mai et sept. aussi 10h-15h sam. et dim. ♿ 🈁 🇼 www.stockholmtown.com

La maison de la Suède (Sverigehuset) occupe une position stratégique sur Hamngatan, en face du grand magasin NK, et non loin de l'effervescence de Kungsträdgården. Elle abrite l'Institut suédois, qui favorise les échanges culturels avec d'autres pays et fournit des informations sur la Suède à partir de ses bureaux à l'étranger. Au premier étage se trouve la librairie de Suède.

Au rez-de-chaussée, l'office du tourisme de Stockholm, organisé par la ville et les conseils de comtés, reçoit la visite d'environ 700 000 personnes par an. On y trouve tous les renseignements sur la capitale et sa région, disponibles en plusieurs langues. Une agence délivre des billets de manifestations et excursions diverses. La boutique offre une sélection de jolis souvenirs.

Kungsträdgården ❷

Plan 4 B1. 🇹 Kungsträdgården. 🚌 46, 47, 55, 59, 62, 65, 76.

Potager royal au XVᵉ siècle, le « jardin du Roi » est aujourd'hui un lieu de rencontre très apprécié des Stockholmois. Animations et

manifestations s'y succèdent tout au long de l'année. Le parc, encerclé par des avenues, est le plus ancien de la capitale. L'extrémité donnant sur Strömgatan comporte un square : Karl XIIs Torg, au centre duquel se dresse la statue du roi-guerrier, réalisée par J.-P. Molin et inaugurée en 1868. Le jardin lui-même s'orne d'une effigie de Charles XIII (1809-1818), d'Erik Göthe, et d'une fontaine de gypse conçue par Molin en 1866. L'été, Kungsträdgården est le cadre de concerts, fêtes, danses et théâtre de rue ; l'hiver, la patinoire centrale attire petits et grands. Au XVIᵉ siècle, sous Erik XIV, le potager fut transformé en un jardin Renaissance. La reine Christine y fit ensuite construire un pavillon d'été en pierre ; ce magnifique édifice du XVIIᵉ siècle se dresse aujourd'hui à Västra Trädgårdsgatan 2, près de Lantmäteribacken, rue pavée de pierre.

Fontaine de Molin

Jacobs Kyrka ❸

Jakobs Torg 5. **Plan** 4 B1. 📞 723 30 38. 🇹 Kungsträdgården. 🚌 46, 55, 59, 62, 65, 76. 🕐 11h-15h t.l.j., et 16h30-18h30 jeu. ✝ 12h10 lun.-ven., 10h dim., 12h dim. (angl.), 12h10 et 17h30 jeu. **Concerts** :15h sam. 🎫 sur r.-v. ♿

À l'époque médiévale, une petite chapelle se dressait sur le site actuel de Kungsträdgården. Dédié à saint Jacob, patron des voyageurs, cet édifice, ainsi qu'une autre église modeste du voisinage furent détruits par Gustave Vasa au XVIᵉ siècle. Jean III

entreprit de doter Norra Malmen, nom du quartier à l'époque, de deux nouveaux lieux de culte.

Les travaux de construction de Saint-Jacob et Sainte-Clara *(p. 66)* débutèrent en 1580. L'église Saint-Jacob fut consacrée en 1643. Malgré plusieurs restaurations ultérieures, parfois maladroites, elle a conservé des objets de valeur, tels que des fonts baptismaux de 1634, et des accessoires liturgiques en argent. Les porches ornementés furent créés par Henrik Blom et Hans Hebel.

La façade de l'orgue fut élaborée par l'architecte Carl Härleman. Une vaste peinture de Fredrik Westin, peintre historique renommé du début du XIXᵉ siècle, couvre le mur ouest au sud de la nef.

L'autel de Jacobs Kyrka date en partie du XVIIᵉ siècle

Kungliga Operan ❹

Gustav Adolfs Torg. **Plan** 4 B1. 📞 791 43 00. 🇹 Kungsträdgården. 🚌 43, 62, 65. **Location de billets** 🕐 12h-18h lun.-ven., 12h-15h sam. 🎫 sur r.-v. 🈁 🇼 www.kungliga operan.se

La première représentation d'opéra en Suède eut lieu le 18 janvier 1773 à Bollhuset, Slottsbacken. L'Opéra royal, bâti sur Gustav Adolfs Torg et inauguré le 30 septembre 1782, finit par représenter un réel danger d'incendie à la fin du XIXᵉ siècle. C'est Axel Anderberg qui conçut le nouvel opéra. Ce dernier revint à l'État en 1898, grâce à un consortium organisé par le financier K. A. Wallenberg.

Vue de Kungsträdgården, en direction de Hamngatan

Le foyer doré du Kungliga Operan mesure 28 m de long

Le style fin Renaissance de l'édifice s'accorde à celui du Palais royal et des bâtiments du parlement ; les trois constructions ont en commun certains éléments architecturaux. Le magnifique escalier surmonté de plafonds peints par Axel Jungstedt fut inspiré par l'Opéra de Paris. Un portrait d'Oscar II, exécuté par le même artiste, orne le foyer doré de 28 mètres de long, dont Carl Larsson fut chargé des peintures décoratives. Les coulisses de chaque côté de la scène ont été conservées, ainsi que la largeur de l'avant-scène (11,4 m). Furent également sauvés les angelots qui tiennent les armoiries nationales, au-dessus de la scène. Dans la fresque du plafond, élaborée par Vicke Andrén, un ange tient à la main une esquisse de l'Opéra.

Plafond doré du Kungliga Operan

Dansmuseet ❺

Gustav Adolfs Torg 22–24. **Plan** 4 B1.
441 76 50. Kungsträdgården.
43, 62, 65. 11h-20h mar., 11h-16h mer.-ven., 12h-17h sam. et dim.
www.dansmuseet.se

En 1999, le musée de la Danse déménagea sur Gustav Adolfs Torg, dans le siège d'une ancienne banque, face au pont Norrbro. Dansmuseet fut créé à Paris, en 1953, par Rolf de Maré (1888-1964), aristocrate suédois, collectionneur d'art réputé et fondateur des Ballets suédois de renommée internationale.
Le musée aborde tous les aspects de la danse – costumes, masques, esquisses de mises en scène, affiches, livres et documents – et des archives sur la danse populaire. Outre la salle d'exposition, le centre d'Études Rolf de Maré possède une banque de données avec du matériel vidéo, une bibliothèque et des archives. La boutique du musée propose une liste exhaustive de cassettes vidéo sur la danse.

Medelhavs-museet ❻

Fredsgatan 2. **Plan** 4 B1. 519 553 80. Kungsträdgården. 43, 62, 65. 11h-20h mar., 11h-16h mer.-ven., 12h-17h sam. et dim.
www.medelhavsmuseet.se

Le musée des Antiquités de la Méditerranée et du Proche-Orient présente les dieux et peuples des cultures anciennes du pourtour méditerranéen. Il comporte, outre une chambre Dorée, de nombreux trésors, en particulier un groupe d'effigies de terre cuite découvertes à Chypre, dans les années 1930. Des maquettes constituées de matériaux inhabituels, comme l'écorce, montrent les modes de construction des maisons. Des expositions temporaires complètent les collections relatives à l'Islam. Abrité dans une ancienne banque construite au XVIIᵉ siècle pour Gustav Horn, général de la guerre de Trente Ans, l'édifice comporte une cage d'escalier remontant à 1905 , les péristyles et la colonnade qui ornent la partie supérieure de la salle valent à eux seuls une visite.

Arvfurstens Palats ❼

Gustav Adolfs Torg 1. **Plan** 4 B1.
Kungsträdgården. 43, 62, 65. au public.

À l'opposé de l'Opéra, sur Gustav Adolfs Torg, se dresse Arvfurstens Palats (palais du Prince), construit pour Sofia Albertina, sœur de Gustave III, et inauguré en 1794. La princesse choisit comme architecte Erik Palmstedt, élève de Carl Fredrik Adelcrantz, créateur du premier Opéra.
Le palais et son décor illustrent brillamment le style gustavien, grâce à la contribution de nombreux artistes, Louis Masreliez et Georg Haupt, aidés de leurs élèves, Gustav Adolf Ditzinger, Johan Tobias Sergel et Gottlieb Iwersson.
Depuis 1906, l'édifice est le siège du ministère des Affaires étrangères.
Non loin, l'élégant Sagerska Palatset (1894) de style Renaissance française, est la résidence officielle du Premier ministre.

Arvfurstens Palats (1794) est le siège du ministère des Affaires étrangères

Rosenbad, siège du gouvernement et des Comités de comtés

Rosenbad ❽

Rosenbad 4. **Plan** 4 A2.
🚇 *Kungsträdgården.* 🚌 *3, 53, 62, 65.*
⬤ *au public.*

Depuis 1981, le complexe de Rosenbad – ensemble de trois palais qui communiquent entre eux, surplombant le canal Strömmen – abrite le gouvernement suédois et le bureau du Premier ministre. Rosenbad tient son nom d'une maison de bains du XVIIᵉ siècle, qui proposait à ses clients des bains à la rose (*rosenbad* en suédois), au lis ou à la camomille.

Trois des architectes les plus éminents du XIXᵉ siècle conçurent cet imposant complexe. Gustav Wickman (1858-1916) élabora la demeure de grès rose sise à l'angle de Fredsgatan et Drottningggatan dans un style Art nouveau d'un baroque presque exubérant. La banque Skåne s'y installa en 1900.

Sur Fredsgatan, en face de Rödbodtorget, la maison de style florentin fut édifiée trois ans plus tard, par Aron Johansson (1860-1936), architecte de l'ancien parlement situé sur Helgeandsholmen.

Le palais de style vénitien bordant Strömgatan fut érigé en dernier, en 1904. Conçu par Ferdinand Boberg (1860-1916), il abritait des appartements privés, une banque et un restaurant très fréquenté (la décoration de la loggia ouverte sur l'eau a conservé quelques traces de celui-ci).

Konstakademien ❾

Fredsgatan 12. **Plan** 4 A2.
📞 *23 29 45.* 🚇 *T-centralen.* 🚌 *3, 53, 62, 65.* 🕐 *11h-17h mar-ven., 12h-16h sam. et dim.* ♿ *entrée : Jacobsgatan 27.* 🖼

Les collections de l'Académie royale des Arts, qui compte aujourd'hui près de 120 membres, illustrent plus de 250 ans de peinture et de sculpture, essentiellement réalisées par les académiciens, passés et présents.

Cet édifice très imposant, situé à l'angle de Fredsgatan et Jakobsgatan, fut érigé par Tessin l'Ancien au début des années 1670 ; l'Académie royale s'y installa à la fin du XVIIIᵉ siècle sous le patronage de Gustave III. Il fut reconstruit à plusieurs reprises, la dernière fois, en 1897, par l'architecte Erik Lallerstedt. Sa façade actuelle s'accorde à celle de l'Opéra (*p. 64-65*) comme à celle du Palais royal (*p. 50-53*), dont l'architecte, Tessin le Jeune,

Entrée de Konstakademien, sur Fredsgatan

souhaitait voir le style étendu à tout le quartier environnant.

Quelques traces des anciens bâtiments ont survécu : l'intérieur de la petite salle de réunion fut élaboré par Carl Fredrik Adelcrantz vers 1780 ; deux poêles de faïence de la même période ont été conservés, ainsi que le porche principal donnant sur Jakobsgatan. Les quatre effigies allégoriques féminines autrefois situées à l'entrée ont été reproduites en ciment et placées sur le toit.

Le décor de Klara Kyrka, conçu par Olle Hjortzberg

Klara Kyrka ❿

Klara Östra Kyrkogata. **Plan** 2 C4.
📞 *723 30 31.* 🚇 *T-centralen* 🚌 *47, 52, 59, 65.* 🕐 *10h-17h t.l.j.* 🕐 *10h30 mar., 8h jeu., 11h, 14h (swahili) dim.* ♿ 🖼

Le couvent de Sainte-Clara occupa le site de la présente église et de son cimetière jusqu'en 1527, date à laquelle il fut démoli sur ordre de Gustave Vasa. Ultérieurement, le fils de ce dernier, Jean III, ordonna la construction d'une église, qui fut terminée en 1590. L'édifice, ravagé par le feu en 1751, fut reconstruit par les deux architectes les plus réputés de l'époque, Carl Hårleman, puis C. F. Adelcrantz. La chaire fut élaborée en 1753 selon les projets de Hårleman ; J. T. Sergel (*p. 83*) créa les figures angéliques de la galerie nord. Deux anges identiques, basés sur les gypses originaux du sculpteur, ornent le superbe chœur.

Le clocher de 116 m qui fut ajouté vers 1880 domina toute la ville pendant de nombreuses années. Olle Hjortzberg, artiste religieux du XXᵉ siècle, exécuta les peintures des voûtes en 1904.

L'obélisque de verre d'Edvin Öhrström, Sergels Torg et Kulturhuset à gauche

Kulturhuset et Stadsteatern ⓫

Sergels Torg 3. **Plan** 2 C4. **Kulturhuset**
🅒 508 315 08. **Stadsteatern**
🅒 506 202 00. 🚇 T-centralen.
🚌 47, 52, 59, 65, 69. ⏰ 11h-18h
lun., 10h-19h mar.-dim.
📷 en partie. ♿ 🍽 🛍 🎁
🅦 www.kulturhuset.stockholm.se

Un quart de siècle après son ouverture (1974), le centre culturel vient d'être rénové pour affronter le nouveau millénaire. Très contemporain, l'édifice créé par l'architecte Peter Celsing, s'intègre bien au cadre de Sergels Torg et est devenu un symbole du modernisme suédois. Le centre, dont la façade de verre borde le côté sud de la place, remporta un concours de design nordique.

Kulturhuset s'adresse à tous : trois galeries proposent des expositions temporaires, tandis que l'auditorium présente des programmes variés de musique, de danse, de théâtre et de conférences. Dans la galerie Kilen, se déroule une forme d'art qui réunit le théâtre, le one man show, la danse et une forme d'improvisation.

La salle des Enfants fournit aux plus jeunes l'occasion de lire, de dessiner, d'écouter des histoires ou de regarder des films. Lava constitue un lieu de rencontre pour les adolescents, qui s'y rassemblent autour de leur propre culture.

Ce centre abrite également la seule bibliothèque de bande dessinée de Suède, ainsi que des salles de lecture contenant journaux, magazines internationaux et publications récentes de la littérature suédoise. Les visiteurs peuvent pratiquement tout emprunter, des livres aux CD-Roms.

Plusieurs boutiques vendent des articles de design suédois. Kulturhuset englobe Stadsteatern (théâtre de la Ville), dont la scène principale fut inaugurée en 1990. Le parlement occupa cette section du bâtiment, pendant que son siège habituel à Helgeands-sholmen, était en rénovation *(p. 59)*.

L'ambition de Lars Fahlsten et Per Ahrbom, architectes du théâtre, fut réalisée lorsque les six scènes de taille et de style différents furent enfin réunies sous le même toit, le théâtre principal pouvant accueillir 700 personnes, et le minuscule Théâtre de Poupée en recevant 70. Chaque année, l'ensemble des salles donne 1 400 représentations réjouissant environ 225 000 spectateurs.

Sergels Torg ⓬

Plan 2 C4. 🚇 T-centralen. 🚌 47, 52, 59, 65, 69.

Lors des transformations du centre-ville, vers 1930, de fortes pressions s'exercèrent pour étendre Sveavägen jusqu'à Gustav Adolfs Torg. Mais, en 1945, on décida de terminer l'avenue au carrefour de Klarabergsgatan et Hamngatan pour former une nouvelle place, Sveaplan. En 1957, le projet d'un espace à deux niveaux – niveau inférieur réservé aux piétons et niveau supérieur destiné au trafic –, fut proposé. Parachevé en 1960, il fut rebaptisé Sergels Torg.

Depuis 1972, l'obélisque de verre du sculpteur Edvin Öhrström, accent vertical de cristal en verre et acier, érigé au centre de la place, miroite dans la nuit.

TRANSFORMATIONS DE LA VILLE

Au cours du XXᵉ siècle, la population de Stockholm passa de 250 000 habitants à plus de 1,6 million. Vers 1920, il devint

Premières étapes vers la nouvelle Hötorgs City, 1958

évident que le vieux cœur de la ville ne pouvait répondre aux besoins nouveaux de Stockholm. Un programme sur 30 ans, très controversé, fut lancé à Norrmalm, en 1951. Les taudis qui recouvraient 335 des 600 sites à remanier furent détruits, cédant la place à 78 bâtiments nouveaux. Deux tiers des édifices de ce secteur furent ajoutés durant cette période.

Produits frais à Hötorget, place du marché depuis le XVIIᵉ siècle

Hötorget ⓫

Plan 2 C4. 🚇 *Hötorget*. 🚌 *1, 52, 56.* 🕐 *7h30-18h lun.-ven., 7h30-16h sam., 10h-17h dim.*

La tradition est toujours très vivante sur Hötorget (place du marché). Appartenant autrefois au couvent de Sainte-Clara, la place devint, vers 1640, un lieu de commerce important où l'on trouvait du fourrage pour les animaux, du lait, des légumes et de la viande. Aujourd'hui s'y tient un marché animé de produits frais.

Les bâtiments bordant la place sont relativement modernes. Le plus récent, le complexe de cinéma à façade de verre, fut inauguré en 1995, le grand magasin PUB fut édifié en 1916 ; Kulturhuset en 1926. Non loin, sur Sergelgatan, où les cinq tours de Hötorgs City furent bâties de 1952 à

L'*Orpheus*, sculpture de Carl Milles, orne l'entrée de Konserhuset

1956, on peut voir une réminiscence de l'ancien centre-ville. Une plaque indique l'endroit où se trouvait l'atelier de Johan Tobias Sergel (1740-1814), sculpteur réputé. Ultérieurement, Carl Milles, autre sculpteur *(p. 144)*, créa l'*Orpheus*, la fontaine qui se dresse devant Konserhuset.

Konserthuset ⓮

Hötorget. **Plan** 2 C4. 📞 *786 02 00.* 🚇 *Hötorget.* 🚌 *1, 52, 56.* **Bureau de location** 🕐 *12h-18h lun.-ven., 11h-15h sam., et 2 heures avant le concert.* 🎫 ♿ 📷 📷 🅦 *www.konserthuset.se*

Version nordique d'un temple grec, la salle de concert, chef-d'œuvre de l'architecte Ivar Tengbom (1878-1968), est un exemple remarquable du style néoclassique des années 1920. Les concepts de Ivar Tengbom furent repris par son fils Anders (né en 1911), qui fut chargé de la rénovation de

l'édifice en 1970-1971, puis par son petit-fils Svante (né en 1942), qui accomplit la même tâche en 1993-1996.

Construite de 1923 à 1926, la salle principale correspondait au projet d'Ivar Tengbom. Toutefois, des problèmes acoustiques conduisirent à de gros travaux de reconstruction et de modernisation. Le décor intérieur se révèle plutôt austère, mais la salle Grünewald, réalisée par Isaac Grünewald (1889-1946), est de style Renaissance italienne. Les quatre effigies de marbre du foyer principal sont signées Carl Milles, créateur de l'*Orpheus*, le groupe de statues ornant l'extérieur du bâtiment ; Einar Forseth, Simon Gate, Edward Hald et Carl Malmsten contribuèrent à la décoration de l'édifice. Konserthuset abrite, depuis son ouverture, l'Orchestre philharmonique royal, qui donne environ 70 concerts par an. Des virtuoses de réputation internationale s'y produisent régulièrement. C'est également à cet endroit que le prix Nobel est décerné.

Kungstornen ⓯

Kungsgatan 30 and 33. **Plan** 3 D4. 🚇 *Hötorget.* 🚌 *1, 43, 56.* ⬤ *au public.*

En 1915, un jeune architecte, Sven Wallander, soumit un projet d'avenue à l'américaine pour Stockholm. Ce plan fut

---

LE PRIX NOBEL

Alfred Nobel (1833-1896) fut un chimiste et un inventeur exceptionnel. Depuis 1901, tous les ans, le 10 décembre, date de sa mort, sont décernés les prix Nobel de physique, chimie, physiologie ou médecine, et littérature. Une somme d'argent et une médaille sont remises aux lauréats. La cérémonie se déroule à Konserhuset. Depuis 1969, la Banque de Suède attribue également un prix de sciences économiques. Le prix Nobel de la paix est présenté le même jour à l'hôtel de ville d'Oslo. En 1901, la somme offerte se montait à 150 000 couronnes ; en 1999, elle atteignait 7,9 millions de couronnes.

La médaille du prix Nobel

accepté vers 1920 : une nouvelle rue reliant Hötorget à Stureplan fut percée à travers la colline de Brunkeberg. Un pont fut construit au-dessus de l'actuelle Kungsgatan ; quelques années plus tard, les Kungstormen jumelles (« tours du Roi »), hautes de 16 étages, vinrent s'ajouter à l'ensemble. Conçue par Wallander dans le style néoclassique, la tour nord, désignée sous le terme de « tour mâle », couvre une surface de 7 000 m². Elle était à l'origine le siège de Sockerbolaget, une compagnie de sucre. Son entrée est ornée de magnifiques sculptures de granit, œuvres d'Eric Grate. La tour sud, « tour femelle », plus élégante et légèrement plus grande, élaborée par Ivar Callmander, appartenait à I. M. Ericsson. Les deux tours abritent uniquement des bureaux.

Les Kungstornen « mâle » et « femelle » à Kungsgatan

Centralbadet ⓰

Drottninggatan 88. **Plan** 4 C4.
📞 24 24 03. 🚇 Hötorget. 🚌 52.
⏰ 6h-20h30 lun.-ven., 8h-20h30 sam., 10h-20h30 dim. ; juin-août : 7h-20h30 lun.-ven., 12h-20h30 sam. 🏧 🛗 🛍

Conçu par Wilhelm Klemming, ce centre de natation et de remise en forme fut terminé en 1904. Il fut reconstruit et agrandi par la suite, mais la façade Art nouveau est restée identique. Centralbadet, avec son bassin principal (23 m de long) et son restaurant Art nouveau, est un bâtiment classé. Il possède en outre une pataugeoire, des bassins à

La façade Art nouveau de Centralbadet

bulles, des piscines de balnéothérapie, trois saunas et des cabines de soins esthétiques et de massages.

Architecte prolifique du XVIIIe siècle, Carl Hårleman élabora le jardin séparant Drottninggatan et Centralbadet. Cette oasis délicieuse, organisée autour d'un bassin d'ornement doté d'une fontaine, abrite une sculpture qui représente un triton chevauchant un dauphin, exécutée par Greta Klemming dans les années 1920.

Dansens Hus ⓱

Barnhusgatan 12–14. **Plan** 2 C3.
📞 796 49 10. 🚇 T-centralen.
🚌 47, 53, 69. **Bureau de location**
⏰ 12h-18h lun.-sam. 🏧 🛗 🛍
🌐 www.dansenshus.se

Depuis 1991, date à laquelle elle s'installa dans les locaux du théâtre de la Ville, la « maison de la Danse » est la plus grande scène de danse moderne de Stockholm. Elle abrite deux salles, l'une de 800 places, et l'autre, Blå Lådan (la « boîte bleue »), destinée aux représentations expérimentales de 150 places.

Le théâtre ne possède pas de troupe permanente ; au cours de la saison, il accueille une douzaine de spectacles nationaux et internationaux, donnés, en général, pour trois à cinq jours. Des expositions sont organisées dans le foyer, élaboré par Sven Markelius (1889-1972). Séminaires et conférences se déroulent en

ce lieu, qui constitue aussi le siège de Danse Production Service (D.P.S.), une organisation de chorégraphes.

Strindbergsmuseet Blå Tornet ⓲

Drottninggatan 85. **Plan** 2 C3.
📞 411 53 54. 🚇 Rådmansgatan.
🚌 52, 69. ⏰ 12h-19h mar., 12h-16h mer.-dim. ; juin-août : 12h-16h mar.-dim. 🎫 14h30 jeu., 13h sam. 🛗 🏧 🛍
🌐 www.strindbergsmuseet.se

August Strindberg (1849-1912), dramaturge de renommée internationale, habita 24 logements différents à Stockholm. Il emménagea dans sa dernière résidence en 1908, et la baptisa Blå Tornet (la « tour Bleue »).

La demeure, nouvellement construite, possédait des toilettes, le chauffage central et un ascenseur, mais était dépourvue de cuisine. Les repas, ainsi que d'autres services domestiques, étaient fournis à l'auteur par la pension Falkner, située dans le même bâtiment. Au cours de ses dernières années, le jour de son anniversaire, Strindberg se tenait debout sur son balcon, tandis que ses admirateurs défilaient devant lui, des flambeaux à la main.

Ouvert en 1973, le musée reconstitue la chambre à coucher, la salle à manger et le bureau de l'artiste. 3 000 livres et dossiers de photographies, de coupures de presse et d'affiches sont exposés. Dans des locaux voisins, une exposition permanente évoque Strindberg auteur, metteur en scène, dessinateur et photographe.

Le bureau de Strindberg et ses accessoires d'écriture

Adolf Fredriks Kyrka ⑲

Holländargatan. **Plan** 2 C3.
C 20 70 76. **T** Hötorget. 🚌 52.
🕐 13h-20h lun., 10h-16h mar.-sam.,
10h30-16h dim. ; plus tard en été. 🕐
19h lun., 12h15 mer. et jeu., 8h ven.,
11h dim. 🎫 sur r.-v. ♿ 🚻 📷

L e roi Adolphe-Frédéric posa la première pierre de cette église en 1768, sur le site d'une chapelle antérieure dédiée à saint Olof. L'édifice de style néoclassique avec quelques influences rococo fut conçu par Carl Fredrik Adelcrantz. En forme de croix grecque, l'église possède un dôme central.

L'intérieur, considérablement modifié au fil du temps, a cependant conservé son autel et sa chaire.

L'autel, réalisé par Johan Tobias Sergel, est probablement l'œuvre religieuse la plus importante du sculpteur, qui signa également le mémorial de Descartes (p. 17). Les peintures du dôme furent ajoutées de 1899 à 1900 par Julius Kronberg. Les accessoires d'argent de l'autel,

Mémorial de Descartes

élaborés par Sigurd Persson, sont plus récents.

Dans le cimetière, reposent J.T. Sergel, Hjalmar Branting, figure éminente du mouvement social démocrate, et Olof Palme, le célèbre Premier ministre qui mourut assassiné.

La « Bible du diable », l'un des trésors de Kungliga Biblioteket, début du XIIIᵉ siècle

Kungliga Biblioteket ⑳

Humlegården. **Plan** 3 D3.
C 463 40 00. **T** Östermalmstorg.
🚌 1, 46, 55, 56, 91, 96. 🕐 9h-20h
lun.-jeu., 9h-19h ven., 10h-17h sam.,
12h-17h dim. ; 21 juin-8 août : 9h-
18h lun.-jeu., 9h-17h ven., 11h-15h
sam. 🎫 sur r.-v. ♿ 🚻
🌐 www.kb.se

L a Bibliothèque royale suédoise est un département du gouvernement autonome. Depuis 1661 – il n'existait alors que huit presses typographiques en Suède –, des copies de tout ce qui est imprimé doivent être fournies à Kungliga Biblioteket (Bibliothèque royale). Depuis 1993, cette exigence s'applique également aux documents électroniques. À l'heure actuelle, il existe plus de 3 000 imprimeurs et éditeurs ; le volume des imprimés s'accroît de 35 000 livres par an, auxquels s'ajoutent 40 000 magazines.

L'espace de rangement augmente de 1 300 m² par an. La collection globale atteint environ 3 millions de livres et de magazines, 500 000 affiches, 300 000 cartes et plans, 750 000 portraits et 500 000 images de tout genre. L'imposant bâtiment original

(1865-1878) dut être agrandi vers 1920, puis vers 1990. Cette dernière extension majeure permit l'ajout d'un auditorium de 120 places, une zone d'expositions et surtout, deux secteurs de rangement souterrains offrant une surface de 18 000 m² ; le premier de ces emplacements est déjà presque plein, en dépit de 843 étagères mobiles. Mises bout à bout, les planches de la bibliothèque atteindraient une longueur totale de 137 km.

L'édifice est situé dans le cadre merveilleux d'Humlegården, jardin créé par Gustave II Adolphe, en 1619, pour y faire pousser du houblon destiné à la maison royale. Ce parc est depuis le XVIIIᵉ siècle un lieu de détente très apprécié des Stockholmois.

Stureplan ㉑

Plan 3 D4. **T** Östermalmstorg.
🚌 1, 46, 55, 56, 91.

A la fin du XIXᵉ siècle, un plan de la ville proposait que le carrefour de Stureplan devienne le nouveau centre de la capitale. Cette suggestion ayant été acceptée, le quartier situé autour du kiosque, Svampen (le « Champignon »), au centre

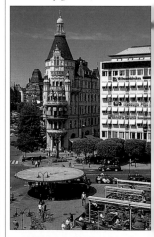

Le Svampen sur Stureplan, est un lieu de rencontre apprécié des Stokholmois

Olof Palme (1927-1986)

L'ASSASSINAT D'OLOF PALME

Le 28 février 1986, Olof Palme, Premier ministre suédois, fut assassiné dans une rue de Stockholm alors qu'il rentrait chez lui sans garde du corps après une séance de cinéma. Le meurtre eut lieu à l'angle de Sveavägen et Tunnelgatan. La partie ouest de l'artère a été rebaptisée Olof Palmes Gata et une plaque a été apposée à cet endroit. Ce crime, qui suscita une forte émotion, reste aujourd'hui impuni. Olof Palme repose au cimetière Adolf Fredrik.

du carrefour, devint, avec l'ouverture croissante de boutiques et de restaurants, un lieu de rencontre animé. Toutefois, l'application de la conduite à droite en 1967, entraîna un nouvel agencement des rues et mit un terme à cette période faste.

Aujourd'hui, après un grand incendie dans la piscine de Sturebadet, en 1985, Stureplan, tel un phénix, renaît de ses cendres. Une modernisation de la piscine et la construction de Sturegallerian, galerie marchande, ont redonné vie à cette partie occidentale de la ville.

Sturegallerian et Sturebadet ㉒

Stureplan 4. **Plan** 3 D4. 🚇 Östermalmstorg. 🚌 1, 46, 55, 56, 91.
Galerie marchande ◯ 10h-19h lun.-
ven., 10h-17h sam., 12h-17h dim.
Piscine 📞 545 015 00. ◯ 10h-15h
lun.-ven., ou sur r.-v. pour les
abonnés. 🖥 🚻

L
a piscine originale de Sturebadet, inaugurée en 1885, se situait au sein de l'actuel complexe de Sturecompaniet. Reconstruite en 1902 sur son emplacement actuel, elle était très novatrice et proposait à ses nageurs, dans les années 1930, des équipements de gymnastique.

Après un incendie désastreux en 1985, 600 millions de couronnes furent investis à la fois pour reconstruire la piscine selon sa conception initiale, et pour développer Sturegallerian, une galerie marchande internationale. L'extérieur, datant de la fin du XIXᵉ siècle et l'intérieur moderne se marient à merveille. Le réseau intérieur de galeries et de carrefours, bordé de plus de 50 boutiques, abrite également des restaurants, des cafés ainsi que d'autres services. La piscine actuelle constitue la partie la plus traditionnelle de cet ensemble qui abrite aussi des bureaux.

Ouverte en 1989, cette structure gagna une récompense internationale pour l'excellence de sa conception.

Le décor Art nouveau de Sturebadet a été longuement restauré

Östermalms-hallen ㉓

Humlegårdsgatan 1–3. **Plan** 3 E4.
🚇 Östermalmstorg. 🚌 56, 62.
◯ 9h30-18h lun.-jeu., 9h30-18h30
ven., 9h30-16h sam., 9h30-14h sam.
en été. ♿ 🚻

T
emple de la gastronomie, ce marché couvert situé sur Östermalmstorg est aux antipodes du fast-food. Les gourmets viennent y choisir les meilleurs produits de la ville. Le bâtiment, érigé en huit mois, est un exemple de construction éclair. Le marché, inauguré par le roi Oscar II en 1888, est, avec sa structure de brique autour d'une armature de béton novatrice, un bel exemple de l'architecture du XIXᵉ siècle. Östermalmshallen, inspiré des galeries marchandes méditerranéennes, valut d'ailleurs à ses architectes, Gustaf Clason et Kasper Sahlin une grande renommée.

Le marché a été rénové en 1999. Autrefois, il comportait 153 éventaires ; aujourd'hui y sont actifs 13 boutiques spécialisées et quelques lieux de restauration très appréciés.

Hedvig Eleonora Kyrka ㉔

Storgatan 2. **Plan** 3 E4.
📞 663 04 30. 🚇 Östermalmstorg.
🚌 62. ◯ 10h-16h lun. et jeu.-sam.,
10h-18h mar., mer. et dim.
🕐 2h15 mar. et jeu., 19h mer., 11h
dim. 🎧 sur r.-v. ♿ 🚻

F
ondée en 1669 afin d'offrir à la Marine suédoise son propre lieu de culte, l'église fut officiellement inaugurée en 1737. Jean de La Vallée traça les premiers plans, mais l'ouvrage fut terminé avec l'aide de l'architecte Göran Josuae Adelcrantz ; le dôme fut ajouté de 1866 à 1868. Moulée en 1639 à Helsingør, au Danemark, la grande cloche fut suspendue au château de Kronborg, avant d'être emportée comme butin de guerre par le général Carl Gustav Wrangel (p. 56).

L'édifice contient nombre d'objets de valeur. Le retable Jésus sur la croix, fut peint en 1738 par Engelhard Schröder. La chaire majestueuse de style néoclassique conçue par Jean Erik Rehn, fut inaugurée le jour de Noël 1784.

Le nouvel orgue fut construit vers 1975, mais la façade originale de Carl Fredrik Adelcrantz, datant de 1762, est d'origine. On peut y admirer un calice baroque de 1650 et un ciboire de 1685. Les fonts de 1678 se trouvent maintenant dans la chapelle baptismale, qui a été ajoutée en 1944, lors des travaux de restauration.

Östermalmshallen, temple culinaire inspiré des marchés méditerranéens

L'Armémuseet et le dôme de Hedvig Eleonora Kyrka en arrière-plan

Armémuseet ㉕

Riddargatan 13. **Plan** 3 E4.
📞 788 95 60. Ⓣ Östermalmstorg.
🚌 62. 🕐 11h-16h mar.-dim.

L'ancienne armurerie située dans Artillerigården abrite Armémuseet (musée de l'Armée royale) depuis 1879. Dans les années 1990, le bâtiment, vieux de 250 ans, a été rénové et les collections dépoussiérées. Le musée qui a rouvert en 2000 est devenu l'un des mieux conçus et des plus intéressants de la capitale.

Armémuseet retrace mille ans d'histoire de la Suède en mettant les événements importants en perspective. Certains faits les plus marquants sont illustrés par des reconstitutions en taille réelle. Les 80 000 pièces exposées comptent de nombreux objets d'un intérêt unique.

L'édifice est le point de départ des processions lors des visites de souverains étrangers. L'été, chaque jour, à 11 h 45, les gardes du palais défilent du musée jusqu'au Palais royal pour la relève de la garde.

Musikmuseet ㉖

Riddargatan/Sibyllegatan. **Plan** 3 E4.
📞 519 554 50. Ⓣ Östermalmstorg.
🚌 62. 🕐 11h-16h mar.-dim.
🌐 www.musikmuseet.se

Après avoir occupé neuf bâtiments différents, le musée de la Musique s'installa, en 1979, dans le plus vieux bâtiment industriel du centre-ville, une ancienne boulangerie royale ; on y fabriqua le pain du personnel militaire de 1640 à 1958.

Le musée expose 6 000 instruments et contient les archives musicales nationales ; ses 20 000 manuscrits, consultés sur autorisation, constituent une mine pour quiconque s'intéresse à la musique folklorique. Musikmuseet accueille régulièrement des expositions temporaires.

Cet *hummel* appartenait au chanteur C. M. Bellman

Hovstallet ㉗

Väpnargatan 1. **Plan** 3 E4.
📞 402 61 06. Ⓣ Östermalmstorg.
🚌 47, 62, 69, 76. 🕐 pour visites guidées. 🎫 14h sam. et dim. ; juil.-août : 14h lun.-ven.

Auparavant situées à Helgeandsholmen, les Écuries royales s'installèrent sur leur site actuel en 1893, alors que le nouveau parlement était en construction. Elles occupent maintenant, avec le musée de la Musique, un vaste domaine voisin du Théâtre royal.

Les Écuries organisent le transport de la famille et de la

Attelage de quatre chevaux, dont deux avec cavaliers, Hovstallet

maison royales. Elles contiennent outre des chevaux d'attelage ou de selle – demi-sang suédois –, près de 40 carrosses et une douzaine de voitures. Certains véhicules constituent de véritables trésors ; la « Berline », carrosse d'État aux parois de verre, fut conçue en Suède, dans les ateliers Adolf Freyschuss. Admirée pour la première fois en 1897 au jubilé d'argent d'Oscar II, elle est encore utilisée pour des cérémonies.

Les ambassadeurs étrangers qui prennent leurs fonctions se rendent à l'audience officielle avec le roi dans le coupé de Charles XV. Pour les cortèges, on utilise en général des carrosses ouverts du milieu du XIXᵉ siècle, tirés par deux chevaux.

Kungliga Dramatiska Teatern ㉘

Nybroplan. **Plan** 3 E4. 📞 667 06 80. Ⓣ Östermalmstorg. 🚌 47, 62, 69, 76. **Location de billets** 🕐 12h-18h lun., 12h-19h mar.-sam., 14h-16h dim. 🌐 www.dramaten.se

Au début du XXᵉ siècle, l'État refusa de financer la construction de l'actuel Théâtre royal, à Nybroplan. Aussi des loteries furent-elles organisées pour récolter les fonds nécessaires. Le résultat dépassa toutes les espérances : Fredrik Lilljekvist, l'architecte chargé de l'entreprise, put disposer d'un budget considérable qu'il utilisa intégralement.

En 1908, après six ans de travaux, le nouveau théâtre, baptisé Dramaten, ouvrit ses portes, offrant aux spectateurs un décor et un équipement exceptionnels pour l'époque.

La façade Art nouveau, inspirée de l'architecture viennoise est entièrement en marbre blanc. Christian Ericsson élabora la saisissante frise en relief, Carl Milles créa la section centrale et John Börjesson exécuta les deux statues de bronze, *Poésie* et *Drame*. Dans le foyer du théâtre, deux autres statues leur correspondent, *Tragédie* et *Comédie*, œuvres respectives de Börjesson et Theosor Lundberg.

Le décor intérieur est aussi luxueux. Le plafond du foyer est signé Carl Larsson ; le mur du foyer supérieur fut peint par Oscar Björk, tandis que Julius Kronberg réalisa le plafond de l'auditorium et le linteau de scène. Gustav Cederström effectua la peinture centrale du foyer de marbre, qui contient quelques bustes et des sculptures superbes.

Georg Pauli donna son nom à un café où les visiteurs peuvent admirer ses tableaux tout en dégustant un repas.

La salle de 805 places et la scène pivotante de 15 mètres de diamètre sont d'une beauté classique. Lorsque Gustave III fonda le Théâtre royal, en 1788, les représentations avaient lieu à Slottsbacken, dont les couleurs probables – bleu, blanc et or –, furent reprises pour la nouvelle scène nationale ; elles cédèrent la place au rouge traditionnel dans les années 1930. En 1988, lors de travaux de rénovation, la salle retrouva ses couleurs d'origine.

Près de 100 acteurs contractuels donnent

La cour de Hallwylska Palatset vue du porche voûté

1 200 représentations chaque année sur les cinq scènes du théâtre, devant environ 300 000 spectateurs.

Hallwylska Palatset ㉙

Hamngatan 4. **Plan** 3 D4.
📞 519 555 99. 🇹 *Östermalmstorg.*
🚌 46, 47, 55, 62, 69, 76. 🕐 *12h-15h ttes les h. mar.-dim., et 18h mer., 13h sam. (angl.). 26 juin-15 août : 11h-16h t.l.j. ttes les heures.* 📷 🚫
🅿 Ⓦ www.lsh.se/hallwyl

L a façade imposante de la demeure qui s'élève Hamgatan 4 est surpassée en splendeur par celle que dissimulent les lourds portails. Le palais fut édifié de 1892 à 1897 pour un comte et une comtesse immensément riches, Walter et Wilhelmina von Hallwyl. Ces derniers

Le Steinway du
Hallwylska Palatset

décidèrent rapidement que leur maison deviendrait un musée. En 1930, à la mort de la comtesse, l'État hérita d'un palais d'un luxe inouï, au sein duquel la comtesse avait amassé une collection inestimable d'objets d'art. Huit ans plus tard, un musée abritant 67 000 objets répertoriés ouvrit ses portes. La comtesse, raffinée et perfectionniste, donna à Isac Gustav Clason (1856-1930), l'architecte chargé de la construction, et au décorateur, Julius Kronberg, peintre et conseiller artistique, des moyens illimités.

Les tableaux de la galerie, pour la plupart de l'école flamande des XVIe et XVIIe siècles, furent achetés sur une période de deux ans seulement. À côté, la piste de jeu de quilles s'orne de vitrines abritant une magnifique collection de poteries vernissées.

Les visiteurs découvrent également des objets à usage domestique de toutes sortes. Les pièces furent décorées dans des styles différents. Illustrant la fin de la période baroque, le salon principal, dont certains détails sont soulignés à la feuille d'or de 24 carats, a été influencé par le travail de Hårleman au Palais royal *(p. 50-53)*. Quatre grandioses tapisseries des Gobelins parent ses murs ; le Steinway, piano à queue datant de 1896, a été couvert de bois précieux marqueté. En 1990, il fut transporté à New York en deux parties (en effet, son poids total atteignait 900 kg), pour une rénovation qui dura plusieurs mois. Les visiteurs qui ont envie de s'attarder dans le salon peuvent entendre le disque d'un morceau ayant été joué sur ce prestigieux instrument.

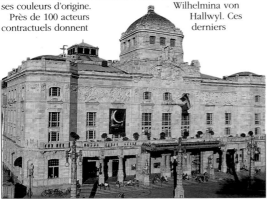

La façade Art nouveau de marbre blanc du Théâtre royal

BLASIEHOLMEN ET SKEPPSHOLMEN

Hublot d'un bateau en bois

Face au Palais royal, sur la rive ouest du canal de Strömmen, s'étend Blasieholmen, tremplin naturel pour les îles de Skeppsholmen et Kastellholmen.

Plusieurs palais y furent construits quand la Suède était une grande puissance. Mais l'aspect actuel de Blasieholmen est dû à la période comprise entre le milieu du XIXe siècle – époque à laquelle fut érigé le Nationalmuseum –, et la veille de la première guerre mondiale. Au tout début du XXe siècle, des résidences, telles que Bååtska Palatset, furent éclipsées par des hôtels, des banques et des lieux de divertissement opulents. Blasieholmen abrite également des hôtels des ventes, des galeries d'art, des magasins d'antiquités et des librairies de livres d'occasion. De l'embarcadère partent des bateaux permettant de visiter l'archipel.

Skeppsholmen est accessible par un pont de fer forgé. Au milieu du XVIIe siècle, l'île devint la base de la Marine suédoise ; nombre de ses anciens bâtiments furent reconvertis en casernes et en entrepôts. Aujourd'hui, ces derniers abritent des musées et institutions culturelles, à côté de l'édifice d'avant-garde du Moderna Museet.

LES SITES D'UN COUP D'ŒIL

Musées
Arkitekturmuseet ❸
Moderna Museet p. 80–81 ❷
Nationalmuseum p. 82–83 ❼
Östasiatiska Museet ❶

Édifices publics
Kungliga Konsthögskolan ❺

Îles et places
Blasieholmstorg ❾
Kastellholmen ❻
Raoul Wallenbergs Torg ⓬

Synagogue
Synagogan ❿

Hôtels et restaurants
Af Chapman ❹
Berns' Salonger ⓫
Grand Hôtel ❽

Salle de concert
Nybrokajen 11 ⓭

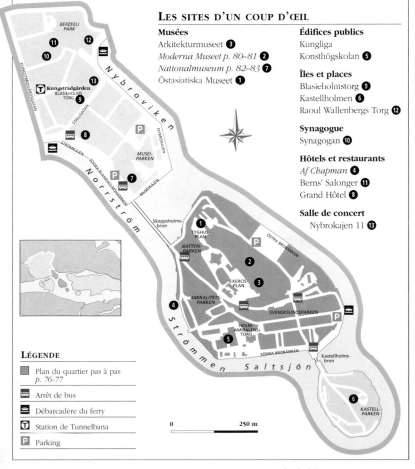

LÉGENDE
Plan du quartier pas à pas p. 76-77
Arrêt de bus
Débarcadère du ferry
Station de Tunnelbana
Parking

0 — 250 m

◁ **Skeppsholmsbron reliant Blasieholmen et Skeppsholmen ; à l'arrière-plan l'*af Chapman***

Skeppsholmen pas à pas

Skeppsholmen, ancienne base navale importante, a été transformée en centre culturel. Devant les bâtiments de la Marine restaurés sont amarrés d'anciens bateaux de bois. Mais le point fort de l'île est l'étonnant Moderna Museet, une sorte de verte oasis au centre de Stockholm, délimitée par les eaux du Strömmen et du Nybroviken. L'île est idéale pour une excursion d'une journée : les beaux édifices, le parc à l'anglaise très boisé et la perspective qui s'étend vers Skeppsbron et Strandvägen font de ce lieu la destination rêvée des promeneurs.

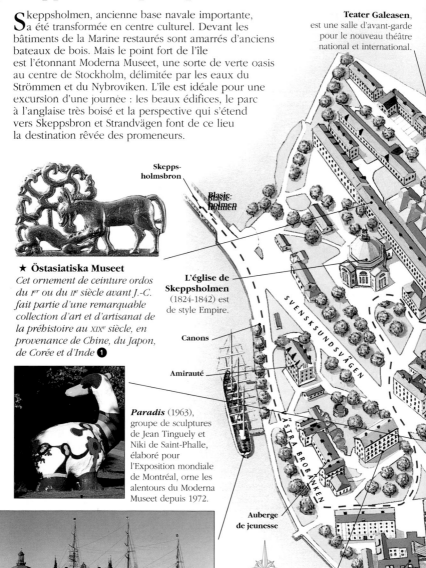

Teater Galeasen, est une salle d'avant-garde pour le nouveau théâtre national et international.

Skepps-holmsbron

Blasie-holmen

★ **Östasiatiska Museet**
Cet ornement de ceinture ordos du Ier ou du IIe siècle avant J.-C. fait partie d'une remarquable collection d'art et d'artisanat de la préhistoire au XIXe siècle, en provenance de Chine, du Japon, de Corée et d'Inde ❶

L'église de Skeppsholmen (1824-1842) est de style Empire.

Canons

Amirauté

SVENSKSUNDSVÄGEN

ÅLA

Paradis (1963), groupe de sculptures de Jean Tinguely et Niki de Saint-Phalle, élaboré pour l'Exposition mondiale de Montréal, orne les alentours du Moderna Museet depuis 1972.

ÖSTRA BROBÄNKEN

Auberge de jeunesse

Société suédoise d'Artisanat et de Design

Kungliga Konsthögskolan
La première partie du Collège royal des Beaux-Arts fut terminée vers 1770 ; le bâtiment acquit son apparence actuelle autour de 1995 ❺

L'af Chapman
Construit en 1888, l'ancien cargo et bateau-école entièrement gréé abrite une auberge de jeunesse depuis 1949. À l'arrière-plan, l'église de Skeppsholmen (à gauche) et l'Amirauté (1647-1650, reconstruite de 1844 à 1846) ❹

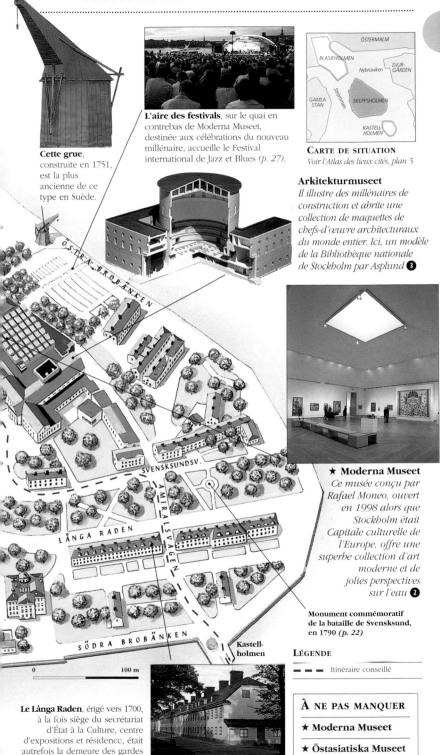

Cette grue, construite en 1751, est la plus ancienne de ce type en Suède.

L'aire des festivals, sur le quai en contrebas de Moderna Museet, destinée aux célébrations du nouveau millénaire, accueille le Festival international de Jazz et Blues *(p. 27)*.

ÖSTERMALM

BLASIEHOLMEN

DJUR-GÅRDEN

Nybroviken

GAMLA STAN

Strömmen

SKEPPSHOLMEN

KASTELL-HOLMEN

CARTE DE SITUATION
Voir l'Atlas des lieux cités, plan 5

Arkitekturmuseet
Il illustre des millénaires de construction et abrite une collection de maquettes de chefs-d'œuvre architecturaux du monde entier. Ici, un modèle de la Bibliothèque nationale de Stockholm par Asplund ❸

ÖSTRA BROBÄNKEN

SVENSKSUNDSV.

AMIRALSVÄGEN

LÅNGA RADEN

SÖDRA BROBÄNKEN

Kastellholmen

0   100 m

★ Moderna Museet
Ce musée conçu par Rafael Moneo, ouvert en 1998 alors que Stockholm était Capitale culturelle de l'Europe, offre une superbe collection d'art moderne et de jolies perspectives sur l'eau ❷

Monument commémoratif de la bataille de Svensksund, en 1790 *(p. 22)*

LÉGENDE

- - - Itinéraire conseillé

À NE PAS MANQUER

★ **Moderna Museet**

★ **Östasiatiska Museet**

Le Långa Raden, érigé vers 1700, à la fois siège du secrétariat d'État à la Culture, centre d'expositions et résidence, était autrefois la demeure des gardes du corps de Charles XII.

Arkitekturmuseet, situé dans une ancienne salle d'exercices navals néoclassique

Östasiatiska Museet ❶

Tyghusplan. **Plan** 5 D2.
🄲 519 557 70. 🅃 Kungsträdgården.
🚌 65. ⛴ Djurgårdsfärja.
🕐 12h-20h mar., 12h-17h mar.-dim.
🚫 ⛾ 🛗 🚻 ⓦ www.mfea.se

Östasiatiska Museet est un musée consacré à l'art et à l'archéologie de la Chine, du Japon, de la Corée et de l'Inde. Il peut s'enorgueillir de posséder l'une des collections d'art chinois les plus remarquables du monde.

Lors d'un voyage jusqu'au fleuve Jaune, en Chine, au début des années 1920, Johan Gunnar Andersson, géologue suédois, découvrit des habitations et des tombes de l'âge de la pierre polie contenant divers objets.

Il fut autorisé à rapporter en Suède un grand nombre de vestiges qui constituèrent les premières pièces du musée, fondé en 1926. Un rôle capital fut joué par le prince héritier, futur Gustave VI Adolphe, dans le développement des collections, en raison de ses connaissances en archéologie ; il légua à cette institution sa propre collection d'œuvres d'art et d'artisanat chinois.

Situé sur l'île de Skeppsholmen jusqu'en 1963, le musée fut transféré dans un édifice restauré, ancien dépôt des gardes du corps de Charles XII, construit de 1699 à 1700.

Moderna Museet ❷

Voir p. 80-81.

Arkitekturmuseet ❸

Exercisplan. **Plan** 5 E3.
🄲 587 270 00. 🅃 Kungsträdgården. 🚌 65. ⛴ Djurgårdsfärja.
🕐 11h-20h mar.-jeu., 11h-18h
ven.-dim. 🚫 14h sam. et dim.
(en angl. l'été). 🚫 ⛾ 🛗 🚻 🚻
🛗 ⓦ www.arkitekturmuseet.se

Le musée de l'Architecture suédois est situé dans une salle d'exercices navals. Il partage son entrée et son restaurant avec Moderna Museet.

Plus d'une centaine de maquettes promènent les visiteurs à travers mille ans de construction.

Ils y verront la maquette d'un édifice vieux de 2 000 ans, celles d'un supermarché, de bâtiments de Göteborg remontant du XVIIᵉ siècle ou encore du nouveau pont Årsta des années 1930, situé au sud de Stockholm.

Hormis les expositions, le musée propose un programme ambitieux – uniquement en suédois – comprenant des conférences, des journées d'études, des visites à pied de la ville, des visites guidées et l'accueil de groupes scolaires, ainsi que des animations familiales, le dimanche après-midi, telles que la construction de 5 000 m² de maquettes.

af Chapman ❹

Västra Brobänken. **Plan** 5 D3.
🄲 463 22 66. 🅃 Kungsträdgården.
🚌 65. ⛴ Djurgårdsfärja. 🛏 Voir
Les bonnes adresses p. 149.

Le grand voilier af Chapman, baptisé en l'honneur de Fredrik Henrik af Chapman, maître constructeur de bateaux, né à

Bodhisattva chinois de calcaire (vers 530)

LES CANONS DE SKEPPSHOLMEN

Les tirs à salves de quatre canons à feu rapide de 57 mm ont lieu lors de cérémonies nationales ou royales, à midi les jours de semaine, et à 13 heures le week-end.
28 janvier : fête du roi ; 30 avril : anniversaire du roi ; 6 juin : fête nationale suédoise ; 14 juillet : anniversaire de Victoria, Princesse héritière ; 8 août : fête de la reine ; 23 décembre : anniversaire de la reine.

Tir à salves à Skeppsholmen

Göteborg en 1721, constitue l'une des auberges de jeunesse les plus attrayantes et les plus originales de Suède. Le voilier abrite 136 lits, auxquels s'ajoutent 152 lits situés dans un autre bâtiment, en face du ponton du navire.

Même si on ne réside pas à l'auberge de jeunesse, on peut visiter le vaisseau et goûter son atmosphère particulière. Le trois-mâts, construit en 1888 à Whitehaven, port anglais, fut utilisé comme cargo. Il arriva en Suède en 1915 et servit de bateau-école jusqu'en 1934. Après la seconde guerre mondiale, il fut acheté par la ville de Stockholm, dans le port de laquelle il est amarré depuis 1949.

Kungliga Konst-högskolan ❺

Flaggmansvägen 1. **Plan** 5 E3. 🎫 *614 40 00.* 🚇 *Kungsträdgården.* 🚌 *65.* 🚢 *Djurgårdsfärja.* ⬤ *au public pour des occasions particulières.* ♿ 🖼

À Skeppsholmen, une caserne maritime du XVIIIᵉ siècle, magnifiquement restaurée, abrite maintenant Kungliga Konsthögskolan (Collège royal des Beaux-Arts). À l'entrée s'élèvent deux statues représentant un lion et un sanglier. « Entrer comme un lion et sortir comme un cochon » est un ancien dicton que les formateurs et les quelque 200 étudiants de cette institution, riche en traditions, aiment répéter.

Ouvert en 1735, ce collège fut à l'origine une académie de peinture et de sculpture pour les décorateurs qui travaillaient au nouveau Palais royal de Tessin. Gustave III lui attribua une charte royale en 1773. Depuis 1978, l'institution – située jusqu'en 1995 au sein de la Konstakademien *(p. 66),* sur Fredsgatan –, fonctionne de façon autonome, rassemblant des départements de peinture, sculpture, arts graphiques divers, informatique et vidéo, et

offrant des cours destinés aux architectes.

L'édifice est habituellement fermé au public, hormis une journée « portes ouvertes » une fois par an, au cours de laquelle les visiteurs peuvent admirer son intérieur magnifique, en particulier ses caves voûtées du XVIIIᵉ siècle.

Château de style médiéval (1846-1848), Kastellholmen

Kastellholmen ❻

Plan 5 F4. 🚇 *Kungsträdgården.* 🚌 *65.* 🚢 *Djurgårdsfärja.*

En plein cœur de Stockholm, Kastellholmen est une île d'archipel typique, aux falaises escarpées et aux rochers de granit. Elle est accessible, depuis Skeppsholmen, par un pont construit en 1880. Chaque matin, depuis 1640, un marin hisse l'étendard suédois à trois queues au sommet du château. Dès qu'un navire arrive en visite,

la batterie de quatre canons tire une salve de la terrasse.

Le charmant pavillon de brique, près du pont, fut construit en 1882 pour le Club de Patinage royal, qui s'entraînait sur l'eau séparant les deux îles, lorsqu'elle était gelée.

Nationalmuseum ❼

Voir p. 82-83.

Grand Hôtel ❽

Södra Blasieholmshamnen 8. **Plan** 4 C1. 🎫 *679 35 00.* 🚇 *Kungsträd-gården.* 🚌 *46, 55, 59, 62, 65, 76.* Voir **Les bonnes adresses** p. 151 et p. 161.

Régis Cadier, chef cuisinier d'Oscar II fonda, en 1874, le Grand Hôtel, seul établissement cinq étoiles de Suède. Depuis 1901, l'hôtel accueille chaque année les lauréats du prix Nobel.

Un abondant *smörgåsbord* comportant des mets suédois délicats est proposé dans l'élégant Grands Veranda, tandis que le Franska Matsalen, sert des plats élaborés, réservés aux gourmets. Le Cadier Bar porte le nom du fondateur de l'endroit.

L'édifice comporte 19 salles de banquets et de réunions, dont la plus célèbre est Vinterträdgården (« jardin d'Hiver »), haute de 20 mètres, qui peut accueillir plus de 800 personnes. Spegelsalen (« galerie des Glaces »), reproduction de celle de Versailles, abrita le banquet des prix Nobel jusqu'en 1929. Après cette date, l'événement, fut transféré, en raison de l'augmentation du nombre d'invités, à l'Hôtel de Ville *(p. 114).*

Le Grand Hôtel, le seul établissement cinq-étoiles de Suède

Moderna Museet ➌

L e musée d'Art moderne, installé pendant trente ans
dans une ancienne salle d'exercice navals se vit
attribuer un nouvel espace, moderne et aéré, conçu
en 1998 par l'architecte catalan Rafael Moneo.
L'établissement possède maintenant un lieu et une
structure dignes de ses collections exceptionnelles
d'œuvres d'art internationales, de photographies et de
films – le catalogue photographique constitue
l'ensemble de ce type le plus vaste de l'Europe du
Nord. La partie souterraine du musée abrite une salle
de cinéma et un auditorium. La librairie propose un
vaste choix d'ouvrages sur l'art, la photographie, le
cinéma et l'architecture.

Petit déjeuner en plein air (1962)
*Ce groupe de sculpture de
Picasso, exécuté en béton par
Carl Nesjar, se dresse dans le
jardin près de l'entrée.*

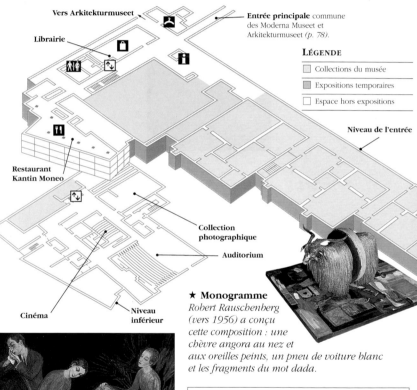

Vers Arkitekturmuseet

Librairie

Entrée principale commune
des Moderna Museet et
Arkitekturmuseet *(p. 78)*.

Légende

☐ Collections du musée

☐ Expositions temporaires

☐ Espace hors expositions

Niveau de l'entrée

Restaurant
Kantin Moneo

Collection
photographique

Auditorium

Cinéma

Niveau
inférieur

★ Monogramme
*Robert Rauschenberg
(vers 1956) a conçu
cette composition : une
chèvre angora au nez et
aux oreilles peints, un pneu de voiture blanc
et les fragments du mot dada.*

★ Le Dandy agonisant (1918)
*Nils Dardel (1888-1943) réalisa
cette peinture expressionniste à la
veille de son mariage. On y lit un
adieu à sa folle jeunesse.*

RAFAEL MONEO

Né en 1937, Rafael Moneo est l'un des plus
éminents architectes suédois
contemporains. À ses débuts,
il participa au projet de
l'Opéra de Sydney. Son art
d'intégrer des bâtiments
dans un environnement
particulier fut reconnu
en 1989, lorsqu'il fut choisi
parmi 211 postulants pour
la conception du Moderna
Museet.

**Façade nord de
Moderna Museet**

MODE D'EMPLOI

Exercisplan. **Plan** 5 E3.
🛈 519 552 82. 🚇 *Kungsträd-gården*. 🚌 *65*. ⛴ *Djurgårds-färja*. ◯ *11h-20h mar.-jeu. ; 11h-18h ven.-dim.* ● *24-25, 31 déc., 1er janv., 30 avr., 1er mai, 25 juin.* 🎫 *angl : été.* 📷 *entrée gratuite 1er mar. du mois 17h-20h.*
🚫 ♿ 🍽 📷
Ⓦ www.modernamuseet.se

SUIVEZ LE GUIDE !
Les expositions temporaires occupent la vaste salle au niveau de l'entrée. Trois salles au même étage montrent en alternance les collections du musée, divisées en trois époques : 1900-1945, 1946-1970 et 1971 à nos jours. Au niveau inférieur se trouvent l'auditorium, la salle de cinéma et la collection photographique.

★ **Le Cerveau de l'enfant**
(1914) *Giorgio de Chirico, surréaliste, baptisa cette œuvre* Le Fantôme, *mais Louis Aragon la renomma dans une brochure, lors d'une rétrospective de l'artiste, en 1927.*

À NE PAS MANQUER

★ *Le Dandy agonisant,*
de Dardel

★ *Monogramme,*
de Rauschenberg

★ *Le Cerveau de l'enfant,*
de de Chirico

Blasieholmstorg ❾

Plan 4 C1. 🚇 *Kungsträdgården.*
🚌 *46, 55, 59, 62, 65, 76.*

Deux des palais les plus anciens de la ville sont situés sur cette place, flanquée de deux chevaux de bronze. L'édifice du n° 8 fut érigé au milieu du XVIIe siècle par le maréchal Gustaf Horn. Il fut reconstruit 100 ans plus tard, dans le style d'un palais français du XVIIIe siècle. Des ambassadeurs et des ministres étrangers y ayant logé, il fut rapidement baptisé palais des Ministres. Devenu ensuite le siège de l'administration d'outre-mer, il acquit bientôt son nom d'Utrikes-ministerhotellet (hôtel des Ministres étrangers). Certaines parties du bâtiment servent maintenant de bureau à l'Académie musicale et à l'Institut suédois.

Cheval de bronze sur Blasieholmstorg

Bååtska Palatset se dresse non loin, au n° 6. Son extérieur nouvellement restauré, qui date de 1669, fut conçu par Tessin l'Ancien. En 1876-1877, il fut partiellement reconstruit par F. W. Scholander pour les francs-maçons, dont la loge s'y trouve toujours.

Au n° 10, on peut voir un autre ensemble de bâtiments intéressant ; la façade donnant sur Nybrokajen, au bord de l'eau, est un bel exemple du style néo-Renaissance des années 1870 et 1880.

Synagogan ❿

Warendorfsgatan 3. **Plan** 4 C1.
🛈 679 29 00. 🚇 *Kungsträdgården.*
🚌 *46, 55, 59, 62, 65, 76.* ✨ *17h30 lun., jeu., ven. ; 9h15 sam. ; hébreu, en partie suédois.* 🎫 *l'été, sur autorisation.* ♿

La construction de la synagogue de la communauté juive conservatrice sur ce qui fut autrefois le fond de la mer dura presque dix ans. Lorsqu'il fut inauguré, en 1870, cet édifice de « style

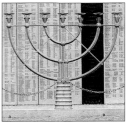

Le monument aux 8 000 victimes de l'Holocauste

oriental ancien », ainsi que le qualifie F. W. Scholander, était porté par 1 300 pilotis enfoncés à 15 mètres de profondeur. La salle de réunion de la congrégation et la bibliothèque jouxtent la synagogue. Devant le bâtiment se dresse un monument érigé en 1998 à la mémoire de 8 000 victimes de l'Holocauste dont des parents furent sauvés et amenés en Suède au cours de la Seconde Guerre mondiale.

Il existe une autre synagogue orthodoxe dans le centre de Stockholm, sur Nybrogatan, au n° 19 ; on s'y rend en traversant le Centre juif (Judiska Centret).

Berns' Salonger ⓫

Berzelii Park. **Plan** 3 D4.
🛈 566 322 00. 🚇 *Kungsträdgården, Östermalmstorg.* 🚌 *46, 55, 59, 62, 65, 76.* 🍴 *Les bonnes adresses p. 160.*

Depuis 1863, cet endroit est l'un des restaurants et lieux de distraction les plus légendaires de Stockholm. Les deux salons, aux imposantes galeries, aux magnifiques lustres de cristal et aux miroirs élégants, ont retrouvé leur splendeur originelle, grâce au décorateur britannique Terence Conran, à l'occasion du nouveau millénaire.

Le restaurant rénové peut accueillir 400 dîneurs. La galerie, aux petites salles magnifiquement décorées, fut rendue célèbre par un roman d'August Strindberg, *La Chambre rouge* (1879).

Nationalmuseum ❼

L e Musée national se dresse au sud de Blasieholmen. Sa situation, au bord du Strömmen, inspira à August Stüler, architecte allemand du XIXᵉ siècle, un bâtiment Renaissance dans les styles vénitien et florentin.

L'édifice, terminé en 1866, abrite la plus grande collection d'œuvres d'art de Suède. Vous y verrez 500 000 pièces : 16 000 peintures et sculptures classiques, des dessins, ainsi que différentes créations d'arts graphiques. Les quelque 30 000 réalisations artisanales, dont une tapisserie vieille de 500 ans, embrassent cinq siècles. Nationalmuseum expose aussi le plus vaste ensemble de porcelaines du pays, des ouvrages exquis de verre et d'argent, et de superbes accessoires de décoration suédois.

La Leçon d'amour (1716-1717)
L'une des fêtes galantes d'Antoine Watteau représentant de jeunes couples d'humeur badine.

★ La Conspiration des Bataves sous Claudius Civilis (1661-1662)
Destiné à Amsterdam, ce tableau de Rembrandt, illustrant le voyage des Bataves à Rome, symbolise la campagne de libération hollandaise du joug espagnol.

Niveau 2

Commode (1780)
Ce superbe meuble fut créé par Goerg Haupt, l'un des ébénistes suédois les plus réputés du XVIIIᵉ siècle.

Atrium sur les niveaux 1 et 2

David et Bethsabée (1490)
Sur cette tapisserie de Bruxelles de style médiéval, les visages et les mains grenadine forment un ensemble exquis.

Galerie des Gravures

Entrée

À NE PAS MANQUER

★ La *Dame au voile*, de Roslin

★ La *Conspiration des Bataves*, de Rembrandt

Entrée pour handicapés

★ **La Dame au voile**
*Cet élégant portrait (1769)
signé Alexander Roslin
symbolise la Suède
du XVIIIᵉ siècle.*

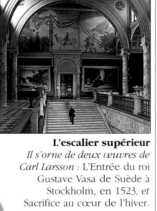

L'escalier supérieur
*Il s'orne de deux œuvres de
Carl Larsson :* L'Entrée du roi
Gustave Vasa de Suède à
Stockholm, en 1523, *et*
Sacrifice au cœur de l'hiver.

Le Faune (1774)
*Cette sculpture est considérée
comme le chef-d'œuvre absolu
de Johan Tobias Sergel, artiste
majeur de l'ère gustavienne.*

Niveau 1

Auditorium

Niveau de
l'entrée

LÉGENDE

☐ Peinture et sculpture

☐ Artisanat et décoration

☐ Expositions temporaires

☐ Espace hors expositions

☐ Interdit au public

SUIVEZ LE GUIDE !
*Le niveau 2 est consacré à la
peinture et à la sculpture, en
particulier à l'art suédois
allant du XVIIIᵉ siècle au début
du XXᵉ siècle ; les arts flamand
et hollandais du XVIIᵉ siècle
et à celui de l'école française
du XVIIIᵉ y sont également
représentés. Le niveau 1 expose
essentiellement l'artisanat
suédois – meubles, porcelaines,
argenterie et verreries, du
XVᵉ siècle à nos jours. À gauche
de l'entrée principale, la
galerie des Gravures abrite des
exhibitions temporaires d'art
graphique.*

Raoul Wallenbergs Torg ⑫

Plan 3 E4. 🚇 Östermalmstorg.
🚌 46, 55, 59, 62, 65, 76.

Cette place est dédiée à
Raoul Wallenberg (1912- ?)
qui, lors de la seconde guerre
mondiale, fut diplomate à
l'ambassade de Suède de
Budapest. En utilisant des
« passeports de protection »
suédois, il aida un grand
nombre de juifs hongrois à
échapper aux camps de
concentration nazis.

En 1945, à la Libération,
il fut fait prisonnier par les
Soviétiques. Selon les sources
russes, il mourut dans une
prison de Moscou, la
Lubianka, en 1947. Nul ne
sait ce qui lui advint
réellement.

Cette petite place, qui
jouxte le parc Berzelii et
Nybroplan, fait face au quai
de Nybrokajen. Sa conception
définitive fit l'objet d'un débat
animé, en raison de sa
situation dans un
environnement architectural
sensible, mais de gros efforts
furent accomplis pour qu'elle
reste un mémorial digne de
Raoul Wallenberg.

Nybrokajen 11 ⑬

Nybrokajen 11. **Plan** 4 C1.
🕿 401 17 00. 🚇 Kungsträdgården,
Östermalmstorg. 🚌 47, 62, 69, 76.
⛴ Djurgårdsfärja. ⏰ pour concerts
(rens. par tél.). ♿

Construit dans les
années 1870, cet édifice
au bord de Nybroviken, abrita
l'Académie de Musique et
contient la plus ancienne salle
de concerts du pays. Ouverte
en 1878, cette salle, conçue
dans le style néo-Renaissance
et ornée de colonnes de
béton, fut utilisée pour les
présentations inaugurales du
prix Nobel, en 1901. Elle peut
accueillir 600 personnes.

Après des travaux de
restauration, Nybrokajen,
organisation musicale d'État
gérée par la Rikskonserter,
offre aux Stockholmois une
scène où se succèdent
musique classique, jazz et
folk (*p. 169*).

Lejonslätten pas à pas

Jusqu'en 1792, des lions de combat étaient dressés à l'endroit ou s'élève maintenant Nordiska Museet, ce qui explique le nom de Lejonslätten (la « plaine des Lions »). Aujourd'hui, les visiteurs peuvent se promener sans crainte au bord de l'eau, admirer les bateaux et contempler le panorama englobant Nybroviken, Skeppsholmen et les hauteurs de Södermalm. Ce quartier aux grandes richesses culturelles comprend Nordiska Museet, fidèle reflet de l'histoire culturelle de la Suède depuis presque cinq siècles ; Vasamuseet, où l'on admire un vaisseau de guerre du XVIIe siècle merveilleusement restauré, ainsi que deux autres bateaux d'époque ; et, non loin de là, Junibacken, où Fifi Brindacier et d'autres célèbres personnages de livres pour enfants prennent vie.

Junibacken
Ce paradis pour les plus jeunes, dédié à Astrid Lindgren, abrite plusieurs personnages célèbres de livres enfantins ❷

LADUGÅRDSLANDSVIKEN

GALÄRPARKEN

★ Vasamuseet
Le Vasa, qui sombra il y a 300 ans, fut remonté des profondeurs du port de Stockholm. Il fait le succès de l'un des musées les plus populaires de la capitale ❺

Museifartygen
À côté du Vasamuseet, le brise-glace Sankt Erik *et le* Finngrundet, *bateau-feu sont ouverts aux visiteurs* ❻

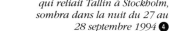

0   100 m

À NE PAS MANQUER

★ Vasamuseet

★ Nordiska Museet

Estoniaminnesvården
*Près du cimetière Galär, un monument naturel fut érigé à la mémoire des 852 victimes du naufrage de l'*Estonia. *Ce ferry, qui reliait Tallin à Stockholm, sombra dans la nuit du 27 au 28 septembre 1994* ❹

Djurgårdsbron
Le pont menant à Djurgården existe depuis 1661. La structure actuelle fut construite en 1896, en vue de l'Exposition de l'année suivante **1**

CARTE DE SITUATION
Voir l'Atlas des lieux cités, plans 5, 6 et 7

Le Blå Porten reproduit l'un des nombreux portails peints en bleu qui ponctuaient l'enceinte de 20 km de l'ancienne réserve de chasse royale.

Strand-vägen

DJURGÅRDSBRUNNSVIKE

La villa Lusthusporten fut édifiée en 1880, dans le style italien.

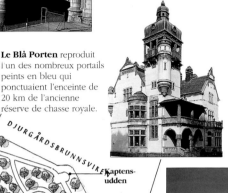

Kaptens-udden

Lejon-slätten

DJURGÅRDSVÄGEN

Djur-gårds-brunns-bron

★ **Nordiska Museet**
Le musée qui retrace l'histoire culturelle de la Suède de 1520 à nos jours fut fondé par Arthur Hazelius, créateur de Skansen **3**

ROSENDALSVÄGEN

DJURGÅRDSVÄGEN

Statue équestre de Charles XV (1826-1872), grand mécène, érigée en 1909 par Charles Friberg.

Galärkyrkogården (cimetière Galär)

Biologiska Museet
Cet ancien musée plein de charme présente la faune suédoise dans un cadre naturel réaliste **2**

LÉGENDE

– – – Itinéraire conseillé

L'une des piles du Djurgårdsbron, magnifiquement décorée

Djurgårdsbron ❶

Plan 3 F4. 🚌 44, 47, 69, 76. 🚋 7.
🚢 Djurgårdsfärja.

L e pont de Djurgården, inauguré quelques jours avant l'exposition de l'Art et de l'Industrie de Stockholm, en mai 1897, fut fabriqué dans l'usine Bergsund, à Södermalm. Très ornementé, il possède des garde-fous de fonte en forme de plantes aquatiques stylisées. Il porte le monogramme et la devise du roi Oscar II, « Le bien-être des nations sœurs », évoquant l'union de la Suède et de la Norvège à l'époque de sa construction. Sur la travée centrale, saint Erik, patron de la capitale, figure parmi les dieux marins et les nénuphars.

Des lampes et des sculptures en fer forgé créés par Rolf Adlersparre et représentant les dieux de la mythologie, décorent les quatre piles de granit à chaque extrémité. Du côté de Strandvägen, on admire Heimdal, le gardien, et Frija, épouse d'Odin. Du côté opposé, Thor, tenant son marteau, se dresse auprès de Freyja, déesse de l'amour et de la fécondité.

Le portail de Blå Porten, juste à gauche du côté Djurgården, évoque le XVIIe siècle, où l'enceinte de cet ancien terrain de chasse royal était ponctuée de portails semblables peints en bleu. L'actuelle grille de fer forgé, dressée en 1849, s'orne du monogramme d'Oscar Ier.

Junibacken ❷

Galärvarvsvägen. **Plan** 5 F1.
📞 587 230 00. 🚌 44, 47. 🚋 7.
🚢 Djurgårdsfärja. ⏰ juin-août : 9h-18h t.l.j., sept.-mai : 10h-17h mar.-dim.. 📷 ♿ 🍴 🛍 ♿
W www.junibacken.se

I ls sont tous là : Fifi Brindacier, Zozo la Tornade, Rasmus, Kati, Vic le Victorieux, Ronya la fille du brigand, les frères Cœur-de-Lion et nombre d'autres personnages des livres d'Astrid Lindgren. Quand l'écrivain apprit l'existence d'un projet de centre culturel pour enfants conçu par Staffan Götesam, elle insista pour que celui-ci accueille également les créations d'autres écrivains suédois.

Junibacken, inauguré par la famille royale au cours de l'été 1996, se révèle néanmoins un hommage à cet auteur adoré des jeunes. Un petit train conduit les visiteurs d'une maquette de la gare de Vimmerby (ville natale d'Astrid Lindgren) à la rencontre de ses personnages. Il poursuit sa route jusqu'à la demeure

Vue du petit train, une scène pittoresque tirée d'un ouvrage d'Astrid Lindgren

de Fifi Brindacier, au cottage de Villekula, où les enfants peuvent jouer dans les différentes pièces. Le parc contient également une librairie pour la jeunesse et un restaurant.

Nordiska Museet ❸

Voir p. 90-91.

Estoniaminnesvården ❹

Galärkyrkogården. **Plan** 5 F2.
🚌 44, 47. 🚢 Djurgårdsfärja.

D ans la nuit du 27 au 28 septembre 1994, le ferry *MS Estonia* sombra dans la Baltique alors qu'il reliait Tallin à Stockholm avec 852 personnes à bord. Il n'y eut aucun survivant. Les passagers venaient de différents pays – Suède, Estonie, Lettonie, Russie, Finlande, Norvège, Danemark, Allemagne, Lituanie, Maroc, Pays-Bas, France, Royaume-Uni, Canada, Biélorussie, Ukraine et Nigeria.

Près du cimetière de Galärkyrkogården, un monument national rend hommage aux victimes de la catastrophe. Il fut inauguré le 28 septembre 1997. Le mémorial de granit poli, conçu par Miroslav Balka (né en 1958), artiste polonais avec l'aide

---

ASTRID LINDGREN ET FIFI BRINDACIER

Astrid Lindgren a écrit une centaine de livres pour enfants, traduits en 74 langues. Le premier épisode des aventures de Fifi Brindacier fut refusé par les éditeurs, mais il gagna un concours deux ans plus tard, en 1945. L'héroïne, audacieuse et obstinée conquit rapidement le cœur des enfants du monde entier. Née le 14 novembre 1907 à Vimmerby, au sud de la Suède, Astrid Lindgren cessa d'écrire des livres à 85 ans ; elle mourut le 28 janvier 2002. Grâce à Junibacken, ses personnages sont toujours bien vivants.

Astrid Lindgren

Le *Finngrundet*, bateau-feu, et le *Sankt Erik*, brise-glace, près du Vasamuseet

des architectes paysagers Anders Jönsson et Thomas Andersson, forme une construction triangulaire à ciel ouvert de 11 m de côté et de 2,5 mètres de hauteur.

L'endroit précis du naufrage est indiqué par un cercle de métal entourant un arbre au sein du triangle. Avec le consentement des familles, le nom des victimes fut gravé dans les murs.

Vasamuseet ❺

Voir p. 92-94.

Museifartygen ❻

Galärvarvet. **Plan** 5 F2.
📞 519 548 91. 🚌 *44, 47*. 🚊 *7* 🚢 *Djurgårdsfärja*. ⏰ *10 juin-20 août : 12h-17h t.l.j. ; et certains jours fériés, tél. pour précisions.* 📷 🚫 ♿ 🌐 *www.vasamuseet.se/museifartygen*

L es deux bateaux d'époque à l'ancre auprès du Vasamuseet constituent de beaux exemples des bâtiments nautiques utilisés en Suède au début du xxᵉ siècle. Le *Finngrundet*, bateau-feu construit en 1903, restait amarré dans le golfe de Botnie à la fonte des glaces. De 31 mètres de long et 6,85 mètres de large, avec un tirant d'eau de 3,1 mètres, muni de feux ayant une portée de 10 milles marins, il était conçu pour un équipage de huit personnes. Dans les années 1960, ce type de vaisseau fut peu à peu remplacé par des phares automatiques : le

Finngrundet fut retiré du service et transformé en musée.

Construit en 1915, le *Sankt Erik*, de 60 mètres de long et de 17 mètres de large, prévu pour un équipage de 30 personnes, fut le premier brise-glace de mer suédois. Ce bateau typiquement balte est doté d'un système qui lui permet d'osciller latéralement afin d'écarter la glace et d'élargir la voie navigable. L'un de ses deux moteurs à trois cylindres est le plus grand moteur à vapeur de Suède.

Biologiska Museet ❼

Lejonslätten. **Plan** 6 A3.
📞 442 82 15. 🚌 *44, 47*. 🚊 *7.* ⏰ *avr.-sept. : 10h-16h t.l.j., oct.- mars : 10h-15h mar.-dim.* 📷 *sur autorisation.* 🚫 ♿

V ers 1892, l'architecte Agi Lindegren, chargé de concevoir le musée de la Biologie, fut influencé par les idées romantiques de la fin du xixᵉ siècle. Il établit ses plans selon les lignes simples des églises médiévales norvégiennes.

L'inspirateur du musée fut Gustaf Kolthoff (1845-1913), zoologiste, chasseur et défenseur de l'environnement. En 1892, ce dernier persuada C. F. Liljevalch – qui devait financer ultérieurement la galerie d'art voisine – de

constituer une compagnie ayant pour but « d'élaborer et d'entretenir un musée biologique comprenant tous les mammifères et oiseaux suédois empaillés et exposés dans un environnement naturel ». Ainsi fut créée la première institution de ce type au monde. Quelques mois après l'ouverture, à l'automne 1893, Gustaf Kolthoff fournit au musée deux mille animaux naturalisés, ainsi que des nids d'oiseaux, des œufs, et des oisillons. Nombre de ces espèces sont exhibées au fond de diorama, tandis que 300 sortes de mammifères et d'oiseaux scandinaves sont montrées dans leurs biotypes respectifs. Un ami de Kolthoff, Bruno Liljefors exécuta les peintures.

Depuis 1970, ce musée appartient à la fondation Skansen. Au cours des années 1990, il fut rénové en profondeur et rouvrit le 13 novembre 1993, cent ans exactement après son inauguration.

Façade de bois de Biologiska Museet, inspirée par les églises médiévales nordiques

Nordiska Museet ❸

É voquant un extravagant château de la Renaissance, Nordiska Museet illustre la vie quotidienne en Suède de 1520 à nos jours. Il fut créé par Arthur Hazelius (1833-1901), également fondateur de Skansen *(p. 96-97)*. Dès 1872, celui-ci commença à rassembler, pour les générations futures, des objets de l'univers agricole nordique ancien.

Le musée actuel, conçu par Isak Gustaf Clason, fut ouvert en 1907. Il abrite aujourd'hui plus de 1,5 million de pièces – vêtements de luxe, bijoux inestimables, meubles, objets à usage quotidien, jouets ou copies exactes d'intérieurs d'autrefois.

Maisons de poupées
Ces structures reproduisent des maisons typiques du XVIIe siècle à nos jours – ici, un intérieur de 1860.

Niveau 3

Passage vers l'escalier

Salle principale

Rez-de-chaussée

Chambre d'apparat du château d'Ulvsunda
À la fin du XVIIe siècle, le seigneur des lieux accueillait des hôtes éminents dans cette chambre prestigieuse.

À NE PAS MANQUER

★ **Salle principale**

★ **Collection Strindberg**

★ **Décors de table**

SUIVEZ LE GUIDE !

Le musée possède quatre niveaux. De l'entrée, un escalier conduit aux expositions temporaires, dans la salle principale. Le rez-de-chaussée abrite les guildes, costumes folkloriques et lapons (Samis). Au niveau 3 se trouvent la collection Strindberg, les maisons de poupées, les décors de table et la galerie de la Mode. Mobilier, intérieurs suédois et petits objets occupent le niveau 4.

L'obélisque porte une inscription signifiant : « Un jour peut arriver où même tout l'or que nous possédons ne suffira pas à ressusciter le passé ».

Entrée principale

★ **Décors de table**
Au XVIIIe siècle, les décors de table étaient un régal pour les yeux. Ici, un cygne majestueux orne la table.

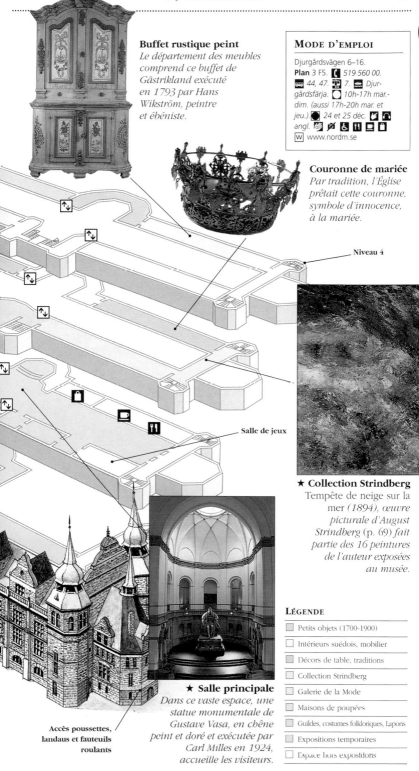

Buffet rustique peint
Le département des meubles comprend ce buffet de Gästrikland exécuté en 1793 par Hans Wikström, peintre et ébéniste.

MODE D'EMPLOI

Djurgårdsvägen 6–16.
Plan 3 F5. 519 560 00.
44, 47. 7. Djur-
gårdsfärja. 10h-17h mar.-
dim. (aussi 17h-20h mar. et
jeu.). 24 et 25 déc.
angl.
W www.nordm.se

Couronne de mariée
Par tradition, l'Église prêtait cette couronne, symbole d'innocence, à la mariée.

Niveau 4

Salle de jeux

★ **Collection Strindberg**
Tempête de neige sur la mer *(1894), œuvre picturale d'August Strindberg (p. 69) fait partie des 16 peintures de l'auteur exposées au musée.*

LÉGENDE

- [ ] Petits objets (1700-1900)
- [ ] Intérieurs suédois, mobilier
- [ ] Décors de table, traditions
- [ ] Collection Strindberg
- [ ] Galerie de la Mode
- [ ] Maisons de poupées
- [ ] Guildes, costumes folkloriques, Lapons
- [ ] Expositions temporaires
- [ ] Espace hors expositions

Accès poussettes, landaus et fauteuils roulants

★ **Salle principale**
Dans ce vaste espace, une statue monumentale de Gustave Vasa, en chêne peint et doré et exécutée par Carl Milles en 1924, accueille les visiteurs.

Vasamuseet ❺

L e 10 août 1628, lors de son premier voyage, après
avoir parcouru une distance de 1 300 mètres par
temps calme, le *Vasa*, vaisseau royal, chavira dans le
port de Stockholm. Près de 50 personnes sombrèrent
avec la fierté de la Marine royale, à 100 mètres
seulement du point le plus méridional de Djurgården.
Après le naufrage, seuls les canons furent récupérés. Il
fallut attendre 1956 pour qu'un archéologue marin
persévérant ne redécouvre l'épave. Après un sauvetage
complexe, suivi de 17 années de restauration, le musée
le plus populaire de la ville fut ouvert en juin 1990, à
moins d'un mille marin de la scène du désastre.

Lion de la batterie
*Plus de 200 ornements
et 500 effigies sculptés
décorent le* Vasa.

★ Lion de proue
*Gustave II Adolphe, qui fit
construire le Vasa, était
surnommé le Lion du Nord, ce
qui explique le choix de cette
figure de proue de 4 mètres de
long, pesant 450 kg.*

Vers le
restaurant

Boutique du
musée

Bureau
d'informations

Entrée

L'empereur Titus
*Vingt empereurs
romains sculptés
ornent le* Vasa.

Canon de bronze
*Plus de 50 des 64 canons
originaux du* Vasa *furent
sauvés au XVIIᵉ siècle.
Le musée expose trois
spécimens de bronze,
pesant 11 kg.*

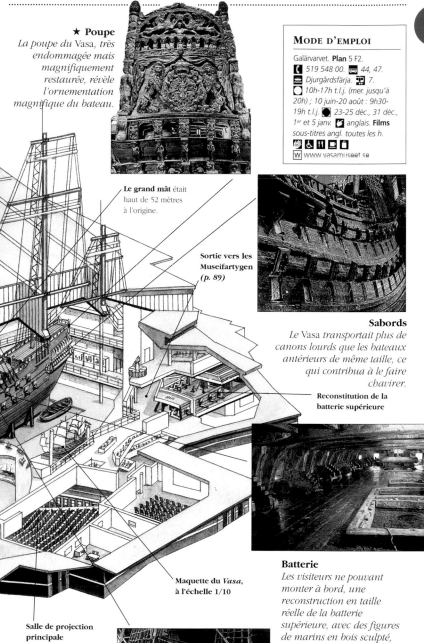

★ Poupe
La poupe du Vasa, très endommagée mais magnifiquement restaurée, révèle l'ornementation magnifique du bateau.

Le grand mât était haut de 52 mètres à l'origine.

Sortie vers les Museifartygen (p. 89)

Sabords
Le Vasa transportait plus de canons lourds que les bateaux antérieurs de même taille, ce qui contribua à le faire chavirer.

Reconstitution de la batterie supérieure

Batterie
Les visiteurs ne pouvant monter à bord, une reconstruction en taille réelle de la batterie supérieure, avec des figures de marins en bois sculpté, évoque le passé du bateau.

Maquette du *Vasa*, à l'échelle 1/10

Salle de projection principale

Pont supérieur
L'entrée des cabines se trouvait vers la poupe. Sur cette grandiose partie du navire, réservée aux officiers supérieurs, on aperçoit une partie du grand mât.

À NE PAS MANQUER

★ Poupe

★ Lion de proue

À la découverte de Vasamuseet

Le *Vasa*, vaisseau de guerre royal, est restauré à 95 %. La faible teneur en sel de l'eau sauva le bois du bateau – issu de plus de 1 000 chênes – des attaques des vers de mer. Les 13 500 pièces de la coque furent toutes retrouvées, mais le travail d'assemblage consistait à reconstituer un puzzle sans le modèle, car il n'existait aucun schéma détaillé du bâtiment. Plus de 700 effigies et ornements sculptés, ainsi que des objets à usage quotidien furent remontés des profondeurs.

Les humbles possessions d'un marin découvertes sur le *Vasa*

Des soldats sculptés sur la poupe du *Vasa*

LE BATEAU

En 1628, le *Vasa*, conçu pour les combats serrés et pour les batailles d'artillerie, pouvant transporter 450 hommes d'équipage – dont 300 soldats –, et 64 canons, était sans doute le vaisseau le plus imposant du monde. De sa poupe élevée, il pouvait tirer sur des bateaux plus petits. Les mousquetaires s'entraînaient grâce à des stands de tir, et, sur le pont supérieur, des « écrans de tempête » étaient dressés en protection des balles ennemies.

En dépit de ces détails impressionnants, on ne sait exactement quel aurait été le rôle de ce navire s'il n'avait pas sombré. En effet, à cette époque, la tâche principale des bateaux suédois consistait à transporter les soldats et les armes, ainsi qu'à protéger d'autres bateaux ou à bloquer les ports. Le *Vasa* semblait peu adapté à ces missions.

LES SYMBOLES DU POUVOIR

Les effigies et ornements sculptés, importants symboles du pouvoir à l'époque, servaient de propagande de guerre. Les artistes qui les exécutèrent, venus d'Allemagne ou de Hollande, réalisèrent leurs œuvres dans le style fin Renaissance ou baroque naissant. Mårten Redtmer, sculpteur de bois allemand, créa la plupart des grandes figures. Sculptées dans le chêne, le pin et le tilleul, elles s'inspiraient de la mythologie grecque, ainsi que de la Bible ou de personnages royaux suédois du XVIIᵉ siècle.

Malgré les nombreuses découvertes, certains points restent mystérieux. Ainsi, on sait que les sculptures étaient peintes, mais on ignore de quelle façon.

LA VIE À BORD

Le premier voyage du *Vasa*, avec 150 personnes à bord, devait le conduire à la base navale d'Älvsnabben, au sud de l'archipel de Stockholm, où 300 soldats allaient embarquer. Le bateau était alors entièrement équipé : les plongeurs remontèrent à la surface de nombreux objets ordinaires, ainsi que de la nourriture et des boissons. Cependant, lorsque Per Edvin Fälting, chef plongeur, goûta le beurre vieux de 333 ans, sorti d'un tube de bois et d'étain, des pustules se formèrent autour de sa bouche.

Le musée contient une reproduction grandeur nature de la batterie supérieure du *Vasa* et de la cabine de l'amiral. Les marins et les soldats devaient dormir sur le pont, au milieu des canons. On comprend pourquoi, au XVIIᵉ siècle, nombre de guerriers mouraient de maladie plutôt que de blessures.

Une exposition d'artefacts originaux permet de découvrir le matériel médical du navire, un jeu de trictrac, quelques assiettes et cuillères de bois, ainsi que des éléments du service de table des officiers, constitué d'étain et de faïence. Les plongeurs remontèrent également près de 4 000 pièces de cuivre, et un coffre rempli de chapeaux, de vêtements et d'objets personnels.

Des copies de ces articles sont en vente dans la boutique du musée.

L'OPÉRATION DE SAUVETAGE

Anders Franzén, archéologue marin, chercha sans relâche l'épave du *Vasa*. Le 25 août 1956, il découvrit au bout de sa ligne un morceau de chêne noirci. Il fallut deux ans pour préparer le premier soulèvement, à l'aide de six câbles ; ce fut un succès.

Le bateau fut ensuite hissé en 16 étapes. Des milliers d'attaches furent insérées dans les trous laissés par les boulons rouillés. La remontée finale débuta le 24 avril 1961 ; le 4 mai, le *Vasa* reposait en cale sèche.

Le *Vasa* en cale sèche après son sauvetage, en 1961

Aquaria ❽

Falkenbergsgatan 2. **Plan** 6 A3.
📞 660 49 40. 🚌 44, 47. 🚢 Djurgårdsfärja. 🚋 7. 🕐 10h-16h30
mar.-dim. ; 15 juin-15 août : 10h-18h
t.l.j.. 📷 sur autorisation. 🏷 🖪 🚻
🌐 www.aquaria.se

Göran Flodin est un particulier qui tint de nombreuses années un magasin d'aquariophilie et désirait créer son propre musée aquatique. Il réalisa son rêve vers la fin des années 1980, lorsqu'il put acquérir le site où l'on avait restauré le *Vasa*. Son musée privé, ouvert en 1990, attire maintenant 250 000 visiteurs par an.

Aquaria montre de nombreux habitats, des forêts tropicales aux rivières d'eau vive des saumons. Dans la zone tropicale, représentée par des orages et des trombes d'eau, on peut voir des phalènes géantes, des cigales, des raies à longue queue et des piranhas. De là,

Requins évoluant dans le musée aquatique Aquaria

on passe en quelques pas à un paysage de lac de montagne septentrional rempli d'ombles chevaliers, non loin d'une cascade à truites. Les requins que l'on peut admirer de près, grâce à un tunnel de verre, sont particulièrement appréciés.

Quelque 100 000 litres d'eau sont pompés tous les jours à partir du Nybroviken tout proche. L'eau retourne dans le système via un petit lac et une échelle à saumons.

Liljevalchs Konsthall ❾

Djurgårdsvägen 60. **Plan** 6 A3.
📞 508 313 30. 🚌 44, 47. 🚋 7.
🚢 Djurgårdsfärja. 🕐 11h-20h mar.
et jeu., 11h-17h mer. et ven.-dim.
📷 sur r.-v. 🏷 ♿ 🍴 🖪 🚻

Érigé grâce à une donation de l'industriel Carl Fredrik Liljevalchs, ce bâtiment est l'une des galeries d'art les plus belles de l'Europe du Nord. Conçu par l'architecte Carl G. Bergsten, il fut construit de 1913 à 1916 selon le style néoclassique typique de l'époque à Stockholm.

Le buste de Liljevalchs, sculpté dans le granit par Christian Eriksson, orne le mur nord de l'édifice. À l'extérieur, au sommet d'une haute colonne, se dresse une statue de Carl Milles, *L'Archer*.

La ville de Stockholm possède et administre la galerie. Celle-ci expose les collections de son fondateur, consacrées aux arts nordique et international du XXe siècle, ainsi qu'à l'artisanat de la même période.

Chaque année, quatre ou cinq expositions majeures sont organisées ; le Salon de Printemps attire nombre d'amateurs d'art ; visites guidées, conférences, débats et concerts complètent les expositions.

Les plus jeunes ont à leur disposition une section où ils peuvent créer leurs propres œuvres d'art à l'aide de divers matériaux.

Le parc de Gröna Lund, vu de Kastellholmen

Gröna Lund ❿

Lilla Allmänna gränd 9. **Plan** 6 A4.
📞 587 502 00. 🚌 44, 47. 🚋 7.
🚢 Djurgårdsfärja. 🕐 1er mai-
11 sept. heures d'ouverture variables.
🏷 ♿ 🍴 🖪 🌐 www.gronalund.se

Au XVIIIe siècle, une taverne baptisée Gröna Lund (*Vert Bocage*) était l'un des lieux de prédilection du chanteur renommé, Carl Michael Bellman (*p. 98*). Jakob Schultheis baptisa ainsi la modeste fête foraine qu'il créa au même endroit en 1883. Son attraction principale était un manège à deux niveaux mû par des chevaux. Aujourd'hui, ce lieu est le parc d'attractions le plus ancien de Suède.

La saison de 130 jours, qui débute le 1er mai, est courte mais frénétique. Gröna Lund attire 10 000 visiteurs par an ; ses montagnes russes, sa grande roue et son train fantôme donnent le frisson. Son attraction la plus récente est une tour de 80 mètres de haut de laquelle les visiteurs tombent en chute libre à une vitesse effrayante.

Le parc abrite également 13 restaurants, trois scènes, un restaurant-cabaret pouvant accueillir 600 personnes et un théâtre de 200 places. Sur la scène principale, Bob Marley, donna un concert en 1980, devant un public record de 32 000 spectateurs.

Les jardins magnifiques de ce site offrent aux nombreux visiteurs 30 000 pensées et 25 000 fleurs d'été.

La spacieuse salle d'exposition principale de Liljevalchs Konsthall

Skansen 🕑

Skansen, inauguré en 1891, est le musée en plein air le plus ancien du monde. Sa vocation est de garder la trace des modes de vie d'autrefois. Près de 150 maisons et fermes en provenance de la Suède entière illustrent la vie des paysans, de la noblesse terrienne et des Lapons (Samis). La Ville montre des logements urbains de bois et met en scène des artisans tels que des souffleurs de verre et des imprimeurs. La faune et de la flore nordiques sont représentées ; y évoluent ours, loups et élans dans leur habitat naturel ; l'Aquarium présente des espèces plus exotiques.

★ Ferme Älvros
Le salon de ce cottage de bois de 500 ans, issu de Härjedalen, expose des outils rustiques.

Un funiculaire
part de la porte Hazelius.

Tingsvallen et Bollnästorget
accueillent le marché de Noël et les fêtes de la Saint-Jean.

Pavillon Swedenborg
Dans la roseraie se dresse le pavillon qui appartenait au philosophe et savant Emanuel Swedenborg (1688-1772).

Porte Hazelius

Manoir de Skogaholm
Le bâtiment principal de ce domaine (1680) provient de Skogaholm, village de ferronniers du centre de la Suède.

★ La Ville
Des maisons de bois originales de Stockholm reconstituent une petite ville du XIXᵉ siècle, où souffleurs de verre, cordonniers et autres artisans montrent leur savoir-faire dans des ateliers restaurés.

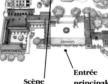

Scène Solliden

Entrée principale

Aquarium

Vastveit Loft
*Cet entrepôt de la
Norvège orientale,
construit au
XIVe siècle, est le plus
ancien bâtiment de
Skansen.*

MODE D'EMPLOI

Djurgårdsslätten 49. **Plan** 6 B3.
442 80 00. 44, 47. 7.
Djurgårdsfärja. t.l.j. :
janv.-avr. : 10h-16h ; mai : 10h-
20h ; juin-août : 10h-22h ; sept.-
déc. : 10h-16h juin-août.
24 déc.
Église Seglora 11h dim.
www.skansen.se

★ Fosse aux ours
*Les ours bruns sont très
regardés par les visiteurs,
en particulier en avril, à
la naissance des oursons.*

Loups

Bredablik, tour
d'observation de 30 m.

Église de Seglora
*Cette église au toit de
bardeaux, construite
de 1729 à 1730 en Suède
occidentale, abrite, dans
un décor intéressant,
une chaire plus ancienne
encore. On y célèbre
couramment des mariages.*

Ferme
Skåne

0   100 m

Cottage Hornborga
*Ce bâtiment de bois
au toit de paille et de
tourbe laisse deviner
comment vivaient les
gens les plus pauvres
au XIXe siècle.*

À NE PAS MANQUER

★ **Ferme Älvros**

★ **La Ville**

★ **Fosse aux ours**

Djurgårdsstaden et Beckholmen ⓫

Plan 6 A4. 🚌 *44, 47.* 🚋 *7.*
🚢 *Djurgårdsfärja.*

Derrière Gröna Lund s'étend Djurgårdsstaden, paisible oasis de maisons de bois comportant des appartements où vivent 200 personnes. Ce quartier fut conçu autour du cimetière de l'Amirauté, en 1736, pour loger les ouvriers de la compagnie Johan Lampas, chantiers navals tout proches.

Lorsque le chantier naval de Djurgården remplaça le précédent, en 1768, les charpentiers se virent offrir la possibilité d'acheter leurs logements. La compagnie érigea alors le majestueux bâtiment de pierre aux Lilla Allmänna Gränd 15-17, qui abrite, outre des habitations, des bureaux et une chapelle. Dans cette rue, d'autres constructions datent également du XVIIIe siècle : Apotekshuset, résidence du maître de chantier, et Mjölnargården, appartenant maintenant à Gröna Lund.

Au carrefour d'Östra Varvsgränd et Breda Gatan se dresse la maison du charpentier Sven Mänsson. Agrandi en 1749, le bâtiment a conservé son aspect d'alors, avec ses poêles de faïence et ses feux de bois. Rénové, il sert maintenant de siège à la Société culturelle locale de Djurgården.

Au sud de Djurgårdsstaden, l'île de Beckholmen était

Rosendals Slott, à Djurgården, est un bel exemple du style Karl-Johan

utilisée au XVIIe siècle comme entrepôt de marchandises. On y conservait également le goudron et la poix.

En 1848, la Société des Marchands en Gros décida de construire un chantier naval sur l'île. La roche solide de la côte sud fut aplanie pour former deux quais, qui furent ensuite élargis pour faciliter les déchargements.

En 1917, un autre grand quai, baptisé Gustave V fut utilisé par la marine et la compagnie navale Finnboda. Cette dernière y resta jusqu'en 1982, tandis que la flotte royale déménagea en 1969 sur une autre île, Muskö. Les maisons et les quais constituent un décor industriel inattendu ; la résidence goudronnée de l'inspecteur, datant du XVIIIe siècle, celle du maître de port, du XIXe siècle, ainsi que les pavillons des ouvriers, des années 1890, sont bien conservés.

Linteau de porte, Rosendals Slott, chambre Dorée

Skansen ⓬

Voir p. 96-97.

Rosendals Slott et Trädgårdar ⓭

Rosendalsvägen. **Plan** 6 C3. 🚌 *47, puis 5 mn à pied.* **Palais** 📞 *402 61 30.* ⚪ *pour visites guidées, mai-août : mar.-dim., sept. : sam. et dim.* ⏰ *toutes les h. 11h-15h.* 🏷️ ♿ **Jardins** ⚪ *toute l'année.* 🏪 🚻 *l'été.*

Le style Empire est baptisé en Suède style Karl-Johan, en référence à Bernadotte, couronné sous le nom de Charles XIV (1818-1844). L'un de ses plus beaux exemples est le palais Rosendal, résidence d'été de ce roi. Construit en 1820 et conçu par Fredrik Blom, architecte prolifique de l'époque, l'édifice fut l'un des premiers bâtiments préfabriqués de Suède. Depuis 1913, il abrite un musée consacré à la vie et à l'époque de Charles XIV, fruit d'un remarquable travail de reconstitution historique.

Le décor, somptueux, comporte des meubles de fabrication suédoise et des textiles luxueux aux couleurs magnifiques ; les rideaux et tapis valent une visite à eux

Des maisons de bois bien conservées à Djurgårdsstaden

UN TROUBADOUR IMMORTEL

Carl Michael Bellman (1740-1795) fut un chanteur très apprécié. Gustave III le nomma secrétaire d'une loterie, mais il était surtout connu dans les nombreuses tavernes de Stockholm, à Djurgården, en particulier. Ses œuvres sur Jean Fredman, horloger pris d'ébriété, et sur ses contemporains (*Epîtres de Fredman et Chansons de Fredman*), qui n'ont jamais perdu leur popularité, font partie de l'héritage musical suédois. Un buste de l'artiste fut inauguré à Djurgården en 1829, en présence de la reine Desideria.

Buste de Bellman (1829) par J. N. Byström

seuls. La salle à manger, tapissée d'un drapé épais, ressemble à l'intérieur d'une tente. Partout, les visiteurs peuvent admirer une abondance de poêles de faïence, d'artefacts grandioses et de détails exquis. Devant le palais s'étend un jardin maraîcher aux cultures biologiques, où l'on peut suivre des cours, des conférences et des expositions. Le site abrite aussi une boutique proposant des plantes, et un café.

Waldemarsudde ⑭

Prins Eugens Väg 6. **Plan** 6 C4.
📞 545 837 00. 🚌 47. 🚋 7.
🕐 11h-16h mar., mer. et ven., 11h-20h jeu., 11h-17h sam. et dim., mai-août : 11h-17h mar.-dim., 11h-20h jeu. 🎫 ♿ 🅿 🚻 🛍 📷 ⓦ
www.waldemarsudde.se

La demeure du prince Eugène, qui devint propriété de l'État à sa mort, en 1947, est l'un des musées les plus visités de Suède. Le prince, après une formation d'officier militaire, devint l'un des peintres paysagers les plus éminents de sa génération. Il composa des œuvres monumentales pour Kungliga Operan, Kungliga Dramatiska Teatern et Rådhuset. Trois de ses tableaux les plus renommés sont exposés à Waldemarsudde : *Printemps* (1891), *Le Vieux Château* (1893) et *Le Nuage* (1896).

La collection du musée, basée sur des peintures d'artistes contemporains du prince, illustre superbement l'art suédois du début du xxe siècle ; on y retrouve Oscar Björck, Carl Fredrik Hill, Richard Bergh, Nils Kreuger, Eugène Jansson, Bruno Liljefors et Anders Zorn. Le prince s'étant montré un mécène généreux pour la génération suivante – dont le groupe baptisé « Les Jeunes » faisait partie –, des œuvres d'Isaac Grünewald, d'Einar Jolin, de Sigrid Hjertén et de Leander Engström figurent également à cet endroit. On y admire aussi des sculptures de la même époque, en particulier celles de Per Hasselberg, qui ornent la galerie et le parc.

Avec l'aide de l'architecte Ferdinand Boberg, le prince traça les plans de l'édifice, qui fut terminé en 1905. Le même architecte conçut ultérieurement la galerie, achevée en 1913.

Ces bâtiments contiennent, outre les tableaux du prince, une collection de quelque 2 000 œuvres d'art.

Les appartements des hôtes n'ont subi aucune transformation et aux deux étages supérieurs l'atelier est au dernier étage servent de cadre à des expositions temporaires.

Hornsgatan (1902) d'Eugène Jansson, **Thielska Galleriet**

Thielska Galleriet ⑮

Sjötullsbacken 6–8. **Plan** 7 F4.
📞 662 58 84. 🚌 69. 🕐 12h-16h lun.-sam., 13h-16h dim.
🎫 sur r.-v. ♿ 📷 🛍
ⓦ www.thielska-galleriet.a.se

Lorsque la très belle collection de peintures modernes du banquier Esnest Thiel (1860-1947) commença à submerger son magnifique appartement, celui-ci demanda à Ferdinand Boberg, de construire une villa à Djurgården.

Cependant, au cours de la première guerre mondiale, Thiel perdit la plus grande partie de sa fortune. En 1924, l'État acheta sa collection qui recouvrait essentiellement l'art nordique de la fin du xixe siècle et du début du xxe siècle, et l'exposa, deux ans plus tard dans la villa rebaptisée Thielska Galleriet.

Thiel, considéré comme un rebelle dans le monde de la banque, appréciait tout particulièrement les œuvres des peintres de l'Union des Artistes, association qui se forma en 1886 pour contrecarrer l'influence de la Konstakademien *(p. 66)*, jugée trop conservatrice.

La galerie abrite des créations de tous les plus grands artistes suédois, ceux-là même qui formèrent une colonie à Grèz-sur-Loing, au sud de Paris : on y retrouve Carl Larsson, Bruno Liljefors, Karl Nordström et August Strindberg. Y figurent également des peintures d'Eugène Jansson, d'Anders Zorn et du prince Eugène, ainsi que des effigies de bois d'Axel Petersson et des sculptures de Christian Eriksson. Thiel avait également acquis des tableaux d'artistes étrangers.

Waldemarsudde, la demeure du prince Eugène, vue de l'eau

MALMARNA ET SES ENVIRONS

Lorsque Stockholm commença à se développer, Gamla Stan, le quartier central, devint trop petit et les constructions envahirent les zones environnantes, baptisées Malmarna (les « collines aux Minerais »). Une partie de ces dernières fait maintenant partie intégrante de la capitale.

Fenêtre sur Vikingagatan

Söder fut rattaché à la cité en 1436 ; la ville ancienne subsiste autour de Fjällgatan, Mosebacke et Mariaberget. Au nord, Norrmalm, qui s'élargit rapidement, fut, dès le XVIIe siècle, considéré comme la banlieue nord de Stockholm. Vasastan, essentiellement résidentiel, est très apprécié depuis quelques années pour son large choix de restaurants. Autrefois très rural, Östermalm fut transformé à la fin du XIXe siècle en un quartier luxueux, aux grands boulevards élégants contrastant avec le style fonctionnaliste de Gärdet, secteur voisin. Ces deux zones abritent quelques-uns des musées les plus importants de la capitale, en particulier Historiska Museet, avec son impressionnante salle Dorée, et Etnografiska Museet.

À l'ouest s'étend Kungsholmen, centre du gouvernement local, orné d'édifices impressionnants – Stadshuset (l'hôtel de ville) et Rådhuset (la cour de justice). Ekoparken (parc national), premier espace vert de ce genre au monde, source de grandes richesses culturelles et écologiques, enveloppe la capitale et pénètre jusqu'au cœur des quartiers centraux.

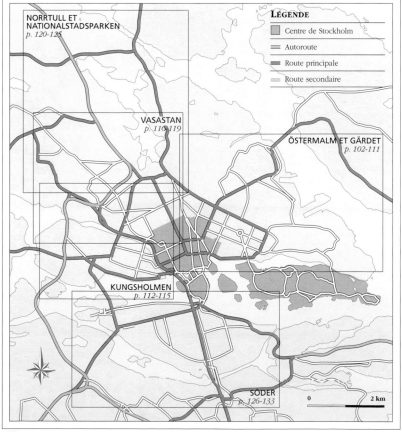

NORRTULL ET NATIONALSTADSPARKEN
p. 120-125

VASASTAN
p. 116-119

ÖSTERMALM ET GÄRDET
p. 102-111

KUNGSHOLMEN
p. 112-115

SÖDER
p. 126-133

LÉGENDE

Centre de Stockholm

Autoroute

Route principale

Route secondaire

0   2 km

◁ À Kungsholmen, Stadshuset surplombe Norr Mälarstrand et Västerbron

Östermalm et Gärdet

L es quatre larges boulevards, Strandvägen, Karlavägen, Narvavägen et Valhallavägen, tracés près de Ladugårdsgärde, un parc immense, font d'Östermalm l'un des quartiers les plus cossus de la ville. Outre les ambassades et les sièges de la Radio et de la Télévision suédoises, quatre grands musées, ainsi que Kaknästornet, s'élèvent dans cette oasis de verdure. La zone comprise entre Östermalm et les anciens terrains de manœuvres militaires fut aménagée au cours des années 1930, comme en témoignent les immeubles de style fonctionnaliste, typique de cette période.

Immeubles de Karlaplan, érigés à la fin du XIXe siècle

Les sites d'un coup d'œil

Berwaldhallen ❺
Diplomatstaden ❻
Engelbrektskyrkan et Lärkstaden ❽
Filmhuset ❸
Folkens Museum Etnografiska ❿
Försvarshögskolan ❺

Historiska Museet p. 104-105 ❷
Kaknästornet ⓫
Karlavägen ❸
Ladugårdsgärde ⓬
Sjöhistoriska Museet ❼
Stadion ⓰

Strandvägen ❶
Radio och TV-huser ❹
Tekniska Högskolan ⓱
Tekniska Museet ❾
Telemuseum ❽
Tessinparken et Nedra Gardet ⓮

Légende

☐ Centre de Stockholm
▬ Rue principale
═ Rue secondaire
Ⓣ Station de Tunnelbana

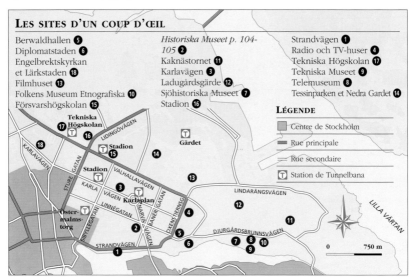

0 ———— 750 m

Strandvägen ❶

Plan 5 E1. 🚌 47, 69, 76.
Ⓣ Östermalmstorg, Karlaplan. 🚊 7.

A u début des années 1900, les dix plus riches citoyens de Stockholm vivaient dans des palais nouvellement construits le long de Strandvägen. Sept d'entre eux étaient des marchands en gros. Jusqu'à la grande exposition de 1897, l'ancienne Ladugårdslands Strandgata, en fait, un chemin de colline boueux, se transforma lentement en « une rue, telle qu'il n'en existe aucune autre en Europe ». Le processus fut long. Même après que tous les immeubles eurent été achevés, le quai de bois construit dans les années 1860 resta une offense pour les yeux. Il fut pourtant utilisé jusque vers 1940, pour le déchargement du bois en provenance des îles de l'archipel.

Aujourd'hui, on se promène sur Strandvägen et ses trois rangées de tilleuls pour admirer les belles façades, contempler les bateaux ou tout simplement pour voir et être vu.

Les financiers soutenant les projets de construction des années 1900 firent appel aux meilleurs architectes, en particulier à I. G. Clason (1856-1930). Ce dernier, influencé par la Renaissance française et italienne, conçut Thaveniuska Huset (nos 19-21), et Bünsowska Huset (nos 29-35), ornées de portails de bois. Il créa également Von Rosenska Palatset, au n° 55.

Historiska Museet ❷

Voir p.104-105.

Rangée de bateaux devant les immeubles imposants de Strandvägen

Karlavägen ❸

Plan 3 E3. 🚇 *Karlaplan, Stadion.*
🚌 *1, 42, 44.*

Jusqu'en 1885, Karlavägen, baptisé Esplanaden, était une avenue de 42 mètres de large, plantée de tilleuls et massifs. Vers la fin du XIXᵉ siècle, plusieurs immeubles y furent érigés dans le style néo-Renaissance. Cette voie a conservé son aspect de grand boulevard, en dépit de nombreux bâtiments, boutiques et bureaux récents.

Depuis les années 1960, la partie centrale du boulevard s'est transformée en galerie de sculpture. Aux carrefours se dressent : à Engelbrektsgatan, *La Ville*, de Lars Erik Husberg ; à Villagatan, une effigie féminine, de Paul Cornet, artiste français ; à Floragatan, *Mimi*, de Gunnar Nilsson, qui figure également à d'autres endroits de la capitale ; à Sturegatan, *Fer vivant*, de Willy Gordon, offerte par la compagnie minière LKAB, dont le siège, situé au n° 45, s'orne sur la façade d'un relief exécuté par Erick Grate, en 1970. À la même intersection trône *Scatola*, d'Arnoldo Pomodoro, sculpteur italien.

À l'angle de Nybroplan, on contemple *Attelage d'hommes – de chevaux*, d'Asmund Arle ; à Sibyllegatan, *Femme au miroir*, d'Ebba Ahlmark-Hughes ; devant l'Östra Real se trouve un buste d'Aron Sandberg, représentant August Blanche, écrivain (1811-1868) ; ainsi que l'école secondaire

conçue par Ragnar Östberg, avec des sculptures de Carl Eldh ; à Greygatan, on contemple *Mer montante*, de Hakan Bonds ; à Karlaplan, une statue de marbre de Gert Markus ; à Tysta Gatan, *Jeanette*, de Curt Thorsjö ; et à Banérgatan, *Urne*, de Hedy Jolly-Dahlström. Enfin, au n° 100 s'étend un long bâtiment administratif comportant, à l'entrée, un groupe de sculptures de grès verni, de Gustav Kraitz.

La fontaine et l'étang circulaire de Karlaplan furent ajoutés en 1929. *L'Aviateur*, de Carl Milles, fut inauguré deux ans plus tard.

Fontaine de Karlaplan au bout de Karlavägen, bordé d'arbres

La maison de la Télévision suédoise à Gärdet, près du siège de la Radio

Radio- och TV-husen ❹

Oxenstiernsgatan 20 & 34. **Plan** 6 A1.
🚇 *Karlaplan.* 🚌 *4, 56, 76.*
SR 📞 784 50 00. 📠 *sur r.-v.* ♿
🌐 www.sr.se **SVT** 📞 784 00 00.
📠 *sur r.-v.* ♿ 🌐 www.svt.se

Le siège de la Radio suédoise (SR) et de la Télévision suédoise (SVT), conçu par deux architectes, Erik Ahnborg et Sune Lindström, occupe un site de 12 hectares le long de Ladugårdsgärde. L'histoire de ce lieu, ancien terrain d'entraînement de l'armée, est reflétée par plusieurs bâtiments, dont trois constructions au passé militaire : l'entrepôt souterrain de poudre à canon (1717), le garage à carrosses de pierre (1750), et les entrepôts de style Karl Johan (1820). Les deux réalisateurs des édifices créèrent également Berwaldhallen *(p. 106)*, salle de concert reliée aux SR et SVT par un tunnel.

Les transmissions de la Radio suédoise commencèrent à Malmskillnadsgatan, le 1ᵉʳ janvier 1925. En 1928, La SR déménagea au n° 8 de Kungsgatan, puis dans ses locaux actuels, en 1961.

La SVT débuta ses émissions depuis les anciens bâtiments du régiment d'artillerie Svea, le 24 octobre 1954. En 1969, elle s'installa sur le domaine actuel, dans les baraques existantes. Un immeuble de bureaux fut ajouté quatre ans plus tard. Des extensions effectuées de 1983 à 1987 fournirent des studios d'information télévisée. La SVT, qui couvre maintenant 51 600 m², comprend huit studios, dont trois sont consacrés aux émissions d'informations.

LES BATEAUX QUI BORDENT STRANDVÄGEN

Jusqu'aux années 1940, des voiliers chargeaient du bois de chauffage de Roslagen, sur la mer Baltique, pour le transporter jusqu'aux quais de Strandvägen. Vers 1950, des admirateurs enthousiastes achetèrent ces bateaux. Certains

Voiliers de transport de bois le long d'un quai de Strandvägen

furent rénovés et voguèrent jusqu'aux Caraïbes, d'autres furent transformés en clubs de jeux clandestins. Grâce à une nouvelle réglementation portuaire, deux associations destinées à administrer les embarcations furent créées. Les propriétaires actuels des 40 voiliers désirent simplement préserver une partie de l'héritage culturel du pays.

Historiska Museet ❷

L e musée des Antiquités nationales, inauguré en 1943, fut conçu par Bengt Romare et Georg Sherman. Bror Marklund (1907-1977) élabora la décoration de l'entrée, ainsi que des portails de bronze richement travaillés et illustrant des événements historiques anciens de la Suède. Les vestiges de l'époque des Vikings et d'exceptionnelles collections du haut Moyen Âge ont donné son nom au musée. Historiska Museet expose également des textiles liturgiques contemporains. Un trésor comportant un grand nombre d'objets en or, rassemblés dans la Guldrummet (salle Dorée), constitue l'une des richesses les plus remarquables de Stockholm.

Expositions illustrant les émigrations de masse et l'ère des Wendes.

Étage supérieur

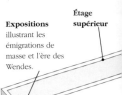

L'âge du bronze
Cet objet de l'âge du bronze, probablement un instrument de percussion, fut découvert dans un marécage du Sud de la Suède en 1847.

Cour intérieure

Rez-de-chaussée

★ **L'élan d'Alunda**
Cette hache de cérémonie en pierre de 21 cm, évoquant une tête d'élan, fut découverte en 1920 à Alunda, au centre de la Suède. Elle fut probablement fabriquée en Finlande ou en Carélie, vers 2000 av. J.-C.

Rosen-gården

La Femme de Bäkaskog
Cette femme de 1,55 m, qui vivait vers 5000 av. J.-C., mourut autour de 40-50 ans et fut inhumée assise dans une fosse étroite.

À NE PAS MANQUER

★ **Salle Dorée**

★ **Marie de Viklau**

★ **L'élan d'Alunda**

L'époque des Vikings
Un nouveau département consacré à cette période riche en événements expose, entre autres, une épée richement décorée ; des ornements en forme d'animaux nordiques.

Tapisserie de Skog
Cette tapisserie, l'un des trésors les plus anciens du musée, ornait autrefois l'église en bois de Skorg, au nord de la Suède.

MODE D'EMPLOI

Narvavägen 13-17. **Plan** 3 F4.
519 556 00. 44, 56.
Karlaplan. 11h-17h mar.-dim. (aussi 17h-20h jeu. : salle Dorée et expositions temporaires).
24, 25 et 31 déc.
salle Dorée.
W www.historiska.se

Salle baroque

SUIVEZ LE GUIDE !
Les expositions sont présentées dans un ordre chronologique, sur deux niveaux : au rez-de-chaussée, la préhistoire ; à l'étage supérieur, le Moyen Âge et l'époque baroque. Au sous-sol, où conduit un escalier situé à l'entrée, la salle Dorée abrite des pièces inestimables, datant de la préhistoire à l'époque médiévale.

Escaliers descendant vers la salle Dorée

★ **Marie de Viklau**
Cette Madone sans enfant, en bois, aux couleurs et aux dorures abondantes, est la pièce la mieux conservée du haut Moyen Âge suédois.

Entrée principale

LÉGENDE
☐ Époque préhistorique
☐ Moyen Âge et baroque
☐ Expositions temporaires
☐ Espace hors expositions

★ LA SALLE DORÉE
Depuis 1990, les trésors inestimables du musée sont exposés dans la Guldrummet (salle Dorée). Cette cave souterraine de 700 m², construite avec 250 tonnes de béton armé pour plus de sécurité, comporte deux sections circulaires concentriques. La section intérieure abrite la collection principale, comportant 50 kg d'objets en or et 250 kg d'artefacts en argent, datant de l'âge du bronze au Moyen Âge.

Le reliquaire d'Élisabeth était à l'origine un simple gobelet. Il fut orné d'or et de pierres précieuses au XIᵉ siècle et, vers 1230, un couvercle de métal y fut ajouté afin d'abriter le crâne de sainte Élisabeth. Le reliquaire appartenait au butin suédois de la guerre de Trente Ans.

Les colliers d'or furent découverts entre 1827 et 1864 ; celui à trois rangs, dans une carrière, à l'est de la Suède ; celui à cinq rangs, dans un fossé de l'île d'Öland ; et celui à sept rangs, accroché à un clou, dans une grange.

La salle Dorée, au sous-sol de Historiska Museet

Berwaldhallen, salle de l'Orchestre symphonique de la Radio suédoise

Berwaldhallen ❺

Dag Hammarskiöldsvägen 3. **Plan** 6
A2 🎫 784 18 00. 🚇 Karlaplan. 🚌
56, 69, 76. 🕐 Pendant la saison, tél.
pour info. billets et horaires. 🚫 💻
🖥 www.sr.se/berwaldhallen

Le 30 novembre 1979,
l'Orchestre symphonique et
le Chœur de la Radio suédoise
se virent attribuer leur propre
salle de concert, la
Berwaldhallen. Cette salle de
renommée internationale attire
120 000 spectateurs par an et
est devenue une vitrine de la
musique suédoise. Elle fut
baptisée en hommage à Franz
Berwald (1796-1868) l'un des
plus grands compositeurs du
pays. Les architectes Erik
Ahnborg et Sune Lindström
reçurent une récompense pour
leur « salle de concert
magnifique et conçue avec
sensibilité ». Hans Viksten, Hertha
Hillfon et différents artistes furent
chargés de décorer le foyer.
Au cours de la saison,
l'Orchestre et le Chœur y
donnent 60 à 70 représentations.
La Berwaldhallen accueille
d'autres formations musicales,
des colloques, des séminaires,
ainsi que certaines cérémonies,
telles que la remise du prix
musical Polaire, en présence du
roi et de la reine.

Diplomatstaden ❻

Plan 6 A2. 🚇 Karlaplan. 🚌 56,
69, 76.

Les villas élégantes qui
donnèrent à ce quartier

son nom, s'alignent le long de
Nobelgatan et de la partie est
de Strandvägen (à partir du
n° 74). La première maison
construite pour un diplomate
étranger fut érigée vers 1910,
lorsque les ambassadeurs
britanniques déménagèrent au
Nobelgatan 7. Non loin, se
dresse Engelska Kyrkan
(église anglaise), construite au
centre de la ville en 1860,
puis transférée dans le
quartier des diplomates
en 1913. Vers 1980, cet édifice
fut enfin terminé avec l'ajout
d'une salle paroissiale
octogonale. La villa Bonnier,
au n° 13, conçue par Ragnar
Östberg, fut offerte à l'État par
une éminente famille
d'éditeurs. Elle est maintenant
utilisée par le gouvernement
pour des fonctions officielles.
Les ambassades de Hongrie,
de Turquie, de Corée du Sud,
de Norvège, d'Allemagne, du
Royaume-Uni et des États-
Unis sont toutes situées dans
ce périmètre ou en sont
proches. Nobelparken porte
le nom d'Alfred Nobel (1833-
1896). Au début du XXᵉ siècle,

des plans pour la construction
d'un palais Nobel dans le
parc furent tracés par
l'architecte Ferdinand Boberg,
mais le projet n'aboutit pas.
Du côté nord de Strandvägen,
se dresse la villa Törner,
maison de bois construite
en 1880, du nom d'un maître
de feu de l'usine de poudre à
canon de Nobelparken.

Sjöhistoriska Museet ❼

Djurgårdsbrunnsvägen 24. **Map** 6 C2.
🎫 519 549 00. 🚌 69. 🕐 10h-17h
t.l.j., printemps et automne ; aussi
10h-23h30 mar. 🈺 ♿ 💻 📱
🖥 www.sshm.se/sjohistoriska

L'architecture et la situation
du Musée national
de la Marine, sur
Djurgårdsbrunnsviken sont
dignes d'un pays où l'eau est
omniprésente. Consacrée à la
navigation, à la construction
des bateaux et à la défense
navale, cette institution abrite
des objets exceptionnels
montrés au travers d'expositions
permanentes et temporaires.
Parmi quelque 100 000 pièces
exposées, on compte plus de
1 500 maquettes de bateaux –
le navire le plus ancien
remonte au XVIIᵉ siècle ; le
vaisseau suédois le plus vieux
est une reproduction du
« bateau cathédrale » de 1600.
La collection englobe tous les
types d'embarcations
imaginables – petits caboteurs,
chaloupes des Vikings mais
aussi trois-mâts, pétroliers,
charbonniers, dinghies et sous-
marins. Une série de
maquettes à l'échelle 1/1200
illustre l'évolution des bateaux
en Suède, de l'âge
du fer à nos jours.

Le quartier des ambassades, Djurgårdsbrunnsviken

Des décors grandeur nature évoquent la vie à bord des bâtiments. Parmi eux, on admire la magnifique cabine et la poupe élégante de l'*Amphion*, schooner royal, conçu par l'éminent constructeur F. H. Chapman, et réalisé à Djurgården ; ce bateau servit de vaisseau amiral à Gustave III lors de la guerre contre la Russie, de 1788 à 1790. Par contre, le gaillard d'avant du *Hoppet*, est un espace réduit où quatre membres d'équipage mangeaient, dormaient et se détendaient entre deux gardes.

On y voit également de superbes décorations de navires datant de la fin du XVIIe siècle, par exemple une partie du blason retrouvé par des plongeurs dans les années 1920 sur la poupe du *Riksäpplet*, qui sombra à Dalarö en 1676. Lorsque le *Carolus XI*, canonnier de 82 pièces fut lancé du chantier naval de Stockholm, en 1678, la poupe s'ornait d'une grande effigie équestre de Charles XI en relief. Cette sculpture, probablement ôtée quelques années plus tard, lorsque le bateau fut rebaptisé *Sverige*, se trouve maintenant au musée. Parmi de nombreuses têtes sculptées, on contemple celle d'Amphion, fils de Zeus, jouant de la lyre, qui figurait autrefois sur le schooner du même nom.

Rattachées au Sjöhistoriska Museet, les Archives suédoises d'Archéologie marine contiennent de nombreuses informations, comme la liste des naufrages, répertoriant 10 000 catastrophes de 1720 à la fin des années 1920. Les documents relatifs à la conception des bateaux, qui couvrent une immense partie de l'histoire de la marine, font la joie des chercheurs, ainsi

La galère *Lodbrok*, l'une des nombreuses maquettes de Sjöhistoriska Museet

que la collection photographique, riche de 300 000 pièces, et la bibliothèque, se rapportant à tous les aspects le la vie des marins et de la guerre maritime. Une section spécialement destinée aux enfants propose un atelier ouvert le dimanche et pendant les vacances scolaires. L'été, une école de voile accueille les enfants de 8 à 14 ans.

Le beau bâtiment abritant ces trésors, l'une des dernières œuvres de Ragnar Östberg, fut inauguré en 1938. Le pignon, orienté vers Djurgårdsbrunnsviken, s'orne d'une sculpture, *Le Marin*, monument aux victimes des guerres navales, réalisé par Nils Sjögren.

Figurine de 1850

Telemuseum ❽

Museivägen 7. **Plan** 6 C2.
📞 670 81 00. 🚌 69. 🕙 10h-16h *lun.-ven., 11h-16h sam. et dim.*
🎫 *sur r.-v.* 🖼🅿🔵♿
🌐 www.telemuseum.se

P eu de musées spécialisés offrent autant de centres d'intérêt que le musée des Télécommunications. La collection débute vers 1850 et couvre l'histoire du télégraphe, du téléphone, de la radio et de la télévision. Parmi les pièces les plus intéressantes, on voit la première ligne télégraphique

de Suède, ouverte en 1853 entre Stockholm et Uppsala. D'autres objets se rapportent à l'essai inaugural de transmission par radio effectué en 1922, et au début des émissions radiophoniques suédoises régulières, le 1er janvier 1925. Les premières images télévisées furent émises de l'Institut royal de Technologie à l'aide d'une caméra nommée Matilda, les diffusions régulières commencèrent en 1954.

Le musée, inauguré en 1937, fut transféré dans de nouveaux locaux près du Tekniska Museet en 1975. Il abrite une station de radio amateur utilisable et un studio où les groupes scolaires peuvent créer des bulletins d'information.

La salle consacrée à I. M. Ericsson (1826-1926), fondateur de l'industrie des Télécommunications suédoise, constitue l'une des nombreuses attractions du Telemuseum.

Téléphone créé par Ericsson, en 1903, pour le tsar Nicolas II

Kungsholmen

Autrefois réputée pour ses artisanats et ses petites industries, Kungsholmen se dota, à la fin du XIXe siècle, d'immeubles d'habitation et de plusieurs édifices institutionnels. Vers 1900, Stadshuset (l'Hôtel de Ville), conçu par Ragnar Östberg – projet architectural le plus important du XXe siècle à Stockholm – et Rådhuset (Cour de justice), signée Carl Westman conférèrent à Kungsholmen un statut particulier. Les élégantes habitations qui bordent l'eau, le long de Norr Mälarstrand, anime le quartier et les lieux de distraction et de sorties nocturnes.

Immeubles imposants de Norr Mälarstrand au bord de Riddarfjärden

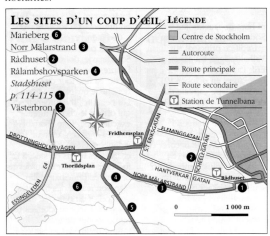

LES SITES D'UN COUP D'ŒIL

Marieberg ❻
Norr Mälarstrand ❸
Rådhuset ❷
Rålambshovsparken ❹
Stadshuset
p. 114-115 ❶
Västerbron ❺

LÉGENDE

▢ Centre de Stockholm
═ Autoroute
━ Route principale
━ Route secondaire
🚇 Station de Tunnelbana

Norr Mälarstrand ❸

Plan 1 C3. 🚇 *Rådhuset, Fridhemsplan.* 🚌 *40, 52.*

Lorsque les industries de textile et de teinture quittèrent Norr Mälarstrand au début du XXe siècle, l'exploitation du beau site de Kungsholmen commença autour de la baie de Riddarfjärden. Peu à peu apparut un quartier résidentiel luxueux. Au cours de la seconde guerre mondiale, un parc de sculptures se développa le long de l'eau, où sont amarrés aujourd'hui les caboteurs d'époque et les bateaux d'excursion. Saules, peupliers, aulnes et bouleaux ornent le littoral. Un pavillon sur pilotis, comportant un café d'été, fut conçu par Erik Glemme, assistant d'Holger Blom (né en 1906), maître-jardinier de la ville.

Ragnar Östberg, architecte du Stadshuset, élabora Norr Malastrand 76. Cyrillus Johansson, Sven Wallander et J. Norberg créèrent les n°s 26, 28 et 30, dont les effigies des pignons, au-dessus des marches, furent exécutées par l'artiste du métal Ragmar Myrsmeden. Les petites rues latérales recèlent beaucoup de détails intéressants, comme les façades du n° 5 Jacob Westins Gata et du n° 9 Skillinggränd. L'immeuble avec service du n° 6 John Erikssongatan fut conçu par Sven Markelius, influencé par le couple ministériel Gunnar et Alva Myrdal. Il s'agit du premier édifice résidentiel de style fonctionnaliste, typique des années 1930.

Stadshuset ❶

Voir p. 114-115.

Rådhuset ❷

Scheelegatan 7. **Plan** 2 A5.
🚇 *Rådhuset.* 🚌 *40, 52.*

Au début du XXe siècle, il était prévu de construire un ensemble comprenant l'hôtel de ville et la cour de justice, mais le projet fut modifié lorsque deux concours architecturaux distincts furent lancés. Les plans choisis pour Rådhuset, furent ceux de Carl Westman (1866-1936), artiste de l'école romantique suédoise, pour Stadshuset ceux de Ragnar Östberg (1866-1945). Les travaux commencèrent en 1911 et Rådhuset fut inaugurée en décembre 1915. Westman, qui s'était inspiré de la Renaissance Vasa du XVIe siècle, fut probablement influencé par le château de Vadstena, dans le Sud de la Suède. Rådhuset, et sa tour proéminente constitue l'un des plus beaux exemples du style Art nouveau romantique national, modulé par certains détails.

Christian Eriksson et les frères Aron et Gustaf Sandberg en conçurent la décoration, qui comporte des peintures d'Olle Hjortzberg et de Filip Månsson. Près de l'escalier, au 5e étage, on voit une copie du *Kopparmatte*, pilori qui se dressait autrefois à Stortorget, à Gamla Stan. La pièce originale se trouve au Stadsmuseum de Stockholm (*p. 127*).

Détail extérieur de Rådhuset

Rålambshovs-parken ❹

Plan 1 B3. 🚇 *Fridhemsplan.*
🚌 *1, 4, 40, 56, 57, 62, 74.* 🚢

Rålambshovsparken fut créé en 1935 lors de la construction du Västerbron. Il jouxte d'autres espaces verts, tels que les parcs de Smedsudden, Marieberg et Fredhäll. Dans ces oasis, les Stockholmois s'adonnent au jogging et aux bains de soleil. En été, ils vont sur la plage de Smedsudden ou sur les falaises de Fredhäll.

Lorsque la ville célébra son 700ᵉ anniversaire, en 1953, Rålambshovsparken fut doté d'un amphithéâtre, puis d'une pataugeoire et d'aires de jeux. Le parc s'orne de sculptures : *Le Papillon*, d'Elli Hemberg ; *Monument à un Homme maniant la hache*, d'Erik Grates ; *Jugement*, d'Egon möller-Nielsen ; et *Tour des couleurs*, de Lars Erik Falk.

▸ **Rålambshovsparken, à l'extrémité nord du Västerbron**

Västerbron ❺

Plan 1 B4. 🚌 *4, 40, 74.*

Lorsque Stockholm se développa et que l'utilisation de la voitures se répandit, en 1920, il devint nécessaire de construire un autre pont entre les rives nord et sud du lac Mälaren. Des experts allemands dominèrent le concours lancé en 1930, mais leurs projets furent exécutés par des architectes et ingénieurs suédois, qui terminèrent la construction en 1935.

Cette belle structure est constituée de deux travées de 26 mètres de hauteur et de largeur différente, l'une de 168 m et l'autre de 204 m. Lorsqu'on marche jusqu'au milieu de l'édifice – emprunté chaque jour par 12 000 véhicules en moyenne – on bénéficie d'une perspective splendide sur le centre de Stockholm.

Marieberg ❻

Plan 1 A3. 🚇 *Thorildsplan.* 🚌 *1, 49, 56, 62.* **Riksarkivet** 📞 *737 63 50.*

Marieberg, qui s'étend à l'extrémité nord du Västerbron, était autrefois réputé pour ses manufactures de porcelaine et ses installations militaires. Depuis les années 1960, le quartier est devenu le centre de la presse et abrite quatre sièges de quotidiens de Stockholm.

Le bâtiment haut de 98,6 mètres, conçu par Paul Hedqvist pour le *Dagens Nyheter* et l'*Expressen* est l'un des repères de la ville. L'enseigne au néon qui surmonte l'immeuble de Gjöwellsgatan 30 fut élaborée par P. O. Ultvedt, qui créa également le relief de l'entrée. On y admire *Jour et Nuit*, fresque murale de Lennart Rodhe, en grès verni, et *Nova*, sculpture d'Arne Jones. Quelques œuvres d'art furent apportées des locaux précédents des journaux, situés dans le quartier central de

L'Orbe, **d'Elli Hemberg (1970), devant Riksarkivet**

Klara, telles que *Liberté, notre mot d'ordre*, statue de cuivre de Stig Blomberg (1951).

Les bureaux du *Svenska Dagbladetne*, moins richement décorés que leurs voisins, ne sont cependant pas moins intéressants sur le plan architectural. L'édifice, inspiré des bureaux de Pirelli à Milan, fut conçu par Tengbom Architectes de 1960 à 1962.

Marieberg comporte également Riksarkivet, recélant les archives d'État. Bâtie en 1968 par Åke Ahlström et Kjell Åström, cette construction loge l'un des plus anciens organismes publics de Suède. Il remonte au Moyen Âge. L'entrée s'orne de *L'Orbe*, sculpture de fer d'Elli Hemberg. La salle principale, qui contient 56 places et 18 salles de travail individuelles, destinées aux chercheurs, est dominée par une tapisserie de Lennart Rhode, *Symbole dans les archives*. Dans une salle adjacente plus petite, le public peut consulter des documents d'archives.

Le bâtiment contient l'un des plus grands livres du monde : les comptes de la province d'Östergötland, datant de 1813 ; composé de 12 390 pages, il pèse 42 kg et mesure 1,13 mètres de large. Des visites guidées de Riksarkivet peuvent être organisées.

Västerbron (1935) relie Kungsholmen à Södermalm au dessus du lac Malaren

Stadshuset ❸

L'Hôtel de Ville, terminé en 1923, est probablement le plus vaste projet architectural suédois du XXᵉ siècle. Stadshuset est devenu un emblème de Stockholm. Conçu par Ragnar Östberg (1866-1945), architecte de l'époque romantique suédoise, cet édifice témoigne des influences du gothique nordique et des écoles d'Italie du nord. Plusieurs artistes suédois contribuèrent à la riche décoration intérieure. Stadshuset abrite la Chambre du Conseil et 250 bureaux pour les employés administratifs. Les festivités annuelles du prix Nobel se déroulent dans la salle Bleue.

Engelbrekt

★ **Salle Dorée**
Les mosaïques murales d'inspiration byzantine d'Einar Forseth (1892-1988) comportent 19 millions de fragments de feuille d'or. Le mur nord s'orne de La Reine du lac Mälaren.

Norra Trapptornet
couronnée d'un soleil.

★ **Salle Bleue**
Cette salle de banquet est constituée de briques sombres taillées à la main. Son nom provient du projet initial, où les briques étaient peintes en bleu et vernies.

★ **Galerie du Prince**
La Cité sur l'eau, fresque peinte et offerte par le prince Eugène (p. 99) à Stadshuset, orne la galerie du Prince.

Les Trois Couronnes
Symbole héraldique de la Suède, les Tre Kronor, du XIVᵉ siècle, surmontent la tour de 106 mètres.

Cour intérieure

MODE D'EMPLOI

Hantverkargatan 1. **Plan** 2 B5.
508 290 58. Rådhuset.
3, 62. aux visites guidées. 1ᵉʳ janv., 24-25 avr., 24-26 et 31 déc. et durant activités spéc.
10h et 12h t.l.j. ; été : 10h, 11h, 12h, 14h t.l.j., suéd. et angl. et parfois all., franç., ital., esp. **Tornmuseet** 10h-16h30 mai-sept.
www.stockholm.se/cityhall/

Chambre du Conseil
Les 101 conseillers de Stockholm se réunissent dans cette salle magnifique, aux meubles signés Carl Malmsten.

Engelbrekt, combattant de la liberté, statue de Christian Eriksson (1858-1935).

Salle des mariages

La Danse
L'escalier conduisant à Riddarfjärden s'orne de deux statues de Carl Eldh (p. 121) : Dansen (La Danse), *féminine, et* Sängen (La Chanson), *masculine.*

À NE PAS MANQUER

★ **Salle Dorée**

★ **Salle Bleue**

★ **Galerie du Prince**

Vasastan

La construction de Vasastan, au nord de Norrmalm, remonte au XVIIIᵉ siècle. Aujourd'hui, c'est à la fois un quartier résidentiel, dont les maisons furent érigées vers 1900 pour les ouvriers des manufactures et les artisans, et un secteur animé de la capitale, avec de nombreux bars et restaurants. Vasastan comprend également des espaces verts très agréables, en particulier Vasaparken et Vanadislunden. Stadsbiblioteket est la Bibliothèque municipale *(p. 117)*, l'un des édifices les plus caractéristiques de la ville.

L'ancien observatoire (1748-1753), au sommet de la colline de l'Observatoire

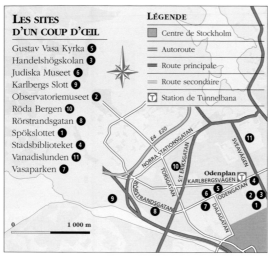

LES SITES D'UN COUP D'ŒIL

Gustav Vasa Kyrka **5**
Handelshögskolan **3**
Judiska Museet **6**
Karlbergs Slott **9**
Observatoriemuseet **2**
Röda Bergen **10**
Rörstrandsgatan **8**
Spökslottet **1**
Stadsbiblioteket **4**
Vanadislunden **11**
Vasaparken **7**

LÉGENDE

Centre de Stockholm
Autoroute
Route principale
Route secondaire
T Station de Tunnelbana

0 ——— 1 000 m

Observatorie-museet **2**

Plan 2 B2. **[** 31 58 10. **T** Oden-plan. **52.** **O** pour les visites guidées. **[** visites guidées en anglais sur r.-v. **&**

La colline de Brunkeberg et ses environs comportent un certain nombre d'institutions liées à la science et à l'éducation. La plus ancienne est l'ancien observatoire conçu par Carl Hårleman pour l'Académie royale des Sciences, inauguré en 1753. En 1931, le secteur des recherches astronomiques fut transféré à Saltsjöbaden, dans l'archipel de Stockholm. L'édifice fut ensuite transformé en Observatoriemuseet (musée de l'Observatoire). Les visiteurs verront la salle d'observation et ses instruments, les deux salles médianes, la salle du temps (météorologie) et l'atelier des instruments. Par temps clair, on peut y observer les étoiles. Le dôme du musée offre une vue splendide de Stockholm.

Le bocage qui entoure ce bâtiment commença à prendre forme au XVIIIᵉ siècle. Cet endroit clos et idyllique fut ouvert au public au XXᵉ siècle.

Au sommet de Brunkeberg se dresse *Le Centaure*, statue de Sigrid Fridman. Un parc s'étend jusqu'à Sveavägen, où un vaste étang est alimenté par un ruisseau dévalant la pente. La sculpture d'Ivar Johnsson, *Jeune dansant*, fait écho à *Jeunesse*, œuvre de Nils Möllerberg, située à l'entrée sud du parc.

Spökslottet **1**

Drottninggatan 116. **Plan** 2 B3.
[16 47 07. **T** Rådmansgatan.
52. **O** seulement pour les visites organisées. **[** Groupes seul. sur r.-v.
& accès limité. **∅**

Jusqu'à 1900 environ, c'est par Drottninggatan que l'on accédait à Stockholm en venant du nord. À cet endroit se dresse Spökslottet ou « château du Fantôme », construit dans le style somptueux en vogue à l'époque où la Suède était une grande puissance, c'est-à-dire vers 1700. On prétendit un moment qu'il avait été conçu par Tessin l'Ancien, mais il a probablement été créé par le gendre de ce dernier, Abraham Winantz, anobli en 1693 pour ses réalisations architecturales. Selon la légende, Spökslottet abriterait un fantôme.

L'édifice recèle 360 tableaux exécutés du XVIᵉ au XIXᵉ siècle appartenant à la collection de l'université de Stockholm, ainsi que 700 objets issus des verreries Orrefors. Vous y verrez *Avec la diseuse de bonne aventure*, peinture de Pehr Hilleström et des œuvres étrangères : *L'Assault* (1567), attribué à Pieter Bruegel l'Ancien, ainsi que *Le Banquet de Danaé* et *Le Banquet de Cléopâtre*, de Tiepolo. Cette propriété, acquise par le collège d'Éducation supérieure, devenu ensuite université de Stockholm, fut cédée à l'État.

Coupe Orrefors, de Simon Gate, 1925

Handels-högskolan ❸

Sveavägen 65. **Plan** 2 C2. 🔲 *Rådmansgatan.* 🚌 *52.*

Lorsque l'architecte Ivar Tengbom (1878-1968) conçut Handelshögskolan, école d'économie de Stockholm, au début des années 1920, il s'inspira essentiellement des styles Renaissance et néoclassique. L'édifice, dont il dirigea lui-même la construction, fut officiellement inauguré en 1926 en présence du roi Gustave V. La façade s'orne de reliefs de pierre et d'un Mercure doré – dieu du commerce –, œuvres d'Ansgar Almquist, qui exécuta également la porte des Lions, basée sur celle de Mycènes, ville de la Grèce antique.

Fondée en 1909, l'école fut d'abord située à Brunkebergstorg avant de s'installer à Handelshögskolan.

L'entrée de Handelshögskolan, école d'économie

Vasastaden, Stadsbiblioteket (en haut, à gauche) et Gustav Vasa Kyrka

Stadsbiblioteket ❹

Sveavägen 73.Plan 2 B2. 📞 508 311 00. 🔲 *Rådmansgatan.* 🚌 *4, 42, 46, 52, 53, 72.* ⏰ *10h-20h30 lun.-jeu., 10h-18h ven., 12h-16h sam. et dim. 25 mai-22 août : 11h-19h lun.-jeu., 11h-17h ven.* ♿ 🖥

Chef-d'œuvre de Gunnar Asplund, la Bibliothèque municipale, inaugurée en 1928, est l'un des édifices les plus remarquables de Stockholm *(p. 36-37).* Ardent adepte du style fonctionnaliste qui domina les années 1930, Asplund conçut un bâtiment entièrement inspiré par les idéaux classiques.

À l'intérieur, les meubles et les éclairages furent élaborés par l'architecte lui-même. Dans le hall d'entrée, les reliefs d'Ivar Johnsson illustrent des thèmes de *l'Iliade,* le poème épique d'Homère. *John Blund,* scintillante fresque murale ornant la section des enfants, est signée Nils Dardel, et la représentation des étoiles dans les cieux, Ulf Munthe. Les linteaux, les délicates poignées de porte et les fontaines d'eau potable furent créés par Nils Sjögren. Hilding Linnquist exécuta la tapisserie géante, ainsi que les quatre peintures murales réalisées selon les techniques anciennes.

La bibliothèque prête plus d'un million de livres chaque année.

Gustav Vasa Kyrka ❺

Odenplan. **Plan** 2 B2. 📞 31 66 97. 🔲 *Odenplan.* 🚌 *4, 40, 42, 46, 53, 69, 72.* ⏰ *11h-18h lun.-jeu., 11h-15h ven.-dim.* ✝ *12h lun. et ven., 8h mer., 18h jeu., 11h dim., en suédois.* ♿

La plus grande sculpture baroque de Suède constitue l'autel de Gustav Vasa Kyrka, église inaugurée en 1906. La sculpture fut exécutée par Burchardt Precht (1651-1738) pour la cathédrale d'Uppsala, d'où elle fut enlevée à la fin du XIXe siècle. Achetée par la paroisse Gustave Vasa, elle confère à ce lieu de culte un attrait particulier.

L'architecte Agi Lindegren conçut la partie centrale de l'église, pourvue d'un dôme de 60 mètres de haut, dans le style néo-baroque italien. Il élabora également la chaire de marbre ; les fonts baptismaux furent créés par Sigrid Blomberg. La chapelle baptismale s'orne d'un tableau du XVe siècle, exécuté par un artiste danois inconnu. Vicke Andrén réalisa les peintures du dôme et les quatre évangélistes dans les transepts. L'orgue fut construit avec la participation du compositeur Olle Olsson, organiste de l'église 50 ans durant.

GUNNAR ASPLUND

Gunnar Asplund (1885-1940) fut une figure dominante des architectes suédois de renommée internationale de l'entre-deux-guerres. Sa première commande importante fut la chapelle du cimetière de Skogskyrkogården, conçue dans le

L'Exposition de Stockholm, Gunnar Asplund, 1930

style romantique national et sa dernière réalisation fut Heliga Korsets Kapell, le crématorium du cimetière (1935-1940). Chef-d'œuvre du style fonctionnaliste, Skogskyrkogården est classé au Patrimoine mondial de l'Unesco *(p. 133).* Asplund conçut également Stadsbiblioteket (1920-1928) et contribua à lancer le style fonctionnaliste à l'Exposition de Stockholm, en 1930.

Un *chanuki*, chandelier à huit branches, collection de Judiska Museet

Judiska Museet ❻

Hälsingegatan 2 **Plan** 2 A2.
C 31 01 43. **T** Odenplan. 🚌 4, 47, 72. 🕐 12h-16h lun.-ven. et dim. 🌐 en anglais sur r.-v. ▨ ♿ 🏠 🛒

En 1774, Aaron Isaac, premier immigrant juif de Suède, s'installa à Stockholm pour y vivre et y pratiquer librement sa religion. Aujourd'hui, la moitié des quelque 18 000 juifs suédois vit dans la capitale ou ses alentours. Judiska Museet raconte l'histoire de cette population, de l'époque d'Isaac à nos jours. Il évoque la religion judaïque, l'intégration de ceux qui la pratiquent dans la société suédoise, et, bien entendu, l'Holocauste. Les traditions et les coutumes des juifs suédois sont illustrées par une vaste collection iconographique. Citons, parmi les remarquables symboles spirituels de ce lieu, la magnifique Torah (les cinq premiers livres de la Bible), le dais nuptial et la collection de *chanukis*, chandeliers à huit branches.

Vasaparken ❼

Plan 2 A3. **T** Skt Eriksplan.
🚌 3, 4, 47, 72.

Vasaparken date du début du XXᵉ siècle. Typique de son époque, il comporte un grand terrain réservé aux sportifs. Au cours de la première guerre mondiale, cette vaste pelouse fut utilisée pour cultiver des pommes de terre. En 1911, l'espace sportif s'enrichit d'un terrain de jeux.

Le parc, espace vert très agréable, contient des arbres plantés à l'époque de son inauguration ; pourtant, un tilleul taillé en forme de candélabre serait âgé, dit-on, d'au moins 200 ans.

Dans les années 1940, une rénovation intensive transforma l'aspect de la section qui longe Torsgatan : trois jardins en terrasses, pourvus de murs et de reliefs en granit et en béton furent ajoutés. *L'Ouvrier*, statue de bronze de Gottfrid Larsson, se dresse à cet endroit depuis 1917. À l'extrémité opposée, on admire *Roméo et Juliette*, petite sculpture de granit d'Olof Th. Ohlsson.

Vasaparken, poumon vert de la zone urbaine de Vasastan

Rörstrandsgatan ❽

Plan 1 C1. **T** Skt Eriksplan.
🚌 3, 4, 42, 57, 72.

La rue tient son nom du palais Rörstrand, érigé vers 1930 mais aujourd'hui disparu. Durant l'été 1726, la manufacture de porcelaines de style Delft s'installa dans ce bâtiment. Deux cents ans plus tard, elle fut transférée dans la région de Göteborg, puis dans ses locaux actuels, à Lidköping, au sud-ouest de la Suède.

Rörstrandsgatan, qui compte l'un des meilleurs restaurants chinois de Stockholm, est devenue une rue populaire : les Stokholmois viennent déguster dans ses pubs et ses restaurants des plats du monde entier. L'été, les nombreux cafés avec terrasse confèrent à la rue une atmosphère particulièrement pittoresque.

Karlbergs Slott ❾

Plan 1 B1. **C** 562 813 05. 🚌 42, 72 jusqu'à la gare de Karlberg, puis 15 min. de marche. 🌐 groupes seul., sur r.-v.

L'amiral Karl Karlsson commença à bâtir Karlbergs Slott vers 1630, pendant la guerre de Trente Ans. À partir de 1670, le palais fut agrandi et reconstruit par Magnus Gabriel de La Gardie, avec l'architecte Jean de La Vallée. Karlberg, qui devint propriété royale en 1688, était l'un des édifices les plus majestueux de Suède. Charles XII (1682-1718), « roi-héros », y grandit, et son corps y fut exposé après sa mort à la bataille de Fredrikshald *(p. 19)*.

En 1792, l'architecte C. C. Gjörwell transforma le domaine en Académie royale de Guerre. Celle-ci devint ensuite l'École militaire Karlberg et est, depuis 1999, l'une des académies militaires régionales du pays.

Les bals des cadets de Karlberg sont inoubliables, en grande partie grâce au cadre dans lequel ils se déroulent.

Rörstrandsgatan compte de nombreux restaurants et pubs très populaires

Karlbergs Slott, palais datant des années 1630, est l'une des académies militaires de Suède

Dans la grande salle, on admire les stucs magnifiques de Carl Carove. L'église a été rénovée mais les lampes du XVIIe siècle sont d'origine. La « salle des raretés » de l'époque de Magnus Gabriel de La Gardie, qui abrita autrefois des trésors, sert maintenant de sacristie.

Röda Bergen ❿

Plan 2 A2. 🚇 Skt Eriksplan.
🚌 3, 42, 47, 57, 69.

Pour atteindre Matteus Kyrka, église construite en 1902-1903, partez de Sveavägen, puis tournez dans Vanadisvägen. Erik Lallerstedt conçut l'édifice et entreprit sa rénovation vingt ans plus tard. L'effigie de saint Matthieu, à l'entrée, ainsi que les figures des retables, sont l'œuvre d'Ivar Johnsson. Olle Hjortzberg exécuta les peintures murales.

Le quartier de Röda Bergen – « montagnes Rouges » – commence à Vanadisplan avec *Transformation* (1984), une sculpture de plastique de Chris Gibson. Dans cette ville de jardins typique des années 1920, les architectes abandonnèrent le tracé rigide des rues et permirent à ces dernières d'épouser le terrain, comme on le voit à Lärkstaden (p. 111). Après la roseraie de Rödabergsbrinken,

flanquée de Hedemora et Sätertäppan, oasis vertes, s'étire Rödabergsgatan, une avenue bordée de marronniers d'Inde. Une sculpture d'acier moderniste – *Une Sphère et demie*, de Björn Selder (1979) – s'y dresse. À l'arrière-plan, un terrain de jeu est orné d'une statue de Bo Englund, *Genèse* (1984).

Vanadislunden ⓫

Plan 2 B1. 🚌 40, 46, 52. **Vanadis-badet** 📞 30 12 11. 🕐 22 mai-22 août, 10h-18h t.l.j. 🈺 ♿ 🍴 🚻

À Vasastan, nombre de lieux portent le nom de Vanadis, personnage issu de la mythologie nordique. Le quartier situé autour de l'extrémité nord de Sveavägen commença à se développer à la fin du XIXe siècle. Vers 1880, un parc fut élaboré sur la colline voisine, dans lequel les zones cultivées furent créées sur des décharges enterrées. Stefanskapellet,

chapelle sise à l'extrémité sud du parc, et conçue par Carl Möller, architecte de la Johannes Kyrka, fut inaugurée en 1904. Au cours de sa rénovation, de 1925 à 1926, l'édifice se dota d'un autel élaboré par Einer Forseth, les peintures qui l'ornent représentent la Passion.

Il fallut presque un demi-siècle pour terminer Vanadislunden-Vanadisbadet, piscine ouverte, fut inauguré en 1938. Au-dessus du bassin, *Jeune Fille dans le soleil du soir*, la statue d'Anders Jönsson, regarde au-delà de Vasastan. Autour de ce lieu, partie la plus élevée de Vanadislunden, les rues s'ornent de pavés blancs et noirs.

À une certaine époque, le quartier comportait de grandes demeures bourgeoises. L'une d'elles, Cederdals Malmgård, se dresse toujours à l'extrémité nord du parc.

Maisons de Röda Bergen, aux façades typiques de couleur chaude

Norrtull et Nationalstadsparken

Une grande partie de l'Ekoparken, premier parc national urbain du monde, borde le bras de mer de Brunnsviken, à quelques kilomètres au nord du centre ville. L'Hagaparken, parc à l'anglaise, orné de nombreux édifices du XVIIIe siècle, et chanté par le poète Carl Bellman *(p. 98)* s'étend au cœur de cette oasis. Au nord s'élève l'Ulriksdals Slott, majestueux palais baroque. Au sud, sitôt franchi le portail ancien de Norrtull, les visiteurs sont brusquement replongés dans l'univers citadin. Ce quartier comporte plusieurs musées.

Pylonen, bâtiment principal du Wenner-Gren Center

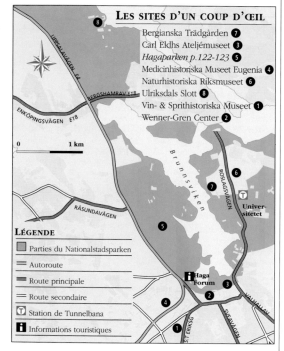

LES SITES D'UN COUP D'ŒIL

Bergianska Trädgården ❼
Carl Eldhs Ateljémuseet ❸
Hagaparken p.122-123 ❺
Medicinhistoriska Museet Eugenia ❹
Naturhistoriska Riksmuseet ❻
Ulriksdals Slott ❽
Vin- & Sprithistoriska Museet ❶
Wenner-Gren Center ❷

0   1 km

LÉGENDE

- Parties du Nationalstadsparken
- Autoroute
- Route principale
- Route secondaire
- T Station de Tunnelbana
- i Informations touristiques

Wenner-Gren Center ❷

Sveavägen 166. **Plan** 2 B1.
🚌 *40, 46, 52, 69.*

L'industriel Axel Wenner-Gren (1881-1961) avait une foi quasi religieuse dans le pouvoir de la science. Au cours des années 1920, il lança des produits tels que l'aspirateur et le réfrigérateur grâce à sa compagnie, Electrolux, qu'il fonda en 1919.

Trois fondations portent son nom, ainsi que Wenner-Gren Center, dont le siège social, Pylonen, (24 étages), se dresse, tel un point d'exclamation, à l'extrémité nord de Sveavägen. Pylonen fut ouvert en 1962, mais Wenner-Gren, qui avait assisté à la cérémonie d'achèvement des travaux, avait alors disparu. Helicon, immeuble semi-circulaire, contient 155 appartements au loyer subventionné, occupés par des savants étrangers présents à Stockholm pour des recherches de longue durée.

La fondation Wenner-Gren fut créée pour encourager les échanges scientifiques entre la Suède et les autres pays. Près de 250 scientifiques y prennent part chaque année. Des symposiums internationaux y sont également organisés.

Vin och Sprithisto-riska Museet ❶

Dalagatan 100. **Plan** 2 A1. 📞 *744 70 70.* 🚇 *S:t Eriksplan.* 🚌 *69.* 🕐 *10h-19h mar., 10h-16h mer.-ven., 12h-16h sam. et dim.* 🎫 ♿ 🚻 📷 ⬛
🌐 *www.vinosprithistoriska.a.se*

Le *punsch* et le *schnapps* suédois constituent le thème de ce musée des Vins et Spiritueux situé dans un ancien entrepôt, conçu et construit en 1923 par Cyrillus Johansson. Alors que le marché du vin déclinait au fil des années, le bâtiment connut d'autres utilisations jusqu'en 1967, date à laquelle la première exposition y fut organisée.

Aujourd'hui, le musée, inauguré en 1989, couvre 1 700 m². Il reconstitue un magasin de vins des années 1900 et une distillerie typique du Sud de la Suède, de la même époque. On y voit également une collection d'épices employées pour le schnaps et les liqueurs, dont 5 000 marques sont représentées.

Les visiteurs peuvent écouter quelque 200 « chansons à boire » grâce à un ordinateur qui contient 2 000 textes de ce type de joyeuses compositions.

Étiquette de schnaps, Vin och Sprithistoriska Museet

Carl Eldhs Ateljémuseum ❸

Lögbodavägen 10, Bellevueparken.
📞 612 65 60. 🚍 40, 46, 52, 53.
🕐 avr. : 12h-16h dim. ; mai : 12h-16h sam. et dim. ; juin-août : 12h-16h mar.-dim. ; sept. : 12h-16h sam. et dim. ; oct. : 12h-16h dim.
🎫 📷 ♿ 🚻 📖 💻

L ögebodavägen n'est pas facile à trouver, mais les visiteurs sont largement récompensés de leur persévérance. Outre un magnifique point de vue sur le bras de mer de Brunnsviken, ils découvriront *Le Jeune Strindberg* dans l'archipel, monument de Carl Eldh (1873-1954). L'atelier du sculpteur, transformé en musée, ne se trouve qu'à quelques mètres. Construit de 1918 à 1919, le bâtiment original fut conçu par Ragnar Östberg, architecte de l'hôtel de ville.

À son époque, Carl Eldh fut l'un des artistes les plus prolifiques de Suède. À l'instar de son collègue Carl Milles, il vécut à Paris quelques années et fut influencé par le style impressionniste de Rodin.

Carl Eldhs Ateljémuseum abrite les gypses originaux de l'artiste

Ses statues, dont les gypses originaux sont exposés dans l'atelier, peuvent être admirées dans seize endroits publics de la capitale. Citons le *Branting Monument*, à Norra Bentorget, la statue de Strindberg à Tegnérparken, et *Les Coureurs*, au Stadion *(p. 110-111)*.

Medicinhistoriska Museet Eugenia ❹

Karolinska Sjukhuset. **Plan** 2 A1.
📞 34 86 20. 🚍 3, 52. 🕐 11h-16h mar., jeu., ven. ; 11h-19h mer. ; 12h-16h dim. 🎫 sur r.-v. ♿ 💻

N on loin de l'hôpital Karolinska, la princesse Eugénie (1830-1889), fille d'Oscar Ier, fonda, en 1879, la maison Eugenia, où des enfants handicapés recevaient des soins et une instruction. La maison fut fermée en 1971 et transformée en musée d'Histoire médicale en 1995. Celui-ci illustre le développement des savoirs et des techniques médicaux, dentaires, pharmaceutiques et infirmiers. Il fait une grande place aux objets et documents des XIXe et XXe siècles ; la pratique de la médecine au Moyen Âge y est également évoquée.

EKOPARKEN NATIONALSTADSPARKEN

Ekoparken, premier parc national urbain, fut institué par le parlement suédois, en 1995. Cet acte permit à la capitale de sauvegarder l'écologie de son « poumon vert », zone de 27 km² au cœur de la ville destinée aux loisirs et aux activités de plein air. Le parc, qui contient des quartiers centraux tels que Skeppsholmen et la partie sud de Djurgården, s'étend au nord-ouest jusqu'à la section septentrionale de Djurgården, Hagaparken, Brunnsviken et Ülriksdal. Au sud, il englobe un secteur de l'archipel, les îles Fjäderholmarna. Terrain de chasse royal dès le XVIe siècle, Ekoparken est constellé de palais magnifiques et de différents centres d'intérêt. Des informations sont

De nombreux hérons nichent à Isbladskärret, Ekoparken

disponibles à Haga Forum *(plan p. 120)*, l'une des entrées du parc. De cet endroit, des bateaux proposent des visites guidées de Brunnsviken, avec des étapes sur les sites les plus importants. Pour plus de renseignements et réservations relatives à l'Ekoparken, appelez le 587 140 40.

Salle d'attente d'un dentiste du XIXe siècle, Medicinhistoriska Museet

Hagaparken ❺

A u milieu du XVIIIᵉ siècle, le roi Gustave III décida de créer un parc royal au sein du quartier populaire de Haga. Fredrik Magnus Piper (1746-1824), architecte en vogue, conçut, avec l'aide de différents architectes et décorateurs éminents, un parc à l'anglaise orné de quelques bâtiments surprenants. La construction d'un château inspiré de celui de Versailles fut entreprise mais interrompue ensuite à la mort du roi : le château ne fut jamais terminé. Aujourd'hui, Hagaparken fait partir d'Ekoparken *(p. 121)*, le premier parc national urbain du monde, véritable oasis de nature et de culture au centre de la capitale.

Le Pavillon de Gustave III, **peint en 1811 par A. F. Cederholm**

Fjärils- et Fågelhuset
Des centaines d'oiseaux et de papillons exotiques volent librement autour des serres. D'une température de 25 °C, elles abritent une végétation tropicale luxuriante, parsemée de cascades.

Haga Park-museum

Les vestiges du palais de Gustave III, jamais terminé.

★ Koppartälten
Ces « tentes romaines » imaginées par Louis Jean Desprez furent terminées en 1790. Autrefois utilisées comme logement ou comme étables, elles abritent aujourd'hui un restaurant, un café et Haga Parkmuseum.

Stora Pelousen
Les pelouses qui s'étendent du Koppartälten au Brunnsviken proposent aux visiteurs, l'été, lieux de bains de soleil et aires de pique-nique, et l'hiver, ski et luge. À l'arrière-plan se dresse le pavillon de Gustave III.

Haga Slott
Construit de 1802 à 1804 pour Gustave IV Adolphe, le palais fut la demeure d'enfance du roi actuel, Carl XVI Gustave, et de ses sœurs. Il est utilisé aujourd'hui pour des réceptions officielles.

Ekotemplet
Cette structure conçue par Louis Jean Desprez vers 1790 était une salle à manger d'été. Son acoustique permettait d'entendre les conversations secrètes.

Kinesiska Pagoden
Illustrant la passion des Suédois du XVIIIe siècle pour tout ce qui était chinois, cette pagode s'imposa tout naturellement à l'architecte Piper.

Ancien Haga

Cimetière royal

★ Pavillon de Gustave III
Olof Tempelman élabora ce chef-d'œuvre gustavien, dont Luis Masreliéz assura la décoration. La somptueuse galerie des Glaces vaut à elle seule une visite.

Pavillon turc

0   2 km

À NE PAS MANQUER

★ **Pavillon de Gustave III**

★ **Koppartälten**

Ours polaire dans un cadre naturel, Naturhistoriska Riksmuseet

Naturhistoriska Riksmuseet ❻

5 km au N de Stockholm. ☎ 519 540 00. ⓣ Universitetet. 🚌 40, 540. ◯ 10h-18h mar. et mer., 10h-20h jeu., 10h-18h ven.-dim. (et 10h-18h lun en juin-juil.10h-18h lun.). ☑ sur r.-v. 📷 ♿ 🅿️ 🛒 🍴 Ⓦ www.nrm.se

Terminé en 1916, le vaste musée d'Histoire naturelle fut conçu par Axel Anderberg et décoré par Carl Fagerberg. Cette vénérable institution, fondée en 1739 par Carl von Linné (1707-1778), au sein de la Vetenskapsaka-demien (académie des Sciences), est l'une des dix plus grandes dans le monde. Le nombre d'objets accumulés au fil des siècles se monte aujourd'hui à 17 millions environ.

Au cours des années 1900, le musée fut modernisé dans le but de fournir « une connaissance basée sur l'expérience ». Des expositions temporaires s'ajoutent aux trois collections permanentes. Le secteur « 1,45 milliard d'années » permet aux visiteurs de se familiariser avec les dinosaures et les premiers êtres humains. « La Vie et

l'eau » présente les plus petites créatures vivant sous l'eau et les géants de la mer. Pingouins, lions de mer et ours polaires attendent les curieux dans « Les Régions polaires ».

Au cours des années 1980, le restaurant et la cour intérieure du musée ont été modernisés par Nils Stenqvist, Gunnar Larsson et Pål Svensson. Dans les années 1990, l'édifice a été considérablement agrandi et le Cosmonova, élaboré par Uhlin et Malm, à la fois planétarium et salle IMAX, qui abrite un écran en forme de dôme 25 fois plus grand qu'un écran ordinaire, a ouvert ses portes.

Le *Vega Monument* fut érigé en 1930 devant le musée pour célébrer le 50ᵉ anniversaire du retour d'Adolf Erik Nordenskiöld, après son premier voyage à travers le passage maritime du Nord-Est à bord de la *Vega*. Créé par Ivar Johnsson, cet obélisque de granit est surmonté d'un bateau de cuivre.

Lump, Naturhistoriska Riskmuseet

Bergianska Trädgården ❼

5 km au N de Stockholm. ☎ 15 65 45. ⓣ Universitetet. 🚌 40, 540. **Edvard Andersons Växthus** ◯ 11h-17h t.l.j. **Victoriahuset** ◯ mai-sept. : 11h-17h t.l.j. ; oct. : 11h-17h sam. et dim. 📷 ☑ ♿ 🅿️ 🛒 Ⓦ www.bergianska.se

Bergianska Trädgården abrite plus de 9 000 espèces de plantes dans de magnifiques décors naturels. On y admire principalement le jardin d'herbes très bien classifiées ; le parc, avec ses plates-bandes ; les serres Victoriahuset et Edvard Anderson Växthus ; ainsi que les zones consacrées aux fruits, aux baies, aux épices et aux plantes médicinales. Un potager s'étend à l'ombre d'une haie d'épicéas.

Le jardin comporte également des arbres et arbustes d'Europe septentrionale, d'Asie et d'Amérique, ainsi que des parterres de fleurs nordiques et méditerranéennes, en particulier des rhododendrons. Le spectacle printanier de bulbes fleuris est le résultat de 100 ans de soins assidus. Le bassin japonais fut ajouté en 1991 pour le 200ᵉ anniversaire de la fondation Bergius, qui permit la création de cet espace précieux.

La serre Victoria, Victoriahuset (1900) abrite des plantes aquatiques tropicales, des plantes utilitaires et des épiphytes, tandis que la serre ultra-futuriste Edvard Andersons Växthus (1995) possède de vastes sections de végétaux méditerranéens et tropicaux.

La serre Edvard Anderson Växthus abrite des plantes méditerranéennes et tropicales, Bergianska Trädgården

La magnifique façade baroque d'Ulriksdals Slott, vue du parc

Ulriksdals Slott ❽

7 km au N de Stockholm.
☎ *402 61 30.* 🚌 *503.* **Palais**
○ *mai-août : 10h-16h t.l.j. ; sept. :*
10h-16h sam. et dim. **Orangerie**
○ *mai-août : 10h-16h t.l.j. ; sept. :*
10h-16h sam. et dim. ; oct.-avr. : 12h-
16h dim. **Carrosse du couronnement**
🚌 *mai-août : 13h40 et 15h40 t.l.j.*
🚫 📷 ♿ 🚻 🍴 🛒

Situé entre les deux routes
principales menant au nord
de Stockholm, E4 et
Norrtäljevägen, le palais
s'élève sur un promontoire
dans la baie d'Edsviken.
Ses élégants bâtiments situés
dans un magnifique cadre de
verdure, méritent une visite.
À l'entrée du domaine, se
trouve Ulriksdals Wärdshus,
l'un des restaurants les plus
réputés de la capitale *(p. 163)*.

Le palais original, conçu
par Hans Jakob Kristler dans
les styles Renaissance
flamande et allemande,
fut construit vers 1640.
Son propriétaire, Jakob de La
Gardie, maréchal du royaume,
le baptisa Jakobsdal. Acheté
en 1669 par la reine
douairière Hedvig Eleonora,
il fut offert à son petit-fils
Ulrik en cadeau de baptême
quinze ans plus tard et fut
alors renommé Ulriksdal.
À cette époque, Tessin
l'Ancien *(p. 37)*, architecte
royal, suggéra quelques
travaux de reconstruction,
dont la plupart resta à l'état de
projet – on peut toutefois
admirer les stucs de Carlo
Carove, dans l'aile sud. Au
XVIIIᵉ siècle, l'édifice acquit sa
façade baroque. Après avoir

été le cadre de nombreuses
fêtes à l'époque de Gustave III
(1746-1792), le palais
commença à perdre de son
attrait ; pendant une période,
il fut utilisé même comme
résidence pour invalides
de guerre.

Sous le règne de
Charles XV (1826-1872), il
suscita un regain d'intérêt.
Aujourd'hui, de nombreux
meubles et objets artisanaux
remontant à plusieurs siècles,
y sont exposés. Le salon de
Gustave VI Adolphe (1882-
1973), dans la salle des
Chevaliers reconstruite, abrite
un mobilier signé Carl
Malmsten, grand architecte et
décorateur. La suite fut offerte
en 1923 par le peuple suédois
à son prince héritier, lorsqu'il
épousa Louise Mountbatten.
Un nouvel escalier fut érigé
à la même époque, d'après
un projet élaboré par Tessin
l'Ancien, 250 ans auparavant.

Le parc, tracé au milieu
du XVIIᵉ siècle, abrite
des tilleuls vieux de 300 ans,
ainsi que l'une des hêtraies

les plus septentrionales
d'Europe. Deux statues d'ours
sauvages de Carl Milles se
dressent près du bassin,
devant le palais. Une
passerelle soutenue
par des sculptures de Per
Lindgren, *Maures traînant
les filets*, traverse un ruisseau.
L'orangerie, élaborée par
Tessin l'Ancien dans les
années 1660 et reconstruite en
1705, abrite différentes
œuvres d'art et un musée
de sculptures.

C'est d'Ulriksdal que partit
la procession du
couronnement de la reine
Christine, en 1650. Selon
la légende, lorsque la reine
atteignit la ville, la fin du
cortège n'avait pas encore
quitté le palais. Dans l'une
des étables, on peut admirer
une copie du carrosse
de la souveraine. Un manège,
bâti en 1671, fut reconverti
en théâtre par Carl Hårleman
et C. F. Adelcrantz vers 1750.
Baptisé Confidencen,
il accueille des représentations
chaque été *(p. 168)*.

Statue exposée dans l'orangerie du XVIIᵉ siècle, Ulriksdals Slott

Söder

Söder, ou Södermalm, qui semble jaillir au-dessus de l'eau, est une ville au caractère et au dialecte propres. Bordées d'anciens cottages de bois, ses pentes offrent des panoramas de Stockholm. La topographie spectaculaire de Söder a fait naître des parcs inclinés, entrecoupés de zones bâties comportant des lotissements. Pourvu de magasins, de bars, de restaurants et de lieux de sortie nocturne, le quartier s'orne de bâtiments très modernes. Au sud se trouvent le Globen, stade couvert impressionnant, et le cimetière de Skogskyrkogården, classé au Patrimoine mondial de l'Unesco.

Tours de Mariaberget sur la pente d'une colline, près de Slussen

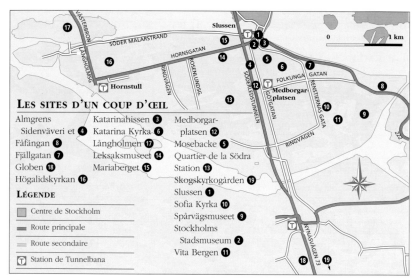

LES SITES D'UN COUP D'ŒIL

Almgrens
    Sidenväveri et ❹
Fåfängan ❽
Fjällgatan ❼
Globen ⑱
Högalidskyrkan ⑯

Katarinahissen ❸
Katarina Kyrka ❻
Långholmen ⑰
Leksaksmuseet ⑭
Mariaberget ⑮

Medborgar-
    platsen ⑫
Mosebacke ❺
Quartier de la Södra
    Station ⑬
Skogskyrkogården ⑲
Slussen ❶
Sofia Kyrka ⑩
Spårvägsmuseet ❾
Stockholms
    Stadsmuseum ❷
Vita Bergen ⑪

LÉGENDE

▢ Centre de Stockholm

▬ Route principale

═ Route secondaire

🆃 Station de Tunnelbana

Slussen ❶

Plan 4 C4. 🆃 *Slussen.* 🚌 *3, 43, 46, 53, 55, 59 76.* ⛴ *Djurgårdsfärja.*

L'accroissement du trafic au début des années 1900 transforma la rue étroite reliant Södermalm à Gamla Stan en un goulot d'étranglement. Tous les bateaux qui naviguaient entre le lac Mälaren et la mer Baltique devant franchir les écluses situées à cet endroit, la voie terrestre était confinée à un pont étroit. Cette congestion fut améliorée en 1928, lorsqu'un nouveau canal dévia une partie du trafic maritime. Cependant, il fallait trouver une solution plus radicale. Un système de ronds-points, conçu par Tage William-Olsson et Gösta Lundborg, fut mis en place en 1935 ; il était si bien élaboré qu'il se révéla parfaitement adapté à l'adoption de la conduite à droite, en 1967.

Sur Slussplan se dresse une statue de bronze de Charles XIV à cheval, de Bengt Fogelberg. Elle fut inaugurée en 1854 par Oscar Ier pour le 40e anniversaire de l'union entre la Suède et la Norvège (1814-1905). Vers la même époque, les écluses furent reconstruites, avec une nouvelle machinerie, créée par Nils Ericsson. Aujourd'hui, elles sont surtout utilisées par les bateaux de plaisance dont les manœuvres déconcertantes font la joie des badauds.

Bien que l'érection du Västerbron et de la rue Söderleden ait soulagé le trafic, Slussen reste un carrefour très emprunté, nécessitant une restauration complète.

L'échangeur de Slussen fut mis en place en 1935

Stockholms Stadsmuseum ❷

Ryssgården. **Plan** 4 B5.
📞 508 316 00. 🚇 Slussen. 🚌 3,
43, 46, 53, 55, 59, 76. 🕐 11h-17h
mar.-dim. (et 17h-21h jeu., sept.-mai ;
et 17h-19h jeu., juin-août). 🎫 📷
🖼️ ♿ 🏛️ 🛒

S erré entre les ronds-points de Slussen et la colline qui mène à Mosebacke Torg, le Stockholms Stadsmuseum (musée de la Ville) est abrité dans un bâtiment de la fin du XVIIᵉ siècle, conçu à l'origine par Tessin l'Ancien pour être le Södra Stadshuset (hôtel de ville sud). Cet édifice fut terminé, après un incendie, par Tessin le Jeune, en 1685. Il connut diverses utilisations au fil des siècles – cour de justice, prison, école, entrepôt, théâtre et église – puis devint le musée de la Ville vers 1930.

L'histoire de Stockholm et de ses habitants y est illustrée. Un diaporama et quatre expositions permanentes retracent les étapes principales du développement de la capitale. La première s'ouvre

Enseigne de Stomatol

sur le « Bain de sang de Stockholm » de 1520 (p. 16 et 54) et se poursuit avec l'histoire de la ville au XVIIᵉ siècle. Le XVIIIᵉ siècle, riche en événements, est évoqué par des pièces incluant le trésor de Lohe – 20 kg d'objets en argent découverts à Gamla Stan en 1937. Les autres sections représentent l'industrialisation du XIXᵉ siècle et la croissance extraordinaire

du XXᵉ siècle, qui vit l'émergence d'un nouveau centre-ville et de nombreuses banlieues.

La bibliothèque comporte des archives picturales importantes et une salle de référence où les visiteurs peuvent trouver pratiquement tout ce qu'ils cherchent sur Stockholm. Le musée propose des concerts, des conférences et des activités pour les enfants.

Katarinahissen ❸

Stadsgården. **Plan** 4 C5.
🚇 Slussen. 🚌 3, 43, 46, 53, 55, 59,
76. 🕐 7h30-22h lun.-sam., 10h-22h
dim. ♿ 🍽️ ≈

K atarinahissen, l'ascenseur de Catherine, est la plus ancienne des attractions de Stockholm. Cette tour de 38 mètres de haut, ouverte au public en mars 1883, dessine toujours sur la ligne des toits de Söder. Elle fut surmontée, en 1909, de la première enseigne au néon de Suède, – pour une publicité du légendaire dentifrice Stomatol – ; vers 1930, celle-ci fut transférée sur un toit voisin.

L'ascenseur original était mû à la vapeur. Électrifié en 1915, il fut remplacé vers 1930 par une nouvelle machine lorsque la KF, association de coopératives, construisit ses nouveaux bureaux à Slussen. Au cours de sa première année, l'ascenseur fut utilisé

Métier à tisser du XIXᵉ siècle, Almgrens Sidenväveri

par plus d'un million de personnes ; en 1945, il conduisit 1,8 million de passagers – par l'intermédiaire de la passerelle située au sommet –, entre Slussen et Mosebacke Torg. Chaque année 500 000 curieux viennent admirer sa vue spectaculaire de la ville.

Almgrens Siden-väveri ❹

Repslagargatan 15 a. **Plan** 9 D2.
📞 642 56 16. 🚇 Slussen. 🚌 59.
🕐 8 août-24 juin : durant visites
guidées et 14h-17h lun.-jeu., 9h-16h
ven. ; 25 juin-7 août : seul. durant
visites guidées. 🎫 durant et hors
heures ouverture, tél. pour précisions.
🖼️ 🏛️ 🌐 www.kasiden.se

K arl August Almgren fut, en 1833, le fondateur de la fabrique de tissage de soie Almgren aujourd'hui transformée en musée. En 1825, alors qu'il effectuait un voyage d'études en France, à Lyon et à Tours, Almgren découvrit le système à cartes perforées qui était l'un des secrets de la prééminence française dans le domaine de la soie. Il rentra en Suède avec des esquisses de métiers modernes et ouvrit sa propre fabrique, qui domina bientôt le marché.
Vers 1700, Stockholm comptait plus de trente manufactures de tissage.

La famille Almgren poursuivit ses activités jusqu'en 1974, date de fermeture de la fabrique. Les locaux, restés intacts, furent transformés en musée en 1991. Dans la salle de travail, une boutique vend des textiles. La pièce où les appareils à vapeur étaient regroupés abrite maintenant une salle de banquet, aux décorations du XIXᵉ siècle très bien conservées.

Katarinahissen, avec Stockholms Stadsmuseum à l'arrière-plan

Bastugatan, l'une des rues du XVIIIᵉ siècle de Mariaberget

Mariaberget ⑮

Plan 8 C2. Ⓣ *Mariatorget.*
🚌 *43, 55.*

En 1759, un incendie détruisit les anciens bâtiments de Mariaberget. Le quartier fut reconstruit conformément à la loi de 1736 interdisant les structures de bois dans cette partie de Söder. Les maisons de pierre érigées au XVIIIᵉ siècle, qui s'étagent sur les pentes de la colline jusqu'à Riddarfjärden, constituent l'un des éléments les plus pittoresques de Stockholm. Préservées des outrages du temps, elles s'alignent le long de rues et d'allées sinueuses.

À la fin du XXᵉ siècle, un programme de conservation fut élaboré pour sauvegarder l'héritage culturel de Mariaberget, ainsi que la perspective sur Riddarfjärden. Près de Bastugatan, une belle promenade, Monteliusvägen, suit le rivage rocheux. Un nouvel escalier mène au quai Mälarstrand.

L'écrivain Ivar Lo-Johansson (1901-1990) vécut à Mariaberget pendant plus d'un demi-siècle. Son buste orne un petit parc qui porte son nom. C. M. Bellman *(p. 98)* qui naquit dans ce quartier, préféra par la suite Haga et Djurgården.

Mariaberget forme un contraste plaisant avec Hornsgatan, artère au trafic intense, bordée de galeries et de magasins d'antiquités. Lorsque cette voie fut surélevée et élargie, en 1901, elle exposa aux regards plusieurs bâtiments du XVIIIᵉ siècle. Du côté opposé d'Hornsgatan se dresse Maria Magdalena Kyrka, sur un site comportant des édifices religieux depuis le XIVᵉ siècle. L'église fut érigée en 1763 à l'emplacement d'une église de 1634, détruite par un incendie en 1759.

Högalidskyrkan ⑯

Högalids Kyrkväg. **Plan** 1 C5.
📞 616 88 00. Ⓣ *Hornstull.*
🚌 *4, 66, 74.* ⏰ *11h-18h lun.-ven., 11h-14h sam., 10h-16h dim.*
✝ *12h mer., 11h dim.* ♿ 🅿

Les tours jumelles octogonales d'Högalidskyrkan permettent d'apercevoir l'église de nombre d'endroits de la ville. Ce bâtiment de briques impressionnant, de style romantique national, fut conçu par Ivar Tengbom et achevé en 1923 ; le columbarium fut ajouté en 1939. La décoration intérieure, exécutée par maints artistes et artisans éminents, porte également l'empreinte de ce célèbre architecte.

Gunnar Torhamn réalisa le crucifix, le plus grand de toute la Scandinavie et les fresques

de la chapelle baptismale, ainsi que les ornements de la chaire et de la tribune d'orgue. Le retable, d'inspiration byzantine, fut créé par Erik Jerke. Dans la chapelle du cimetière, sous le chœur, Einar Forseth réalisa une mosaïque d'abside en utilisant les mêmes techniques qu'il employa pour la Gyllene Salen (salle Dorée) du Stadshuset *(p. 114-115).*

Ce lieu de culte comporte également des éléments très anciens. Les fonts baptismaux datent du XVIᵉ siècle et le chandelier à sept branches qui orne l'autel remonte au XVIIIᵉ siècle.

Terrain d'exercice dans l'ancienne prison royale de Långholmen

Långholmen ⑰

Plan 1 B5. Ⓣ *Hornstull, puis 3 min de marche.* 🚌 *66.* ⛴

Sous le majestueux Västerbron *(p. 113)* s'étend l'île de Långholmen, reliée à Södermalm par deux ponts. Cet endroit est célèbre pour les geôles diverses qui y furent érigées depuis 1724. Au XXᵉ siècle, Långholmen abritait la plus vaste prison de Suède, (620 détenus). Après sa fermeture en 1975, la prison fut transformée en lieu de détente.

Les bâtiments de la prison furent détruits en 1982, à l'exclusion de l'ancienne geôle royale, de 1835. Les anciennes cellules furent en partie transformées en hôtel et en un musée de la Prison. L'île compte également une auberge de jeunesse, un excellent restaurant, un petit musée consacré au poète C. M. Bellman et un café, au milieu des jardins qui ornent la pente jusqu'à Riddarfjärden.

Le parc de Långholmen, qui s'enorgueillit d'un théâtre en plein air, offre des baignades très agréables.

Les tours jumelles d'Högalid-skyrkan sont visibles de loin

Globen ⓲

3 km au S de Stockholm.
🚇 *Globen.* 📞 *725 10 00.*
🕐 *lors des manifestations.* ♿ ▯
🌐 www.globen.se

Depuis 1989, Stockholm s'enorgueillit d'un nouvel emblème, Globen. Ce stade couvert, le plus grand bâtiment sphérique du monde, a donné à la partie sud de la ville une silhouette entièrement nouvelle.

Conçu par le cabinet d'architectes Berg, Globen, d'une circonférence de 690 mètres, et d'une hauteur de 85 mètres, abrite des écrans de 13 m². Globen City qui a jailli autour du stade comporte, parmi nombre de services, plus de 150 boutiques et des hôtels.

Le globe géant propose un vaste programme, avec 125 manifestations annuelles. En 1989, il accueillit le championnat du Monde de hockey sur glace, puis de nombreux championnats internationaux – handball, boules, lutte et *bandy* (sorte de hockey). Des championnats d'Europe de gymnastique, d'athlétisme et de volley-ball, ainsi que de grands concours équestres y eurent également lieu.

Le stade organise des concerts des plus grands artistes planétaires, tels que Pavarotti, Sinatra, les Rolling Stones ou Bruce Springsteen – ce dernier attira un public record de 16 357 spectateurs. Le pape Jean-Paul II et Nelson Mandela y firent aussi des apparitions publiques.

La silhouette de Globen domine les quartiers environnants

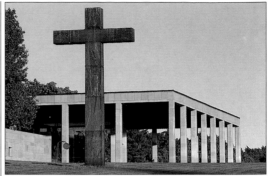
La chapelle de la Sainte-Croix de Gunnar Asplund, Skogskyrkogården

Skogskyrko-gården ⓳

6 km au S de Stockholm.
📞 *508 301 00.* 🚇 *Skogskyrko-gården.* 🚌 *17h lun.* ♿ ▯

La nature s'associe à de splendides édifices pour composer le cadre harmonieux du cimetière de Skogskyrko-gården, qui fait partie du Patrimoine mondial de l'Unesco.

Situé dans une pinède, il constitue un décor austère approprié aux chapelles et au crématorium.

En 1914, Gunnar Asplund *(p. 117)* et Sigurd Lewerentz furent choisis parmi de nombreux candidats pour élaborer ce site car leurs propositions en préservaient le caractère particulier. La première réalisation importante d'Asplund, Skogskapellet (chapelle des Bois), avec son toit de bardeaux pentu, fut

Épitaphe de Gunnar Asplund

inaugurée à la même époque que le cimetière. Elle fut suivie, cinq ans plus tard, d'Uppståndelsekapellet (chapelle de la Résurrection), conçue par Lewerentz.

En 1940, le dernier grand ouvrage d'Asplund, Skogskrematoriet (crématorium des Bois), fut achevé, ainsi que ses trois chapelles représentant la Foi, l'Espoir et la Sainte Croix, situées le long de Korsets Väg. *La Résurrection*, de John Lundqvist, se dresse dans la salle ornée de colonnes de Heliga Korsets Kapell – la plus vaste des trois – décorée par Carl Milles, Sven Rrixson et Gunnar Torhamn. Jouxtant ce bâtiment, s'élève la croix de granit noir d'Asplund.

Un parc-mémorial fut ajouté en 1961 sur les pentes boisées au nord-ouest de la chapelle ; la colline de la Méditation s'étend vers l'ouest.

Skogskyrkogården est la dernière résidence de quelques célébrités, dont Greta Garbo.

GRETA GARBO

L'une des plus grandes stars de cinéma du XXᵉ siècle, la légendaire Greta Garbo naquit en 1905 dans un humble faubourg de Södermalm. Admise à 17 ans à la Dramaten, académie théâtrale, elle fit ses débuts au cinéma dans *Peter le Vagabond*. Son premier grand succès fut *La Légende de Gösta Berling*, film de Mauritz Stiller d'après le roman de Selma Lagerlöf. L'année suivante, elle partit pour Hollywood, dont elle devint la reine incontestée, et tourna 24 films, dont *Anna Karénine* (1935) et *Camille* (1936). Célibataire, elle mena une vie solitaire jusqu'à sa mort, en 1990. Ses cendres reposent au cimetière de Skogskyrkogården depuis 1999.

Garbo dans *Comme tu me veux* (1932)

Excursions autour de Stockolm

Stockholm est entourée d'un paysage naturel magnifique qui constitue un cadre idéal pour des excursions. Petites villes idylliques, châteaux majestueux et sites préhistoriques constellent les rives ouest du lac Mälaren. À l'est s'étendent les îles de l'archipel, accessibles par un service de bateaux régulier. Les visiteurs, après un splendide voyage sur l'eau, admireront les maisons de bois traditionnelles et profiteront des hôtels et auberges de jeunesse accueillants. Des régates annuelles attirent une foule d'admirateurs enthousiastes du monde entier.

LÉGENDE

▬▬	Autoroute
▬▬	Route principale
═══	Route secondaire
───	Voie ferrée

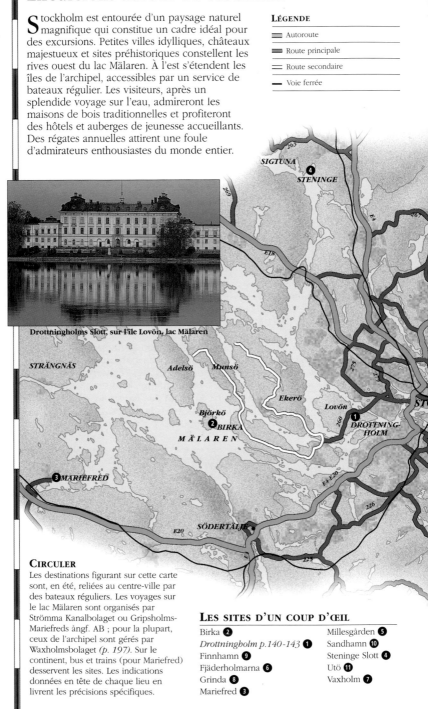

Drottningholms Slott, sur l'île Lovön, lac Mälaren

CIRCULER

Les destinations figurant sur cette carte sont, en été, reliées au centre-ville par des bateaux réguliers. Les voyages sur le lac Mälaren sont organisés par Strömma Kanalbolaget ou Gripsholms-Mariefreds ångf. AB ; pour la plupart, ceux de l'archipel sont gérés par Waxholmsbolaget *(p. 197)*. Sur le continent, bus et trains (pour Mariefred) desservent les sites. Les indications données en tête de chaque lieu en livrent les précisions spécifiques.

LES SITES D'UN COUP D'ŒIL

Birka ❷	Millesgården ❺
Drottningholm p.140-143 ❶	Sandhamn ❿
Finnhamn ❾	Steninge Slott ❹
Fjäderholmarna ❻	Utö ⓫
Grinda ❽	Vaxholm ❼
Mariefred ❸	

EXCURSIONS EN BATEAU À VAPEUR

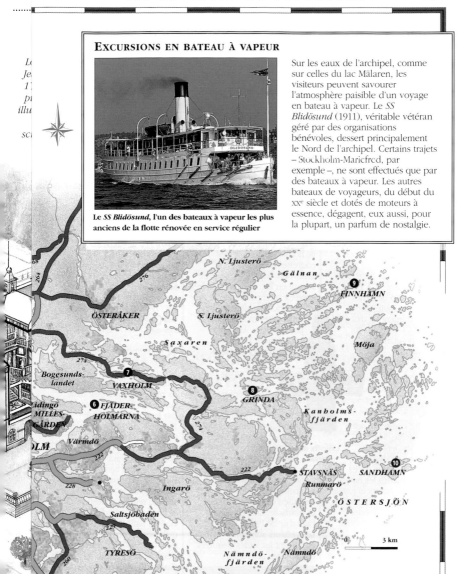

Le *SS Blidösund*, l'un des bateaux à vapeur les plus anciens de la flotte rénovée en service régulier

Sur les eaux de l'archipel, comme sur celles du lac Mälaren, les visiteurs peuvent savourer l'atmosphère paisible d'un voyage en bateau à vapeur. Le *SS Blidösund* (1911), véritable vétéran géré par des organisations bénévoles, dessert principalement le Nord de l'archipel. Certains trajets – Stockholm-Mariefred, par exemple –, ne sont effectués que par des bateaux à vapeur. Les autres bateaux de voyageurs, du début du xxe siècle et dotés de moteurs à essence, dégagent, eux aussi, pour la plupart, un parfum de nostalgie.

Huvudskär, à l'extrémité de l'archipel

À la découverte de Drottningholm

Le Palais royal de Drottningholm s'enorgueillit du théâtre de la Cour (Slottsteatern), le plus ancien théâtre encore en activité, du musée du Théâtre (Teatermuseum) et de l'élégant Pavillon chinois. Cet ensemble, situé sur une rive du lac Mälaren, est entouré de jardins baroque et rococo et d'un parc à l'anglaise luxuriant. En été, des joutes y sont organisées ; le théâtre accueille opéras et ballets ; l'église abrite grand-messes et concerts.

Les peintures de la galerie de Charles XI illustrent la victoire de Lund, 1667

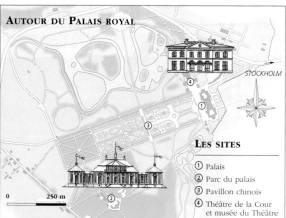

AUTOUR DU PALAIS ROYAL

STOCKHOLM

0   250 m

LES SITES

① Palais
② Parc du palais
③ Pavillon chinois
④ Théâtre de la Cour et musée du Théâtre

APPARTEMENTS

La première chose que l'on voit en pénétrant dans les appartements est un couloir baroque offrant une vue sur les splendides jardins. La partie centrale du Palais royal est dominée par l'escalier. Couronné d'une lanterne surmontée de peintures d'Ehrenstrahl, il s'orne de stucs baroques de Giovanni et Carlo Carove. Des effigies de marbre des neuf muses, accompagnées de leur protecteur, Apollon, sont situées aux angles des balustrades.

On atteint le salon Vert à partir du vestibule inférieur en traversant la salle des gardes nord. Celle-ci ouvre la visite de la suite impériale, prolongée par la galerie de Charles X où des tableaux illustrent le plus grand exploit militaire du roi, la traversée, par son armée, du Grand-Belt gelé, en 1657. La reine Hedvig Eleonora (1636-1715) accordait audience dans

le salon Ehrenstrahl, baptisé du nom de l'artiste et dont les peintures parent les murs. Les invités les plus importants étaient reçus dans la salle officielle qui, ultérieurement, servit de chambre à coucher à la reine Lovisa Ulrika. La porcelaine de cette dernière est exposée dans le cabinet Bleu ; sa collection de plus de 2 000 livres, dans la bibliothèque. Derrière la salle des gardes supérieure nord, au plafond peint par Johan Sylvius, se trouve un salon gustavien comportant un bureau de Johan Niklas Eckstein. En 1777, lorsque Gustave III arriva au pouvoir, le salon Bleu fut remis à neuf dans le style néoclassique.

Utilisé comme chambre à coucher par le roi Adolphe-Frédéric, le Salon chinois, situé juste au-dessus de la salle officielle de la reine, est relié à celle-ci par un escalier secret. Le « bureau » qui

Médaillon opposant la vie et la mort

fait face au poêle de faïence peut se transformer en sofa. La chambre d'Oscar, remeublée par Oscar Ier (1799-1859), est décorée d'une tapisserie remontant à 1630. Après la salle du Général, la galerie de Charles XI commémorant la victoire de Lund (1667), et le salon Doré, on entre dans le salon de la Reine. Alors que la pièce voisine s'orne des portraits de tous les monarques européens, celle de la Reine contient les effigies des souveraines. La visite de cet étage se termine par la salle des gardes supérieure sud, antichambre de la Salle officielle, richement décorée de stucs et de peintures par les Carove et Johan Sylvius.

PAVILLON CHINOIS

En 1753, pour ses 33 ans, la reine Lovisa Ulrika se vit offrir un Pavillon chinois par son époux, le roi Adolphe-Frédéric. Durant la nuit qui précédait l'anniversaire, cet édifice, fabriqué à Stockholm, fut transporté par bateau à Drottningholm, puis assemblé à quelques centaines de mètres du Palais royal. Démantelé au bout de dix ans

Le Pavillon chinois, fantaisie d'or, de rouge et de bleu

car la rouille s'y était installée, il fut remplacé par le Pavillon chinois actuel (Kina Slott). Conçu par D. F. Adelcrantz (1716-1796), ce petit château aux murs de tuiles vernies constitue l'une des attractions majeures de Drottningholm.

À l'époque, l'Europe s'enthousiasmait pour tout ce qui venait de Chine. En 1733, La Compagnie des Indes orientales, qui venait d'être fondée, avait accompli son premier voyage vers ce pays. Après la mort de Lovisa Ulrika, en 1782, cet engouement s'évanouit, pour renaître vers 1840. Afin de redonner à Kina Slott son apparence originale, des objets chinois et japonais furent rassemblés selon un inventaire de 1777.

Quatre pavillons plus petits sont rattachés au Pavillon chinois. Dans le bâtiment nord-est, le roi avait fait installer

Poêle de faïence dans un cabinet du Pavillon chinois

son tour et son établi de menuisier ; lorsqu'il y travaillait, il prenait ses repas dans le pavillon Confidencen : la cuisine était préparée au sous-sol, le plancher s'écartait et une table était hissée. La « tente de garde », de style turc, construite pour loger les dragons de Gustave III, abrite maintenant un musée se rapportant au domaine.

PARC DU PALAIS ROYAL

Les trois jardins du Palais, de caractère totalement différent, s'unissent pourtant en un tout harmonieux. Le symétrique jardin à la française commença à prendre forme en 1640. Conçu pour stimuler tous les sens, associant perspectives, sons et odeurs, il s'étend de la terrasse du Palais, parterre « de dentelle », jusqu'à la statue d'Hercule. Situé légèrement en hauteur, le plan aquatique se pare de cascades et d'arbustes taillés de façon artistique. Les sculptures,

essentiellement réalisées par l'artiste flamand Adrian de Vries (1560-1626), à l'origine trophées de guerre, furent rapportées de Prague en 1648 et de Fredriksborg, au Danemark, en 1659.

Les allées de marronniers furent tracées lorsque le Pavillon chinois fut terminé, ainsi que le jardin rococo, compromis entre le jardin à la française et le parc à l'anglaise, de composition plus libre. Ce dernier, qui comporte des chemins naturels et un ruisseau constellé de petites îles, ainsi que des arbres et arbustes savamment plantés à intervalles irréguliers, aurait été élaboré par Gustave III. Tous les plans du roi ne furent pas réalisés, mais il enrichit le lieu de quatre statues, rapportées de ses voyages en Italie. Les 300 premiers tilleuls – sur un total actuel de 846 – furent plantés dès 1684, le long des allées bordant le jardin baroque.

THÉÂTRE DE LA COUR ET MUSÉE DU THÉÂTRE

Carl Fredrik Adelcrantz, architecte du Pavillon chinois, élabora également, à la demande de la reine Lovisa Ulrika, le théâtre de la Cour

La machinerie du théâtre de la Cour fonctionne toujours

La somptueuse scène du théâtre de la Cour, Drottningholm

(Slottsteatern), qui date de 1766. Toutefois, il disposa pour ce travail de ressources moins abondantes que les architectes chargés du Palais royal. Ce simple bâtiment de bois à façade de plâtre est le plus ancien théâtre au monde conservé en l'état. L'intérieur et les installations sont des chefs-d'œuvre de simplicité pratique : les pilastres en gypse s'encastrent dans des supports de papier mâché ; les décors sont mus par une machinerie de bois manuelle, qui fonctionne toujours.

Après la mort de Gustave III, en 1792, le théâtre fut abandonné jusque vers 1920. À cette date, les cordes de la machinerie furent remplacées, l'éclairage électrique installé et les coulisses réaménagées.

Les décors, adaptés aux pièces du XVIIIᵉ siècle, peuvent être changés en quelques secondes par 30 machinistes. Les effets sonores sont très simples : une boîte de bois remplie de pierres fait naître un tonnerre réaliste, un cylindre de bois couvert de toile de tente produit un vent hurlant. Chaque été sont données des représentations, d'opéras et de ballets, en particulier. Le théâtre est ouvert tous les jours aux visiteurs du domaine.

Le pavillon du duc Carl, érigé en 1780, abrite un musée du Théâtre et une boutique. Le musée, qui se consacre au théâtre du XVIIIᵉ siècle, expose des esquisses de décors, des peintures, des maquettes et des costumes. La salle Commedia dell'arte contient des peintures de Pehr Hilleström et des dessins de Jean-Louis Desprez illustrant les productions dramatiques de Gustave III.

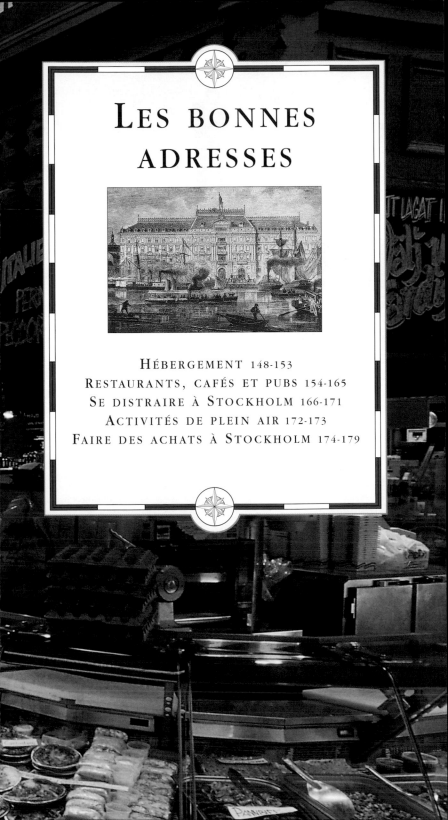

LES BONNES
ADRESSES

HÉBERGEMENT

Portier

Les hôtels de Stockholm rayonnent autour de Blasieholmen, où le Grand Hôtel propose un séjour tout aussi princier que le Palais royal, situé du côté opposé du Norrström. À quelques pas, est amarré l'*af Chapman*, un voilier qui abrite l'une des plus belles auberges de jeunesse du monde. Le style architectural des hôtels de la capitale, moins grandiose que celui des établissements de l'Europe méridionale, est largement compensé par la situation des premiers, offrant fréquemment une vue spectaculaire, et par leur très haut niveau de confort et de service. La liste proposée *(p. 150-153)*, qui répertorie une cinquantaine d'hôtels à Stockholm ou dans sa périphérie, comporte des types d'hébergement s'adressant à toutes les catégories de budgets.

La façade de l'élégant Hotell Diplomat *(p. 152)*

CHOIX D'UN HÔTEL

Le prix des chambres d'un superbe hôtel très bien situé est en rapport avec les prestations offertes. Si la plupart des établissements de Stockholm entrent dans une catégorie relativement élevée, il existe également des hôtels pour petits budgets tout à fait corrects, parfois avec douche et toilettes dans le couloir.

La douzaine d'auberges de jeunesse, souvent très confortables et les nombreuses chambres d'hôtes (bed and breakfast) constituent l'hébergement le plus économique.

Stockholm compte de nombreux congrès aussi les hôtels sont-ils remplis à 80 % entre mai et novembre ; il est donc recommandé de réserver longtemps à l'avance. En revanche, juillet est un mois creux.

Il est également conseillé d'éviter les périodes de foires commerciales ou d'événements tels que le marathon de Stockholm, au mois de juin. Le calendrier des manifestations du Stockholm Information Service (SIS), qui peut-être envoyé par Internet (www.stockholm.com), permet de savoir quelles sont les périodes de grande affluence.

COMMENT RÉSERVER ?

Si vous ne passez pas par l'intermédiaire de votre agence de voyages, vous pouvez vous présenter au guichet de l'agence de réservation du SIS, **Hotellcentralen**, ou vous adresser à son site Internet. Ce dernier, très convivial, propose un formulaire (en anglais) qu'il suffit de compléter et de renvoyer par e-mail. L'agence regroupe des hôtels situés dans toute la ville principale ainsi que dans l'archipel et la vallée du lac Mälaren. Les réservations sur Internet et par téléphone sont gratuites, mais une commission est à prévoir pour les réservations au guichet.

Bien entendu, il vous est possible de réserver directement auprès de l'hôtel, par téléphone, par fax, et la plupart du temps par Internet. Les adresses

Hall du Victory Hotel, à Gamla Stan

Internet des centres de réservation des plus grandes chaînes d'hôtels sont indiquées page suivante.

CHAÎNES HÔTELIÈRES

Plusieurs chaînes hôtelières nationales et internationales sont représentées à Stockholm. **Scandic Hotels**, qui compte en tout plus de cent établissements – huit à Stockholm et six en dehors, dont deux vers l'aéroport d'Arlanda – met l'accent, dans ses prestations, sur le respect de l'environnement.

En partie détenue par Scandinavian Airlines, **Radisson SAS**, possède trois grands hôtels dans la capitale et deux à l'aéroport d'Arlanda.

Les deux établissements de **Choice Hotels Scandinavia**, de catégorie « confort », offrent des chambres de premier ordre avec petit déjeuner. La chaîne possède un hôtel près d'Arlanda et trois autres hôtels, de séminaires, de catégorie « qualité ».

Également soucieuse de l'environnement, **First Hotel**, possède trois sortes d'établissements – First Hotel, First Express et First Resort. Stockholm compte trois First Hotels ; trois First Express s'élèvent dans les environs.

Rica City Hotels, chaîne associée aux Braathens et Supranational Hotels, compte trois établissements au centre-ville, deux près d'Hötorget et un à Gamla Stan.

Le **Tre Hotell i Gamla Stan** est un groupe de trois petits hôtels raffinés et chaleureux situés dans la vieille ville – Victory, Lord Nelson et Lady Hamilton.

◁ **Östermalmshallen : gourmandises suédoises dans un décor des années 1880 bien préservé**

La suite Bernadotte du Grand Hôtel

PRIX ET PAIEMENT

Le prix figurant dans la liste de notre guide est celui de la chambre double la moins chère – petit déjeuner, service et TVA inclus. Le week-end, ainsi que les jours de semaine pendant l'été, les tarifs peuvent être considérablement réduits. Dans les hôtels pour petits budgets, la réduction atteint 100 à 300 couronnes par nuit ; dans les hôtels de catégorie moyenne, 500 couronnes ; et dans les hôtels de luxe, 1 000 couronnes.

La quasi-totalité des établissements accepte les cartes bancaires ; les plus importants changent les devises étrangères mais il est plus avantageux de s'adresser aux bureaux de change (p. 186).

AUBERGES DE JEUNESSE

La capitale compte 13 auberges de jeunesse à Stockholm-même, dont les quatre plus grandes sont affiliées au **Touring Club Suédois** (STF/IYHF). Hormis l'af Chapman, superbe voilier aménagé, trois autres hôtels flottants sont amarrés au centre-ville : le Gustav af Klint, quai de

Cabine de l'af Chapman, auberge de jeunesse flottante (p. 151)

Stadsgården, ainsi que le MS Rygerfjord et le Den röda båten Mälaren, à Söder Mälarstrand. Les quatre bateaux, qui abritent chacun une centaine de lits et un restaurant, bénéficient d'une vue superbe.

Ces établissements – et particulièrement les quatre auberges affiliées au Touring Club –, offrent un hébergement de qualité ; certains ne sont ouverts que l'été.

Il faut compter environ 200 couronnes par nuit pour une chambre double (remise de 40 couronnes pour les membres du Touring Club) ; une chambre plus grande ou un dortoir coûtent 100 couronnes. Les prix ne comprennent, en général, ni le petit déjeuner, ni la location des draps.

L'agence **Hotellcentralen** effectue des réservations, mais seulement au guichet, et pour le jour-même. Il est possible de réserver directement à l'auberge – la liste des établissements est fournie par Hotellcentralen ou par Internet.

CHAMBRES D'HÔTES

On trouve des chambres d'hôtes au centre-ville, dans la banlieue ou sur l'archipel. Le petit déjeuner est en principe inclus – sauf pour les appartements – ainsi que les draps et les serviettes. Il faut compter de 300 à 500 couronnes par personne et par nuit. Une chambre double coûte de 500 à 700 couronnes, tandis que pour un appartement, dont la location minimum est de quatre ou cinq jours, le tarif s'élève à 600 couronnes par nuit.

On peut réserver des chambres d'hôtes auprès du **Bed and Breakfast Service Stockholm**.

Choisir un hôtel

Les hôtels cités dans ces pages ont été sélectionnés dans un large éventail de prix, pour la qualité de leurs prestations, leur confort et leur situation. La liste s'ouvre sur les quartiers centraux et s'élargit aux zones situées alentour *(plans p. 198-207)*. Un grand nombre d'établissements possède un restaurant. Les restaurants sont recommandés plus loin *(p. 158-163)*.

	CARTES BANCAIRES	ÉQUIPEMENTS ENFANTS	PARC DE STATIONNEMENT	RESTAURANT	BAR
GAMLA STAN					
FIRST HOTEL REISEN (K)(K)(K) Skeppsbron 12, 111 30 Stockholm. **Plan** 4 C3. 22 32 60. FAX 20 15 59. Ce bâtiment ancien superbement situé compte l'un des plus célèbres pianos-bars de la ville. Le restaurant Primo Ciao Ciao propose des pizzas divines. *Chambres : 144*	AE DC MC V		■	●	■
LADY HAMILTON HOTEL (K)(K)(K) Storkyrkobrinken 5, 111 28 Stockholm. **Plan** 4 B3. 506 401 00. FAX 506 401 10. Les chambres et les couloirs de cet hôtel exquis s'ornent d'objets d'art folklorique et d'antiquités maritimes. *Chambres : 34*	AE DC MC V		■	●	■
LORD NELSON HOTEL (K)(K)(K) Västerlånggatan 22, 111 29 Stockholm. **Plan** 4 B3. 506 401 20. FAX 506 401 30. Des objets nautiques anciens transforment ce magnifique hôtel en un musée : on se prendrait volontiers pour un capitaine de bateau. *Chambres : 31*	AE DC MC V		■		■
MÄLARDROTTNINGEN HOTEL RESTAURANT (K)(K) Riddarholmen, 111 28 Stockholm. **Plan** 4 A3. 24 36 00. FAX 24 36 76. C'est un ancien yacht de luxe de Barbara Hutton, amarré à Riddarholmen. Décor élégant, cabines bien équipées et bons restaurants. *Chambres : 60*	AE DC MC V		■	●	■
RICA CITY HOTEL GAMLA STAN (K)(K)(K) Lilla Nygatan 25, 111 28 Stockholm. **Plan** 4 B4. 723 72 50. FAX 723 72 59. Des chambres de style gustavien récemment rénovées dans un édifice des années 1650. Les caves peuvent accueillir des congrès. *Chambres : 51*	AE DC MC V		■		
VICTORY HOTEL (K)(K)(K)(K) Lilla Nygatan 5, 111 28 Stockholm. **Plan** 4 B3. 506 400 00. FAX 506 400 10. Appartenant aux Tre Hotell i Gamla Stan, l'hôtel évoque Lord Nelson et contient, parmi des trésors uniques, l'original d'une lettre que l'amiral écrivit à Lady Hamilton. Restaurant Leijontornet. *Chambres : 48*	AE DC MC V		■	●	■
LA CITY					
BERNS' HOTEL (K)(K)(K)(K) Näckströmsgatan 8, 111 47 Stockholm. **Plan** 3 D4. 566 322 00. FAX 566 322 01. Petit hôtel raffiné situé au cœur du quartier de divertissement, jouxtant le Berns Salonger où l'on sert le petit déjeuner. Accès gratuit au club fitness du Grand Hôtel. *Chambres : 65*	AE DC MC V		■	●	■
CASTLE HOTEL (K)(K)(K) Riddargatan 14, 114 35 Stockholm. **Plan** 3 E4. 679 57 00. FAX 611 20 22. Les plus grands musiciens de jazz internationaux séjournent dans cet hôtel de style Art Déco, ils s'y produisent parfois. *Chambres : 50*	AE DC MC V				
COMFORT HOTEL PRIZE (K)(K) Kungsbron 1, 111 22 Stockholm. **Plan** 2 B4. 566 222 00. FAX 566 224 36. Hôtel d'affaires moderne dans le centre du commerce international. On n'y sert pas de petit déjeuner. Lit supplémentaire : 100 kr. *Chambres : 162*	AE DC MC V		■	●	■
FIRST HOTEL CRYSTAL PLAZA (K)(K)(K) Birger Jarlsgatan 35, 111 45 Stockholm. **Plan** 3 D3. 406 88 00. FAX 24 15 11. Ce bâtiment de 1895, près de Stureplan *(p. 70-71)*, abrite des chambres récemment rénovées. Le restaurant Glas sert des plats suédois, français et italiens. *Chambres : 99*	AE DC MC V	●	■	●	■
LYDMAR HOTEL (K)(K)(K) L'hôtel, récent et de qualité, accueille des soirées-jazz et des expositions. Les chambres sont ornées de meubles anciens et de tableaux d'art moderne. Deux bons restaurants. *Chambres : 56*	AE DC MC V			●	■

Les prix correspondent à une nuit en chambre double, petit déjeuner et TVA compris.
kr = couronnes
auberge de jeunesse.
(Kr) moins de 700 kr
(Kr)(Kr) 700 kr-1 400 kr
(Kr)(Kr)(Kr) 1 400 kr- 2 100 kr
(Kr)(Kr)(Kr)(Kr) plus de 2 100 kr

ÉQUIPEMENTS ENFANTS
Petits lits et chaises hautes disponibles avec, parfois, service de baby-sitters.

PARC DE STATIONNEMENT
Parc de stationnement dans l'hôtel ou dans un garage privé voisin.

RESTAURANT
Restaurant pour les clients de l'hôtel accueillant également les personnes de l'extérieur. Ouvert le soir seulement.

BAR
Bar pour les clients de l'hôtel, accueillant également les personnes de l'extérieur.

	Cartes bancaires	Équipements enfants	Équipements enfants	Restaurant	Bar
Provobis Sergel Plaza Hotel (Kr)(Kr)(Kr)(Kr) Brunkebergstorg 9, 103 27 Stockholm. **Plan** 4 A1. *22 66 00.* FAX *21 50 70.* Il a été nommé quatre fois « Hôtel de l'année » depuis son ouverture, en 1984. Services complets pour touristes et voyageurs d'affaires. *Chambres : 405*	AE DC MC V		■	●	■
Radisson SAS Royal Viking Hotel (Kr)(Kr)(Kr)(Kr) Vasagatan 1, 101 24 Stockholm. **Plan** 2 C5. *14 10 00.* FAX *411 86 92.* C'est l'un des plus grands hôtels de Stockholm. Il abrite l'excellent restaurant Fisk et l'étonnant Sky Bar. *Chambres : 351*	AE DC MC V	●	■	●	■
Rica City Hotel Kungsgatan (Kr)(Kr) Kungsgatan 47, 111 56 Stockholm. **Plan** 2 C4. *723 72 20.* FAX *723 72 99.* Ses chambres modernes et bien équipées, offrant des vues sur Hötorget *(p. 68)*, occupent les étages supérieurs du grand magasin PUB. *Chambres : 270*	AE DC MC V		■		■
Rica City Hotel Stockholm (Kr)(Kr) Slöjdgatan 7, 111 81 Stockholm. **Plan** 2 C4. *723 72 72.* FAX *723 72 09.* Ce vaste hôtel est équipé pour les congrès. Les petits déjeuners sont servis sous forme de buffet dans un jardin d'hiver. Cuisine traditionnelle suédoise. *Chambres : 292*	AE DC MC V		■	●	
Scandic Hotel Anglais (Kr)(Kr)(Kr) Humlegårdsgatan 23, 102 44 Stockholm. **Plan** 3 D3. *517 340 00.* FAX *517 340 11.* L'hôtel offre un séjour très relaxant au cœur de la ville, il abrite le restaurant Sturetorget. *Chambres : 212*	AE DC MC V	●	■	●	■
Scandic Hotel Continental (Kr)(Kr)(Kr) Klara Vattugränd 4, 101 22 Stockholm. **Plan** 2 C4. *517 342 00.* FAX *517 342 11.* Moderne et confortable, cet hôtel abrite le restaurant Niki, très apprécié, et un bar dans le style bistrot. Équipé pour les congrès. *Chambres : 268*	AE DC MC V	●	■	●	■
Sheraton Stockholm Hotel and Towers (Kr)(Kr)(Kr)(Kr) Tegelbacken 6, 101 23 Stockholm. **Plan** 4 A1. *412 34 00.* FAX *412 34 09.* Cet hôtel de luxe international, au centre-ville, propose des chambres rénovées, un piano-bar et deux restaurants. *Chambres : 459*	AE DC MC V		■	●	■
BLASIEHOLMEN ET SKEPPSHOLMEN					
Af Chapman et Skeppsholmen (STF/IYHF) (auberge de jeunesse) Västra Brobänken, 111 49 Stockholm. **Plan** 5 D3. *463 22 66.* FAX *611 71 55.* La plus belle auberge de jeunesse du monde : vous dormez à bord du célèbre bateau *(p. 79)* ou dans l'Hantverkshuset. 210 kr/pers. dans 1 ch. à 2 lits. *Lits : 290.*	AE MC V		■	●	
Grand Hôtel Stockholm (Kr)(Kr)(Kr)(Kr) Södra Blaiseholmshamnen, 103 27 Stockholm. **Plan** 4 C1. *679 35 00.* FAX *611 86 86.* Magnifiquement situé, c'est l'un des plus grands hôtels du monde. Le Cadier Bar et le Franska Matsalen Restaurant sont inégalés en Suède. *Chambres : 307*	AE DC MC V	●	■	●	■
Radisson SAS Strand Hotel (Kr)(Kr)(Kr)(Kr) Nybrokajen 9, 103 27 Stockholm. **Plan** 5 D1. *506 64 000.* FAX *506 64 001.* Hôtel de première classe. Le Piazza Restaurant et le bar Meeting Point donnent sur le Nybroviken. La tour abrite un sauna et un club de fitness. *Chambres : 148*	AE DC MC V		■	●	■
DJURGÅRDEN					
Scandic Hotel Hasselbacken (Kr)(Kr)(Kr) Hazeliusbacken 20, 100 55 Stockholm. **Plan** D3. *517 343 00.* FAX *663 84 10.* Cet hôtel de 1765, près de Skansen, a été magnifiquement restauré. Restaurant excellent, grill avec terrasse et bar dans un pavillon de jardin. Bien équipé pour les congrès et les banquets. *Chambres : 112*	AE DC MC V	●	■	●	■

Les prix correspondent à une nuit en chambre double, petit déjeuner et TVA compris.
kr = couronnes
auberge de jeunesse.
Ⓚ moins de 700 kr
ⓀⓀ 700 kr-1 400 kr
ⓀⓀⓀ 1 400 kr- 2 100 kr
ⓀⓀⓀⓀ plus de 2 100 kr

ÉQUIPEMENTS ENFANTS
Petits lits et chaises hautes disponibles avec, parfois, service de baby-sitters.
PARC DE STATIONNEMENT
Parc de stationnement dans l'hôtel ou dans un garage privé voisin.
RESTAURANT
Restaurant pour les clients de l'hôtel accueillant également les personnes de l'extérieur. Ouvert le soir seulement.
BAR
Bar pour les clients de l'hôtel, accueillant également les personnes de l'extérieur.

ÖSTERMALM ET GÄRDET

COMFORT HOME HOTEL TAPTO ⓀⓀ
Jungfrugatan 57, 115 31 Stockholm. Plan 3 F2. ☎ 664 50 00. FAX 664 07 00.
Le nom de cet hôtel simple est inspiré par l'académie militaire voisine.
📶 📺 🍸 🏊 🔒 👤 Chambres : 86
Cartes : AE DC MC V

DIPLOMAT ⓀⓀⓀ
Strandvägen 7C, 104 40 Stockholm. Plan 3 E4. ☎ 459 68 00. FAX 459 68 20.
Ce bel édifice Art nouveau (1911) abrite le seul « salon de thé » de Stockholm.
Décor suédois et salles de bains élégantes. 📶 📺 🍸 🏊 🔒 Chambres : 136
Cartes : AE DC MC V

ESPLANADE ⓀⓀⓀ
Strandvägen 7A, 114 56, Stockholm. Plan 3 E4. ☎ 663 07 40. FAX 662 59 92.
Maison aristocratique majestueuse sur Strandvägen. Les chambres Art nouveau sont décorées avec goût. 📶 📺 🍸 🏊 Chambres : 34
Cartes : AE DC MC V

MORNINGTON ⓀⓀⓀ
Nybrogatan 53, 102 44 Stockholm. Plan 3 E3. ☎ 663 12 40. FAX 662 21 79.
Dans cet agréable hôtel très *British*, près d'Östermalmshallen *(p. 71)*, le personnel est vêtu d'écossais. Décor théâtral. 📶 📺 🏊 🔒 Chambres : 141
Cartes : AE DC MC V

PÄRLAN ⓀⓀ
Skeppargatan 27, 114 52 Stockholm. Plan 3 E4. ☎ 663 50 70. FAX 667 71 45.
Cette vaste maison aristocratique ornée de plafonds hauts, de poêles de faïence et de fenêtres en encorbellement est très appréciée. 📶 📺 🏊 Chambres : 9
Cartes : AE DC MC V

SCANDIC HOTEL PARK ⓀⓀⓀ
Karlavägen 43, 102 46 Stockholm. Plan 3 E3. ☎ 517 348 00. FAX 517 348 11.
Tout près d'Humlegården, l'hôtel compte huit suites avec jacuzzis. Service impeccable. Piano-bar et café en plein air l'été. 📶 📺 🍸 🏊 👤 Chambres : 198
Cartes : AE DC MC V

VILLA KÄLLHAGEN ⓀⓀⓀ
Djurgårdsbrunnsvägen 10, 115 27 Stockholm. Plan 6 B2. ☎ 665 03 00. FAX 665 03 99.
Cet élégant édifice abrite un restaurant gastronomique ; le café est servi dans le jardin. Situation exceptionnelle sur la baie de Djurgårdsbrunnsviken.
📶 📺 🍸 🏊 🔒 Chambres : 20
Cartes : AE DC MC V

KUNGSHOLMEN ET VASASTAN

AUGUST STRINDBERG ⓀⓀ
Tegnérgatan 38, 113 59 Stockholm. Plan 2 C3. ☎ 32 50 06. FAX 20 90 85.
Petit hôtel rénové très calme avec cour intérieure. Douche et toilettes dans le couloir pour les chambres les moins chères. 📺 Chambres : 21
Cartes : MC V

BIRGER JARL ⓀⓀⓀ
Tulegatan 8, 104 32 Stockholm. Plan 2 C3. ☎ 674 10 00. FAX 673 73 66.
Le cadre d'inspiration naturelle est dû à des décorateurs et artistes suédois, mais la chambre 247 a conservé son style années 1970. 📶 📺 🍸 🏊 🔒 📶 Chambres : 230
Cartes : AE DC MC V

CLAS PÅ HÖRNET ⓀⓀ
Surbrunnsgatan 20, 113 48 Stockholm. Plan 2 C2. ☎ 16 51 30. FAX 612 53 15.
Atmosphère authentique du XVIIIe siècle pour des chambres consacrées à diverses célébrités suédoises. Délicieuse cuisine suédoise. 📶 📺 🍸 🏊 🔒 👤 Chambres : 10
Cartes : AE DC MC V

FIRST HOTEL AMARANTEN ⓀⓀⓀ
Kungsholmsgatan 31, 104 20 Stockholm. Plan 2 A4. ☎ 654 10 60. FAX 652 62 48.
Cet excellent hôtel abritant plusieurs bars et restaurants est réputé pour ses petits déjeuners, les meilleurs de Suède. 📶 📺 🍸 🏊 🔒 📶 🏊 👤 Chambres : 423
Cartes : AE DC MC V

PALACE HOTEL ⓀⓀⓀ
Skt Eriksgatan 115, 100 31 Stockholm. Plan 2 A1. ☎ 566 217 00. FAX 566 217 01.
Un hôtel confortable, très apprécié des familles. Le Bishop's Arms, pub du rez-de-chaussée, sert bière et whisky. 📶 📺 🏊 🔒 📶 Chambres : 216
Cartes : AE DC MC V

SANDSTRÖM   Ⓚ | MC V

Skt Eriksgatan 75, 113 32 Stockholm. **Plan** 1 C1. 📞 30 83 32. **FAX** 30 74 76.
Un petit hôtel accueillant, bon marché et bien situé, près d'Odenplan.
📶 TV **Chambres :** 8

TEGNÉRLUNDEN   ⓀⓀ | AE DC MC V

Tegnérlunden 8, 113 59 Stockholm. **Plan** 2 B3. 📞 54 54 55 50. **FAX** 54 54 55 51.
Atmosphère familiale et situation calme près de la résidence-musée d'August
Strindberg, sur Drottninggatan (p. 69). 📶 TV 🏊 **Chambres :** 103

SÖDERMALM

COLUMBUS HOTEL   ⓀⓀ 🍴 | AE MC V

Tjärhovsgatan 11, 116 21 Stockholm. **Plan** 9 E3. 📞 644 17 17. **FAX** 702 07 64.
Situé dans une ancienne caserne classée sur les hauteurs de Söder. Le petit
déjeuner est servi sous forme de buffet dans la cour en été. Le bar est ouvert
le soir. 📶 TV 🏊 **Chambres :** 38 Auberge de jeunesse ouverte toute l'année
(environ 200 kr/nuit). **Lits :** 100

ERSTA KONFERENS   ⓀⓀ | AE DC MC V

Erstagatan 1 K, 116 91 Stockholm. **Plan** 9 F2. 📞 714 63 41. **FAX** 714 63 51.
Ce vaste complexe animé, situé dans un cadre historique, a une vue splendide
sur Stockholm. Le complexe comprend café, restaurant, librairie, musée et
église. Dortoir de 18 lits. 📶 TV 🏊 🅿 ♿ **Chambres :** 16

LÅNGHOLMEN HOTEL   ⓀⓀ 🍴 | AE DC MC V

Kronohäktet, Långholmen, 102 72 Stockholm. **Plan** 1 B5. 📞 668 05 00. **FAX** 720 85 75.
L'hôtel a été aménagé dans une ancienne prison au cœur d'un espace vert en
centre-ville. Restaurant et caves à vins excellents. 📶 TV 🏊 🅿 ♿ **Chambres :** 101.
Du 19 juin au 9 août, auberge de jeunesse pour env. 195 kr/nuit. **Lits :** 125

SCANDIC HOTEL SLUSSEN   ⓀⓀⓀⓀ | AE DC MC V

Guldgränd 8, 104 65 Stockholm. **Plan** 9 D2. 📞 517 353 00. **FAX** 517 353 11.
L'hôtel moderne, très bien équipé pour les congrès, compte plusieurs restaurants
et bars, un club de fitness et un salon de beauté. Vue splendide au delà du
Riddarfjärden et de Gamla Stan. 📶 TV 🍸 🏊 🅿 🍴 🏊 ♿ **Chambres :** 292

TRE SMÅ RUM   Ⓚ | AE MC V

Högbergsgatan 81, 118 54 Stockholm. **Plan** 8 C3. 📞 641 23 71. **FAX** 642 88 08.
Préparez vous-même votre petit déjeuner dans ce petit hôtel moderne et
intime. Prix très raisonnables. 📶 TV 🏊 🅿 **Chambres :** 7

ZINKENSDAMM .   🍴 | AE DC MC V

Zinkens Väg 20, 117 41 Stockholm. **Plan** 8 A3. 📞 616 81 00. **FAX** 616 81 20.
Situation calme et clientèle internationale pour la plus vaste auberge de jeunesse
de Stockholm. TV 🏊 ♿ **Lits :** 466

LES ENVIRONS DE STOCKHOLM

FIRST HOTEL ROYAL STAR   ⓀⓀ | AE DC MC V

Mässvägen, 125 30 Älvsjö. 📞 99 02 20. **FAX** 99 39 09.
Hôtel d'affaires et de congrès avec caractère, près du parc des expositions.
À 10 mn de la City par une navette. 📶 TV 🍸 🏊 🅿 ♿ **Chambres :** 103

GOOD MORNING HOTELS STOCKHOLM-SYD.   Ⓚ | AE DC MC V

Västertorpsvägen 131, 129 53 Hägersten. 📞 55 63 23 30. **FAX** 97 64 27.
L'hôtel est situé près de l'entrée sud de Stockholm, non loin d'IKEA. Prestations
de haut niveau et prix raisonnables. 📶 TV 🏊 🅿 🍴 ♿ **Chambres :** 190

HOTEL FLICKORNA TROBERG   ⓀⓀ | AE DC MC V

Stockholmsvägen 70, 181 42 Lidingö. 📞 767 91 20. **FAX** 636 99 80.
L'hôtel, dans un quartier calme, à 15 mn en voiture du centre-ville, est tenu
par trois sœurs. Terrain de squash et autres équipements sportifs tout près.
📶 TV 🍸 🏊 🅿 🍴 ♿ **Chambres :** 29

QUALITY HOTEL GLOBE   ⓀⓀ | AE DC MC V

Arenaslingan 7, 121 26 Stockholm-Globen. 📞 686. **FAX** 686 63 01.
Vaste hôtel bien équipé près du Globen, avec chambres réservées aux femmes.
Le Quality Hotel Globe est équipé pour les congrès ou manifestations spéciales.
📶 TV 🏊 🅿 🍴 ♿ **Chambres :** 287

QUALITY HOTEL PRINCE PHILIP   ⓀⓀ | AE DC MC V

Oxholmsgränd 2, 127 24 Skärholmen. 📞 680 25 00. **FAX** 680 25 25.
Cet hôtel moderne bien équipé est à 15 mn en voiture de la ville, 20 mn par
le Tunnelbana. 📶 TV 🍸 🏊 🅿 🍴 ♿ **Chambres :** 201

Légende des symboles, voir rabat de couverture

Restaurants, cafés et pubs

Stockholm est devenue l'une des villes d'Europe les plus animées le soir. Au cours des dernières années, la gastronomie suédoise a reçu de nombreuses récompenses internationales ; sept restaurants du pays se sont vus attribuer des étoiles dans le guide Michelin. Les meilleurs restaurants sont souvent assez petits et simples, car un certain nombre de grands chefs ont ouvert leur propre mai-

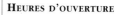

Hot-dog suédois

son. La cuisine « métissée », qui mêle différents styles de préparations exotiques, crée des plats innovants et délicieux. Les plats traditionnels suédois, souvent proposés au déjeuner, sont servis en portions généreuses. Des fast-foods, pizzerias, stands de kebabs et hot-dogs, très nombreux dans la ville, permettent de se restaurer pour une somme modique.

CHOISIR UN RESTAURANT

Les nombreux restaurants de Stockholm sont répartis dans la capitale entière. Les grands magasins, centres commerciaux et musées abritent restaurants et cafés. Sur de nombreux ferries de l'archipel, des repas chauds sont servis, tandis que plusieurs bateaux proposent des croisières gastronomiques le soir *(p. 197)*.

Les marchés couverts d'Östermalmstorg, d'Hötorget et de Medborgarplatsen comportent de bons restaurants et cafés ouverts dans la journée, mais fermés le soir.

Des sandwichs aux garnitures de toutes sortes peuvent être achetés dans les cafés et pâtisseries, qui proposent également, à l'heure du déjeuner, des plats chauds bon marché.

L'été, devant les cafés, les terrasses apparaissent dans les rues, sur les places et dans les espaces verts, comme Djurgården et Hagaparken *(p. 122)*.

RESTAURANTS DIVERS

Les restaurants à la mode attirent en général une clientèle jeune ; les établissements « branchés », au décor parfois peu chaleureux, peuvent se révéler extrêmement bruyants. Si vous désirez un endroit plus calme, au service efficace, choisissez un restaurant classique. De nombreux endroits proposent une cuisine

Enseigne d'auberge, Gamla Stan

« métissée » – combinaison de styles divers –, ou franchement exotique.

La plupart des restaurants pratiquent les mêmes tarifs, indépendamment de la qualité des plats servis. Des repas peu coûteux sont fournis par les innombrables pizzerias, pubs, kebabs, stands de fast-food et cafés de la ville.

Les amateurs de sucreries trouveront leur bonheur dans

les multiples cafés modernes ou pâtisseries traditionnelles ; ils y savoureront de délicieux gâteaux danois, des petits pains à la cannelle et des pâtisseries de toutes sortes.

Stockholm possède peu de bars ; les meilleurs d'entre eux se trouvent dans les restaurants les plus populaires *(p. 158-163 et 170-171)*. Dans la plupart de ces endroits, les tenues décontractées sont tolérées, même dans les restaurants les plus élégants ; le short y est cependant refusé. En général, les hommes ne sont pas contraints au port de la cravate. Les établissements les plus vastes possèdent souvent une section non-fumeurs, mais peu d'entre eux appliquent l'interdiction totale de fumer.

HEURES D'OUVERTURE

La plupart des restaurants ouvrent à 11h30 et ferment autour de 22h, le dîner étant servi à partir de 18h, parfois plus tôt. Un certain nombre d'établissements ferme le dimanche ou le lundi.

Les prix d'un déjeuner sont souvent extrêmement raisonnables. En général, le *dagens lunch* (plat du jour) n'est plus servi après 14 h, même si le restaurant est ouvert l'après-midi.

Quelques restaurants et pubs servent des plats jusqu'à minuit ou plus tard encore, en particulier ceux qui proposent des animations – orchestre ou

Le splendide Café Opera, près d'Operakällaren *(p. 160)*

Café avec terrasse sur Riddarhustorget, Gamla Stan

disc-jockey. Si vous avez faim pendant la nuit, des stands de hot-dogs sont ouverts 24h/24h.

Cuisine végétarienne

En raison d'un intérêt de plus en plus grand pour la cuisine végétarienne, la plupart des restaurants lui font une place dans leurs menus. Certains établissements sont uniquement végétariens.

Réservations

Il faut réserver pour le dîner, mais de nombreux restaurants refusent les réservations pour le repas de midi. Si vous tenez à avoir une table pour le déjeuner, veillez à arriver au restaurant avant 11 h 30 ou après 13 h, heure à laquelle la clientèle habituelle sera repartie.

Enfants

Les enfants sont bienvenus dans tous les restaurants, sans exception. On leur propose souvent un menu spécial ou on leur sert la moitié des portions destinées aux adultes. Des chaises hautes sont en général disponibles.

Prix

Les différents restaurants de Stockholm affichent à peu près le même prix : les plats chauds coûtent environ 100 couronnes – ils peuvent atteindre 200 couronnes dans les établissements les plus chers. On peut déjeuner pour 70 couronnes, pain, salade, boisson sans alcool et café compris. Toutefois, le prix de la bière, du vin et des autres boissons alcoolisées varie beaucoup. Ainsi, le restaurant le plus cher est aussi celui dont les vins sont vendus au prix le plus élevé. Le « vin maison » le moins cher est vendu à partir de 150 couronnes. La bière est moins coûteuse dans les pubs que dans les restaurants. L'eau du robinet, d'excellente qualité à Stockholm, est gratuite.

Les prix s'entendent service compris, mais si vous désirez récompenser un excellent accueil, vous pouvez arrondir l'addition. Lorsque le restaurant possède un vestiaire payant, prévoyez 10 couronnes par personne. Certains établissements n'autorisent pas leurs clients à entrer dans la salle avec leurs manteaux. Les cartes bancaires sont acceptées partout.

Menus

À Stockholm, le dîner comprend une entrée, un plat principal et un dessert. La plupart des restaurants proposent un ou plusieurs menus à prix fixe, à l'intérieur desquels on peut choisir entre deux ou trois plats. Il est possible de prendre seulement l'entrée et le plat principal - pour déjeuner, la plupart des clients ne commandent que ce dernier. Les mets sont servis directement dans l'assiette, mais dans les restaurants les plus élégants, fromages et desserts sont présentés sur un chariot. De nombreux établissements proposent des menus en anglais ; sinon la plupart des serveurs parlent l'anglais. Certains menus comportent une section *husmanskost*, « cuisine traditionnelle » suédoise.

Certains restaurants servent le typique *smorgasbord* le dimanche. Il s'agit d'un buffet à volonté à prix fixe, boissons non comprises. En décembre, on peut également déguster un *Julbord*, c'est-à-dire un *smörgåsbord* auquel on a jouté des plats traditionnels de saison.

Boissons

À Stockholm, les repas s'accompagnent de vin, de bière et d'eau minérale. La carte des vins propose des crus en provenance de pays non européens ainsi qu'un « vin maison ». Les restaurants à prix moyens ne servent pas de grands crus.

La bière est divisée en trois classes, la classe I étant la plus légère. La plupart des pubs et des restaurants en offrent une vaste sélection, une ou deux sortes étant servies à la pression. Quelques petites brasseries suédoises fabriquent une excellente bière non filtrée.

Le hareng, plat traditionnel par excellence, se déguste toujours avec de la bière, souvent suivie de l'une des nombreuses variétés de schnaps.

La consommation de vins et de spiritueux étant sous contrôle d'État, ces produits sont lourdement taxés.

Le Café Tranan à Vasastan, l'un des petits restaurants les plus populaires de Stockholm (p. 163)

Que manger à Stockholm ?

Pain scandinave

La Suède possède une gastronomie originale, à base d'élan, de renne, d'œufs d'ablettes, de coquillages et de poissons régionaux. Grâce à une réglementation très stricte, la nourriture de ce pays est l'une des plus saines d'Europe. On peut pêcher le saumon en plein cœur de la ville, la sandre et le hareng de la Baltique dans l'archipel, tandis que les écrevisses abondent, en automne, dans les lacs et les fleuves. La nature offre une grande variété de champignons sauvages et de baies diverses.

Fromage
Le fromage au cumin (à gauche) ou le västerbotten au goût de noisette (à droite) s'accordent bien avec le hareng.

Hareng au vinaigre
ciboulette, oignon rouge, crème aigre.

Le *gubbröra* : anchois, betterave, oignon, câpres, jaune d'œuf.

Hareng au vinaigre

Hareng mariné (moutarde)

La « Tentation de Jansson » est un gratin d'anchois, de pommes de terre, d'oignon émincé et de crème épaisse.

Le *böckling* est un hareng fumé.

Œufs d'ablettes avec oignons hachés et crème aigre.

SMÖRGÅSBORD

Ce buffet suédois typique, constitué d'une grande variété de plats, débute toujours avec du hareng sous diverses formes. Il est suivi de préparations froides, puis de plats chauds et de desserts. Les convives se servent eux-mêmes et changent d'assiette entre chaque plat.

Hareng frit et macéré dans du vinaigre avec oignons émincés.

Soupe de coquillages
Huîtres, moules, homards, bouquets et crevettes sont cuits dans du vin blanc avec des tomates, de l'aneth et du persil.

Gravad lax
Le saumon marine deux jours dans du sucre, du sel et de l'aneth, avec une sauce à la moutarde douce-amère et de l'aneth frais.

Quiche et salade
Les cafés proposent des déjeuners bon marché (quiches aux coquillages, au jambon, au fromage, aux légumes).

POIS ET PORC

Plat national traditionnel du jeudi, cette soupe de pois jaune, accompagnée de viande ou de saucisses légèrement salées et de moutarde, est suivie de crêpes à la confiture. Les jours de fête, on boit du punch chaud.

Moutarde

Punch chaud

Saumon grillé

Les mers et les lacs offrent une grande quantité de poissons. Leurs modes de préparation sont beaucoup plus variés en Suède que dans d'autres pays. Le saumon, présenté en entrée ou comme plat principal, peut être bouilli, frit, grillé, poché, servi froid, mariné, fumé ou salé. Ici, le poisson grillé est servi avec des légumes frais croquants.

Sandre grillée

Tout juste pêché dans le lac Mälaren ou les eaux de l'archipel, ce poisson est servi avec des crevettes et du raifort.

Boulettes suédoises

Partie intégrante du smörgåsbord, les boulettes sont dégustées chaudes avec purée, airelles confites et cornichons.

Poitrine de bœuf

La poitrine de bœuf bouillie avec des carottes, des navets ou d'autres racines est un plat suédois familial.

Filet de jeune renne

Le renne est une viande maigre, tendre et délicieuse. Il est servi ici avec chanterelles, salsifis noir et canneberges.

Cheesecake et mûres

Dessert traditionnel aux œufs et amandes, le cheesecake est ici servi avec des mûres jaunes du nord de l'archipel.

Soupe de fruit d'églantier

Savourée chaude ou froide, cette soupe est servie avec de la crème fouettée, de la glace ou un parfait à la vanille et des biscuits aux amandes.

Chocolat chaud et petit pain à la cannelle

Chocolat et café se dégustent avec un petit pain.

BOISSONS

La Suède importe des vins du monde entier, mais ses habitants boivent surtout de la bière ou du schnaps avec les harengs et le *smörgåsbord*. Le punch (sorte d'arak sucré) est souvent dégusté avec le café, ou chaud, avec la soupe de pois. Outre la vodka suédoise, de réputation internationale, il existe quelque 60 sortes de schnaps aromatisés avec différentes herbes et épices. La bière suédoise connaît un renouveau – dans nombre de petites brasseries nouvelles, on fabrique une bière d'airelles.

Eau minérale   Bière brute   Schnaps Aquavit   Punch suédois

Prix moyen par personne
Pour un repas classique, avec bouteille de vin maison, couvert et service compris.
kr = couronnes
Ⓚ moins de 300 kr
ⓀⓀ 300 kr-400 kr
ⓀⓀⓀ 400 kr-500 kr
ⓀⓀⓀⓀ plus de 500 kr

OUVERT À MIDI
Ces restaurants, ouverts pour le déjeuner, servent des repas bon marché.
OUVERTURE TARDIVE
Ces restaurants restent ouverts et servent les plats au menu après 22 h.
MENU À PRIX FIXE
Le menu à prix fixe, pour un repas classique, est proposé pour le déjeuner et/ou le dîner.
BONNE CARTE DES VINS
Le restaurant propose un vaste choix de vins ou des crus plus spécialisés.

	Prix	Cartes bancaires	Ouvert à midi	Ouverture tardive	Menu à prix fixe	Bonne carte des vins
KAJPLATS 9 Norr Mälarstrand. **Plan** 2 A5. 📞 652 45 45. Cet excellent restaurant, aux plafonds hauts et aux tables serrées, possède un décor maritime et une magnifique vue sur l'eau. Cuisine bourgeoise ambitieuse et personnel efficace. ♿ 🚭 🚹 Ⓥ	ⓀⓀ	AE DC MC V	●			■
LA FAMIGLIA Alströmergatan 45 **Plan** 1 B2. 📞 650 63 10.. C'est le restaurant favori des enfants. Cuisine italienne, atmosphère intime et prix modérés. Les pâtes aux fruits de mer sont excellentes. ♿ 🚹 Ⓥ Ⓨ	ⓀⓀ	AE DC MC V			●	
LOKAL Scheelegatan 8. **Plan** 2 A5. 📞 650 98 09. Un agréable restaurant de quartier qui sert une cuisine bien préparée, d'un bon rapport qualité-prix. 🚹 Ⓥ Ⓨ	ⓀⓀⓀ	AE DC MC V				
MÄLARSTRANDSKROGEN Norr Mälarstrand 30. **Plan** 2 A5. 📞 653 47 77. Restaurant de quartier très apprécié. Les plats français et suédois classiques sont proposés à des prix étonnamment bas. 🚹 Ⓥ Ⓨ	Ⓚ	MC V	●			
ROSMARIN Hantverkargatan 14. **Plan** 2 A5. 📞 653 87 63. Un restaurant très fréquenté, réputé pour ses barbecues de qualité – côtelettes de porc, en particulier. 🚹 Ⓨ	Ⓚ	AE DC MC V	●			

VASASTAN

	Prix	Cartes bancaires	Ouvert à midi	Ouverture tardive	Menu à prix fixe	Bonne carte des vins
ALEX VINBAR OCH KÖK Vegagatan 15. **Plan** 2 B2. 📞 31 64 40. Vous dégusterez dans ce petit restaurant élégant et original, avec bar, une cuisine savoureuse – amuse-gueule ou repas complets. Vins au verre. ♿ 🚭 🚹 Ⓥ Ⓨ	ⓀⓀⓀ	AE DC MC V		■	●	■
CLAS PÅ HÖRNET Surbrunnsgatan 20. **Plan** 2 C2. 📞 16 51 36. Cuisine classique préparée avec amour dans le décor romantique d'une ancienne auberge du XVIIIᵉ siècle. ♿ 🚭 🚹 Ⓥ Ⓨ	Ⓚ	AE DC MC V	●		●	■
HARD ROCK CAFÉ Sveavägen 75. **Plan** 2 B2. 📞 16 03 50. Hamburgers américains authentiques, grands steaks et *fajitas*, pour une clientèle très jeune. ♿ 🚭 🚹 Ⓨ	ⓀⓀ	AE DC MC V	●	■		
INDIA GATE CAFÉ Frejgatan 3. **Plan** 2 C1. 📞 15 20 30. Un établissement à conseiller aux amateurs de cuisine indienne bien préparée. 🚭 🚹 Ⓥ	Ⓚ	AE DC MC V	●			
PAUS BAR AND KÖK Rörstrandsgatan 18. **Plan** 1 C1. 📞 34 44 05. Ce restaurant de quartier est apprécié des jeunes. La cuisine moderne et d'avant-garde est servie dans un décor sobre et élégant. 🚹 Ⓨ	ⓀⓀⓀ	AE DC MC V		■	●	■
PUGLIESE TARANTINO Roslagsgatan 43. **Plan** 2 C1. 📞 15 00 30 Cuisine italienne classique aux nombreux plats appétissants, dans un cadre élégant. 🚭 🚹 Ⓥ Ⓨ	Ⓚ	AE DC MC V		■		■
STORSTAD Odengatan 41. **Plan** 2 C2. 📞 673 38 00. On va dans ce bar habituellement bondé pour être vu. La cuisine imaginative et raffinée est servie par un personnel courtois dans un décor minimaliste aux sièges confortables. ♿ 🚹 Ⓥ Ⓨ	ⓀⓀ	AE DC MC V		■		■

TRANAN ⓚⓚⓚ
Karlbergsvägen 14. **Plan** 2 B2. 📞 30 07 65.
Vous dégusterez des plats « maison » suédois raffinés dans un restaurant de style
bistrot. Bar animé au niveau inférieur. 🍽 🕴 Ⓥ 🍸

	AE				
	DC	●	■	●	■
	MC				
	V				

WASAHOF ⓚⓚⓚ
Dalagatan 46. **Plan** 2 B3. 📞 32 34 40.
Ce chaleureux restaurant de style brasserie est fréquenté par le monde du
théâtre et de l'opéra. Spécialité de fruits de mer, avec plats suédois et étrangers
au menu. À côté se trouve un agréable bar à huîtres. ♿ 🍽 🕴 🎵 🍸

	AE				
	DC		■	●	■
	MC				
	V				

NORRTULL ET NORD DE STOCKHOLM

STALLMÄSTARGÅRDEN ⓚⓚⓚⓚ
Norrtull. 📞 610 13 00.
Cette auberge du XVIIᵉ siècle, dans le cadre idyllique de la baie de Brunnsviken,
propose une cuisine suédoise parfaite. Agréable café en plein air. ♿ 🍽 🕴 Ⓥ

	AE				
	DC	●		●	■
	MC				
	V				

ULRIKSDALS WÄRDSHUS ⓚⓚⓚⓚⓚ
Ulriksdals Slottspark. 📞 85 08 15.
Cette magnifique auberge légendaire dans un décor superbe est célèbre pour
ses *smörgåsbord* somptueux. Cuisine raffinée et impressionnante carte des vins.
♿ 🍽 🕴 Ⓥ 🍸

	AE				
	DC	●		●	■
	MC				
	V				

SÖDERMALM

GONDOLEN ⓚⓚⓚⓚ
Stadsgården 6, en haut de Katarinahissen. **Plan** 9 D2. 📞 641 70 90.
Situation et cuisine exceptionnelles ; le restaurant bénéficie de la plus belle vue
de la ville. Köket, restaurant voisin, sert également une nourriture délicieuse
dans un décor rustique, à des prix nettement moins élevés. ♿ 🍽 🕴 Ⓥ 🍸

	AE				
	DC	●	■	●	■
	MC				
	V				

GÄSSLINGEN ⓚⓚⓚⓚ
Brännkyrkagatan 93. **Plan** 8 B2. 📞 669 54 95.
Décor kitsch inhabituel mais la cuisine, gastronomique, est véritablement
sublime – foie gras, homard et truffes. 🍽 Ⓥ

	AE				
	DC		■	●	
	MC				
	V				

HALFWAY INN ⓚ
Swedenborgsgatan 6. **Plan** 8 C2. 📞 641 94 43.
Un pub fréquenté qui propose une cuisine particulièrement savoureuse à des
prix imbattables. Un brunch (50 kr) est servi le dimanche. 🕴 Ⓥ 🍸

	AE				
	DC		■	●	
	MC				
	V				

HOSTERIA TRE SANTI ⓚⓚ
Blekingegatan 32. **Plan** 9 D4. 📞 644 18 16.
Nourriture italienne rustique et atmosphère très agréable. Le personnel est
chaleureux et la clientèle variée. 🍽 🕴 Ⓥ

	AE				
	DC		■	●	
	MC				
	V				

LO SCUDETTO ⓚⓚ
Åsögatan 163. **Plan** 9 E3. 📞 640 42 15.
Des plats innovants et excellents servis par un personnel enjoué. Les murs
sont couverts d'affiches de football. ♿ 🕴 Ⓥ

	AE				
	MC		■	●	■
	V				

LONG HORN SMOKE HOUSE ⓚ
Sankt Paulsgatan 4 A. **Plan** 9 D2. 📞 702 06 82.
Ce minuscule établissement est spécialisé dans les steaks grillés très tendres ;
prix imbattables. Ⓥ 🍸

	AE				
	DC			●	
	MC				
	V				

MATKULTUR ⓚⓚ
Erstagatan 21. **Plan** 9 F3. 📞 642 03 53.
Un restaurant charmant tenu par des voyageurs enthousiastes ; les plats, qui
s'inspirent des cuisines du monde entier sont raffinés et savoureux.
🕴 🎵 Ⓥ 🍸

	AE				
	DC	●	■		
	MC				
	V				

RINGBOMS ⓚ
Hornsgatan 90. **Plan** 8 B2. 📞 429 92 10.
Le « plat maison » du soir est presque toujours une agréable surprise. Accueil
chaleureux et portions généreuses à bas prix. ♿ 🕴 Ⓥ 🍸

	AE				
	DC	●	■	●	■
	MC				
	V				

LES ENVIRONS DE STOCKHOLM

EDSBACKA KROG ⓚⓚⓚⓚ
Sollentunavägen 220, Solna. 📞 96 33 00.
L'auberge, remontant à 1626, sert une cuisine gastronomique. Les meilleurs
produits suédois sont superbement préparés et présentés. ♿ 🍽 🕴 Ⓥ 🍸

	AE				
	DC	●		●	■
	MC				
	V				

La légende des symboles figure sur le rabat de couverture.

Se distraire à Stockholm

D epuis une vingtaine d'années, Stockholm est devenue un lieu de distractions très animé. Autrefois qualifiée de « beauté froide », la ville s'est transformée en une métropole moderne et vibrante, remplie de théâtres, de bars et de salles de concert. Les plus grands artistes internationaux incluent la capitale dans leurs tournées afin de pouvoir se produire à

Musicien de jazz

Globen. La musique pop suédoise, au succès international, s'exporte abondamment. En outre, les lieux de sorties sont proches les uns des autres : l'Opéra royal ne se trouve ainsi qu'à quelques minutes de marche des night clubs intimes de Gamla Stan. La vie culturelle, très intense, de la cité sur l'eau se manifeste par une profusion de spectacles et d'expositions.

Kungliga Operan (Opéra royal) sur Gustav II Adolfs Torg *(p. 64)*

Renseignements

W *hat's On Stockholm*, guide officiel des manifestations de toutes sortes, est distribué gratuitement dans la plupart des hôtels, dans les centres de congrès et dans les bureaux de l'office du tourisme. Il paraît une dizaine de fois par an, à la fois en suédois et en anglais. Les quotidiens délivrent également, dans leur

supplément du dimanche, des informations détaillées sur les programmes divers (en suédois seulement).

Sur Internet, quelques bons sites livrent des renseignements complets. Le **Stockholms Information Service**, ou **SIS** *(p. 182)*, possède un site touristique officiel : **www.stockholmtown.com**, constamment remis à jour et proposant des liens utiles.

Le site **www.alltom stockholm.se** fournit une foule de précisions sur les manifestations diverses, des musées aux concerts, en passant par les restaurants. Un troisième site, utile et très convivial, sur les événements de la capitale, **www.rival.se**, délivre ses informations en partie en anglais.

Billets

L es billets sont en général vendus sur le lieu même de la manifestation : théâtre ou stade. Mais pour être sûr d'avoir une place, il vaut mieux réserver à l'avance. Vous pouvez vous adresser à votre hôtel, à l'une des agences du SIS, dont le siège se trouve à la maison de Suède, jouxtant Kungsträdgården ou au bureau d'Hotellcentralen, dans la gare centrale. Vous pouvez également réserver par téléphone en appelant des agences de billets, telles que **Biljett Direkt** pour des pièces de théâtre, des concerts, des manifestations sportives et des excursions, moyennant une commission de 10 à 15 kr. Chez **Boxoffice**, agence située au centre-ville et qui délivre aussi des billets au comptoir, vous pouvez retirer des billets réservés par téléphone auprès de la salle de spectacle.

Concerts et fêtes en plein air

L es manifestations de plein air débutent à la mi-mai, avec le programme annuel de **Kungsträdgården,** dont les concerts à midi et le soir mêlent toutes sortes de musiques. Durant la deuxième semaine de juin, **Slottgalorna** accueille à Ulriksdals Slott des virtuoses internationaux ainsi que les plus grands musiciens suédois. **Skansen** retentit de tous les styles musicaux, en particulier du jazz, en juillet, le lundi soir. L'**International Jazz and Blues Festival**, qui a lieu à la mi-août à

Stampen, l'un des grands clubs de jazz de Stockholm, Stora Nygatan, *(p. 171)*

Marée humaine au concert en plein air de l'Orchestre philharmonique royal

Skeppsholmen, reçoit les plus grands interprètes.

Pour les amateurs de musique classique, l'**Orchestre philharmonique royal** donne des concerts en plein air à Sjöhistoriska (Musée maritime national), le deuxième dimanche d'août. Cette tradition annuelle attire entre 25 000 et 30 000 personnes.

Citons également la **fête du Restaurant** à Kungsträdgarden, le premier week-end de juin ; le **Festival américain**, le troisième week-end de juin et la **fête du Jeu de boules**, le premier week-end de juillet.

TRANSPORT DE NUIT

Le Tunnelbana ferme vers 1 h du matin, du dimanche au jeudi, mais les nuits du vendredi et du samedi, il fonctionne jusqu'à 4 h. Des autobus, dont la plupart part de Sergels Torg, prennent le relais ; à la plupart des arrêts figure le trajet de nuit. Les taxis sont faciles à trouver, même le samedi soir *(p. 193)*.

DISTRACTIONS POUR ENFANTS

Comparée à d'autres grandes villes, Stockholm, qui accueille très bien les enfants, est un site touristique idéal pour les familles.

Les nouveaux bus, très spacieux, sont facilement accessibles aux personnes munies de poussette ou de landau.

La plupart des musées possèdent un coin pour enfants et proposent à ces derniers des activités spéciales. À l'instar d'autres sites importants, ils prévoient également, dans leur cafétéria ou leur restaurant, un menu ou des portions spéciaux pour les plus jeunes. Il y a souvent une table à langer dans les toilettes.

Djurgården concentre la plupart des endroits favoris des enfants. **Junibacken** offre un voyage fantastique dans l'univers de l'écrivain Astrid Lindgren. **Vasamuseet** et **Aquaria**, tout proches, ont une approche ludique très appréciée des enfants. Depuis des décennies, le parc de **Gröna Lund** mêle

Montagnes russes de Gröna Lund

attractions anciennes et nouvelles pour la plus grande joie des enfants et des adolescents. **Skansen**, musée en plein air, ses animaux et ses animations intéressantes, peuvent occuper toute la famille une journée entière.

Des semaines spéciales sont organisées pour les enfants à **Fjäderholmarna**, groupe d'îles accessible en 25 minutes depuis le centre-ville.

Au cœur de la ville, **Kulturhuset** propose diverses d'activités d'ordre culturel. **Leksakmuseet**, le musée du Jouet, à Söder, ne peut que plaire aux petits et à ceux qui ont gardé une âme d'enfant. **Naturhistoriska Riksmuseet** (musée d'Histoire naturelle) est un musée passionnant, il abrite le planétarium **Cosmonova** et une salle IMAX, très appréciée des jeunes.

Théâtre et musique classique

Stockholm, qui fut désignée capitale culturelle de l'Europe en 1998, est une ville où tous les secteurs culturels témoignent d'une grande vitalité. Le monde de la musique, qui a vu émerger de nombreux virtuoses des multiples scènes de la capitale est particulièrement dynamique. Les habitants de Stockholm adorent l'opéra, le ballet et la musique classique. Le répertoire national, très vaste, est interprété par les plus grands artistes du monde entier.

BALLET ET DANSE

Les meilleurs ballets classiques sont produits à **Kungliga Operan**, théâtre remontant à plus de cent ans *(p. 64-65)*. Chaque saison, trois des spectacles les plus célèbres, tels que *Casse-Noisette*, le *Lac des cygnes* et *Roméo et Juliette*, sont donnés devant des salles combles. Grâce à Birgit Cullberg, chorégraphe aujourd'hui décédée, Stockholm est devenue un haut lieu de la danse moderne. De nombreuses compagnies réputées se produisent parfois à **Dansens Hus** *(p. 69)* qui occupe l'ancien site de Stadsteatern. **Moderna Dansteatern**, à Skeppsholmen, abrite une autre scène renommée de danse contemporaine.

OPÉRA

Kungliga Operan donne des spectacles traditionnels en version originale. Des opéras et concerts ont parfois lieu à l'heure du déjeuner, à l'opéra-café de Gustave III. L'été, de grandes œuvres sont produites à **Drottningholms Slottsteater** *(p. 140-143)*. Dans ce théâtre qui date du XVIIIe siècle, les décors et la machinerie, conservés dans leur état original, fonctionnent toujours. On y montre des œuvres d'époque. Au fil des années, le théâtre a ressuscité plusieurs œuvres inconnues de Mozart en utilisant des instruments de musique contemporains du compositeur. Des visites guidées sont organisées dans ce lieu unique.

Le plus vieux théâtre rococo de Suède, **Confidencen**, est situé près d'Ulriksdal Slott *(p. 125)*. Chaque semaine, entre juin et septembre, des représentations d'opéras et de ballets y sont exécutées. À **Folkoperan** sont montées des œuvres classiques en suédois, dans une mise en scène simple et sobre.

Regina-Stockholm Operamathus est un cinéma reconstruit, où les spectateurs peuvent dîner confortablement en écoutant un opéra.

PIÈCES ET COMÉDIES MUSICALES

Stockholm recèle une vie théâtrale florissante mais, bien entendu, les représentations ont lieu en suédois. **Kungliga Dramatiska Teatern**, théâtre national, souvent baptisé « Dramaten » *(p. 72-73)*, possède cinq scènes. Des pièces classiques suédoises et étrangères, de Shakespeare à Strindberg, y sont régulièrement représentées. Des pièces modernes s'y donnent également. De 1963 à 1966, Ingmar Bergman dirigea cette salle, où il revint régulièrement en tant que metteur en scène.

Södra Teatern *(p. 128)*, qui date du XIXe siècle, présente des productions modernes. **Stockholms Stadsteatern** *(p. 67)*, situé dans Kulturhuset, propose un programme varié. L'été, **Parksteatern** produit des spectacles dans plusieurs parcs de la ville regroupant des pièces, de la danse et du théâtre pour enfants. **Judiska Teatern** promeut le théâtre, la danse, la poésie et les films juifs. **Teater Galeasen**, scène d'avant-garde de Stockholm, offre des spectacles modernes suédois et étrangers.

Marionetteatern propose des spectacles de marionnettes ; les amateurs visiteront le musée au même endroit. **Pantomimeatern** est une compagnie de théâtre qui donne des représentations non seulement à Stockholm, mais aussi dans des zones rurales.

China Teatern monte des pièces comiques, des comédies musicales populaires ainsi que des pièces très appréciées des enfants. **Oscars-Teatern**, **Göta Lejon** et **Cirkus** donnent des comédies musicales de qualité.

MUSIQUE CLASSIQUE

Berwaldhallen retentit régulièrement des grands succès de la musique classique *(p. 106)*. Cette salle, dédiée au grand compositeur suédois Franz Berwald (1796-1868), abrite l'Orchestre symphonique de la Radio suédoise, qui fut dirigé par des chefs prestigieux tels que Sergiu Celibidache et Esa-Pekka Salonen, ainsi que le chœur de la Radio suédoise, considéré comme l'un des grands ensemble a cappella du monde. D'autres orchestres symphoniques ou des formations plus réduites, s'y produisent également.

L'Orchestre philharmonique royal, composé de cent musiciens, joue à **Konserthuset** *(p. 68)*, ses représentations durent du mois d'août au mois de mai. Le célèbre Orchestre propose des concerts de musique de chambre ou de jazz ; en outre, il joue pour un public familial le samedi. Chaque année, en novembre, un festival de composition se tient dans cette salle.

Nybrokajen 11 *(p. 83)* abritait autrefois l'Académie de musique. À l'exception des mois de juillet et d'août, sa vaste salle est utilisée presque tous les jours pour des concerts. On peut y entendre de la musique classique, du jazz, des chœurs et de la musique folk. **Musique au Palais** est une manifestation annuelle d'été au Palais royal (*p. 50-53*) s'illustrent par deux concerts hebdomadaires, de musique classique le plus souvent, ou de différents styles musicaux. Les représentations ont lieu dans la salle d'apparat de la Chapelle royale. L'escalier majestueux de **Nationalmuseum** (*p. 82-83*) sert aussi de cadre à des concerts d'été. Le festival de musique **Riddarhusmusik** se déroule à Riddarhuset (*p. 58*).

MUSIQUE FOLK ET RELIGIEUSE

Skansen accueille des festivals de musiciens et danseurs folkloriques (*p. 96-97*). **Nybrokajen 11** constitue, lui aussi, un royaume de la musique folk.

Des concerts résonnent régulièrement dans les églises de la ville. Les visiteurs écouteront une musique religieuse magnifique à **Jacobs Kyrka**, dans Kungsträdgården (*p. 64*) chaque dimanche à 15 h. Des concerts sont donnés à **Storkyrkan** (*p. 49*) le samedi et le dimanche après-midi, au printemps et en automne.

BILLETS

Les billets pour les théâtres et concerts peuvent être réservés auprès de **Biljett Direkt**, soit directement au guichet, soit par téléphone (*p. 166*).

CARNET D'ADRESSES

BALLET ET DANSE

Dansens Hus
Barnhusgatan 12-14.
Plan 2 C3.
☎ 796 49 10.
FAX 10 87 90.
🌐 www.dansenshus.se
@ biljett@dansenshus.se
*Location : 12h-18h lun.-sam., 12h-16h dim.
(en cours de programme).*

Kungliga Operan
Gustav Adolfs Torg.
Plan 4 B1.
☎ 24 82 40.
Location : 12h-18h lun.-ven.

Moderna Dansteatern
Slupskjulsvägen 32,
Skeppsholmen.
Plan 5 E2.
☎ 611 32 33.
🌐 www.mdt.a.se
Location : directement sur le site Internet ou par téléphone.

OPÉRA

Confidencen
Ulriksdals Slottsteater.
☎ 85 70 16.

Drottningholms Slottsteater
Drottningholm Palace,
Lovön.
☎ 660 82 25.

Folkoperan
Hornsgatan 71.
Plan 8 B2
☎ 616 07 50.
FAX 84 82 84.
Location : 12h-18h lun.-ven., 12h-16h dim.

Kungliga Operan
Gustav Adolfs Torg.
Plan 4 B1.
☎ 24 82 40.
Location : 12h-18h lun.-ven.

Regina-Stockholm Operamathus
Drottninggatan 71 A.
Plan 2 C3.
☎ 411 63 20.
Location : 12h-18h lun.-ven.

THÉÂTRE

China Teatern
Berzelii Park 9.
Plan 3 D4.
☎ 566 323 50.
Location : 11h-18h lun.-ven., 12h-18h sam.

Cirkus
Djurgårdsslätten.
Plan 6 A4.
☎ 660 10 20.
*Location : 10h-18h lun., 10h-17h mar.-ven., 15h30-18h sam., 13h30-16h dim.
Réservation par téléphone (sf pr le jour même), 10h-18h jours ouvrables.*

Kungliga Dramatiska Teatern
Nybroplan.
Plan 3 E4.
☎ 667 06 80
FAX 667 84 00
Location : 10h-18h lun., 10h-17h mar.-ven., 15h30-18h sam., 13h30-16h dim.

Drottningholms Slottsteater
Drottningholm Palace,
Lovön.
☎ 660 82 25.

Göta Lejon
Götgatan 55.
Plan 9 D3.
☎ 642 40 20.
Location : 10h-18h lun.-ven., 10h-19h30 mer.-sam.

Judiska Teatern
Djurgårdsbrunnsvägen 59.
Plan 7 E2.
☎ 660 02 71.
🌐 www.judiskateatern.org

Marionetteatern
Brunnsgatan 6.
Plan 3 D3.
☎ 411 71 12.

Oscars-Teatern
Kungsgatan. 63.
Plan 2 B4.
☎ 20 50 00.
FAX 20 77 76
Location : 11h-18h lun.-ven., 12h-19h30 sam.

Pantomimteatern
Gästrikegatan 14.
Plan 2 A2.
☎ 31 54 64.

Parkteatern
☎ 506 202 92.

Stockholms Stadsteater
Sergels Torg. **Plan** 2 C4.
☎ 506 202 00.
Location : 11h-18h lun., 11h-19h mar.-ven., 11h-18h sam., 12h-16h dim.

Södra Teatern
Mosebacke Torg 1–3.
Plan 9 D2.
☎ 644 99 00.
Location : 12h-18h lun.-ven., 14h-18h sam., 14h-18h dim. (en cours de programme).

Teater Galeasen
Slupskjulsvägen 32,
Skeppsholmen.
Plan 5 E2.
☎ 611 09 20.

MUSIQUE CLASSIQUE

Berwaldhallen
Strandvägen 69.
Plan 6 A2.
☎ 784 50 00.

Konserthuset
Hötorget.
Plan 2 C4.
☎ 10 21 10.
🌐 www.konserthuset.se

Musique au Palais
Palais royal,
Slottsbacken.
Plan 4 C2.
☎ 10 22 47.

Nationalmuseum
Södra Blasieholmskajen.
Plan 5 D2.
☎ 519 543 00.

Nybrokajen 11
Nybrokajen 11.
Plan 4 C1.
☎ 407 16 00.

Riddarhusmusik
Riddarhuset,
Riddarhustorget 10.
Plan 4 A3.
☎ 723 39 90.

BILLETS

Biljett Direkt
☎ 077-170 70 70.
🌐 www.biljett.se

Autres sorties et distractions

A l'instar de la plupart des capitales, Stockholm offre
de multiples possibilités de sorties et de distractions,
propres à satisfaire tous les goûts. La musique pop
prospérant en Suède, les groupes qui suivent les traces
d'ABBA ne manquent pas. Les concerts et spectacles
musicaux ont lieu dans d'immenses salles, telles que
Globen, mais aussi dans les pubs, les clubs et les bars,
plus intimes. Des orchestres de jazz se produisent
chaque soir dans nombre d'endroits très appréciés.

ROCK ET POP

G loben est la scène la plus
vaste pour les concerts de
rock et de musique pop. Elle
attire tous les grands artistes
internationaux ainsi que les
groupes suédois les plus
connus. **Cirkus** et **Södra
Teatern** (p. 168-169) offrent
des pièces et des comédies
musicales dans un cadre
superbe. **Münchenbryggeriet**,
ancienne brasserie, constitue
également une salle de choix.
Les amateurs de hard rock se
rassemblent à **Anchor Club**,
trois ou quatre fois par semaine.
   Nalen, est un ancien music
hall traditionnel construit dans
les années 1880 et dont l'âge
d'or dura des années 1920 aux
années 1960. Depuis sa
réouverture, de nombreux
groupes et chanteurs s'y
produisent.

JAZZ

S tockholm offre un vaste
répertoire de musique jazz.
Fasching Jazzklubb
réputation internationale,
propose des représentations
pratiquement chaque jour de la
semaine. À Gamla Stan,
Stampen, autre salle de jazz
classique, attire une clientèle
moins jeune. Le bar de
Lydmar Hotel s'enorgueillit
de l'une des plus belles scènes
de la ville. Des artistes
éminents y donnent des
concerts au pied levé devant
une assistance jeune et
« branchée ». **Nalen** accueille
fréquemment des formations
de jazz ; on peut y danser le
dimanche. **Glenn Miller Café**
offre son atmosphère intime au
son du jazz, du lundi au
samedi. L'été, **SS Blidösund**
(p. 137) organise des croisières
de jazz à travers l'archipel
quatre fois par semaine.

PUBS MUSICAUX

A u cours de ces dernières
années, la vie a changé
dans les pubs et les bars
lorsqu'un certain nombre d'entre
eux a accueilli des musiciens.
Des orchestres irlandais se
produisent à **The Dubliner**
(p. 164-165). **Engelen** offre à
son public une musique variée,
tandis qu'**Akkurat** met l'accent
sur le rock.
   Stockholm compte également
un grand nombre de pubs
anglais et irlandais
traditionnels, proposant en
général un vaste choix de bière
et de whisky et des amuse-
gueule (p. 164-165).

BARS

L es meilleurs bars sont
souvent situés dans les
hôtels et les restaurants, bien
que ces derniers se révèlent
la plupart du temps bruyants
et enfumés. Une longue
queue, régulée par un portier,
s'étend à l'entrée des bars les
plus fréquentés. Les bars des
hôtels offrent une atmosphère
plus calme. L'alcool n'est servi
qu'aux consommateurs
de plus de 18 ans ; ceux-ci
doivent être en mesure de
fournir une pièce d'identité.
   Cadier Bar, au sein du
Grand Hôtel (p. 79 et 151),
attire incontestablement une
clientèle très élégante, car c'est
dans cet établissement que
séjournent les célébrités et
les visiteurs fortunés.
De la véranda, on admire
le Palais royal et les bateaux
de l'archipel.
   Artistes, écrivains et
intellectuels apprécient
le décor Art nouveau
d'**Operabaren**, aux tables
de marbre et aux canapés de
cuir. **Gondolen**, au niveau
supérieur de Katarinahissen

(p. 127), offre la vue la plus
belle de Stockholm. Endroit
idéal pour boire un verre au
coucher du soleil, il offre aux
visiteurs ses fauteuils de cuir
confortables, son atmosphère
détendue et un service
irréprochable. **Sky Bar**, en
haut de Royal Viking Hotel,
présente un panorama
superbe de la capitale,
particulièrement saisissant
la nuit tombée, lorsque la ville
s'illumine. Les hommes
d'affaires du monde entier
viennent se détendre à
Sheraton Lobby Lounge,
bar classique, où des barmans
experts élaborent leurs
cocktails favoris sur fond
de piano.
   Le bar situé dans le hall
de **Lydmar Hotel** est devenu
le lieu de rencontre des
artistes et musiciens. Au son
d'orchestres de jazz, les
barmans savent conseiller
le visiteur. **Sturehof Bar**,
night-club sophistiqué et
moderne, accueille, auprès
du monde de la publicité et
des médias, quelques oiseaux
de nuit du quartier.

NIGHT-CLUBS

L a plupart des meilleurs
night-clubs de Stockholm
sont regroupés autour de
Stureplan (p. 70-71). Les
soirées en discothèque ont
traditionnellement lieu le
vendredi et le samedi ; les
autres soirs de la semaine, ces
salles sont louées par
différents clubs fournissant
leur propre style de musique.
Le programme change
constamment en fonction des
clubs concernés.
   Café Opera, night-club
international historique de la
capitale, se trouve derrière
Kungliga Operan (p. 64-65). Il
attire une clientèle jeune et
« branchée » et des fêtards
plus âgés.
   Sturecompagniet est une
vaste discothèque répartie sur
trois niveaux ; un bar rock
occupe le rez-de-chaussée.
Fasching Jazzklubb ouvre
ses portes aux amateurs de
salsa le vendredi ; le samedi,
d'excellents DJ programment
de la soul des années 1960
et 1970. **Spy Bar**, qui
accueille célébrités suédoises

et artistes étrangers en visite, refuse parfois l'entrée à ceux qui n'ont pas de carte de membre. **Tiger** attire une clientèle très « branchée », tandis que les plus jeunes vont danser à **Chiaro**.

CABARETS

De grands artistes suédois se produisent à **Hamburger Börs** ; les plats y

sont excellents et les spectacles hors pair. Les serveurs et serveuses de **Wallmans Salonger** exécutent des numéros musicaux lorsqu'ils apportent les plats.

CINÉMA

Les films étrangers n'étant pas doublés en suédois, les visiteurs peuvent se rendre

au cinéma pour voir un film dans leur propre langue. **Zita** et **Sture** projettent des films anglais. Des salles classiques, telles que **Röda Kvarn**, projettent des films internationaux, et des complexes comme **Filmstaden Sergel** mettent à l'affiche la plupart des films hollywoodiens actuels.

CARNET D'ADRESSES

ROCK ET POP

Anchor Pub
Sveavägen 90. **Plan** 2 C2.
📞 15 20 00.
🕐 15h-3h lun.-ven.,
13h-3h sam.,
13h-2h30 dim.

Cirkus
Djurgårdsslätten.
Plan 6 A4.
📞 587 987 00.

Globen
Globentorget 2.
📞 725 10 00.

Münchenbryggeriet
Söder Mälarstrand 29.
Plan 8 B1.
📞 658 00 20.

Södra Teatern
Mosebacke Torg 1-3.
Plan 9 D2.
📞 644 99 00.

Tre Backar
Tegnergatan 12-14.
Plan 2 C3. 📞 673 44 00.
🕐 11h-minuit lun.-mer.,
11h-1h jeu.-ven.,
18h-1h sam.

JAZZ

Fasching Jazzklubb
Kungsgatan 63.
Plan 2 B4.
📞 21 62 67.
🕐 19h-minuit lun.-jeu.,
20h-4h ven.-sam.,
20h-minuit dim.

Glenn Miller Café
Brunnsgatan 21 A.
Plan 3 D3. 📞 10 03 22.
🕐 17h-minuit lun.-jeu.,
17h-1h ven.-sam.
🎵 dès 20h.

Lydmar Hotel
Sturegatan 10.
Plan 3 D3.
📞 566 113 00.
🕐 11h30-1h lun.-jeu.,
11h30-3h ven., 13h-3h
sam., 13h-1h dim.

Nalen
Regeringsgatan 74.
Plan 3 D3.
📞 453 34 01

Stampen
Stora Nygatan 5.
Plan 4 B3.
📞 20 57 93.
🕐 20h-2h lun.-sam.,
13h-17h dim.

SS Blidösund
Skeppsbron 10.
Plan 4 C2.
📞 411 71 13.
🕐 mai-mi-sept. : départ
du bateau à 19h lun.-jeu.

PUBS MUSICAUX

Akkurat
Hornsgatan 18.
Plan 8 C2.
📞 644 00 15.
🕐 11h-1h lun.-ven.,
midi-1h sam.,
18h-2h dim.

The Dubliner
Smålandsgatan 8.
Plan 3 D4.
📞 679 77 07.
🕐 16h-3h mar.-sam.
🎵 dès 22h ; 16h-1h dim.-
lun., 🎵 dès 21h30.

Engelen
Kornhamnstorg 59 B.
Plan 4 B4.
📞 20 10 92.
🕐 16h-3h lun.-dim.

BARS

Cadier Bar
Grand Hôtel, Södra
Blasieholmshamnen 8.
Plan 4 C1. 📞 679 35 00.

Gondolen
Stadsgården 6.
Plan 4 C5.
📞 641 70 90.

Lydmar Bar
Sturegatan 10.
Plan 3 D3.
📞 566 113 88.

Operabaren
Kungsträdgården.
Plan 4 B1.
📞 676 5808.

**Sheraton Lobby
Lounge**
Tegelbacken 6.
Plan 4 A1.
📞 412 34 75.

Sky Bar
Vasagatan 1. **Plan** 2 B4.
📞 506 540 37.

Sturehof Bar
Stureplan 2.
Plan 3 D4.
📞 440 57 30.

NIGHT-CLUBS

Café Opera
Operahuset, Kungsträd-
gården. **Plan** 4 B2.
📞 676 58 07
🕐 11h30-3h lun.-sam.,
13h-3h dim.

Chiaro
Birger Jarlsgatan 24.
Plan 3 D3.
📞 678 00 09.
🕐 17h-minuit lun.-mer.,
17h-1h jeu., 16h-5h ven.,
19h-5h sam.

Fasching Jazzklubb
Kungsgatan 63.
Plan 2 B4. 📞 21 62 67
🕐 Latino club : 22h30-
4h, ven. Soul club :
minuit-3h sam.

Tiger
Kungsgatan 18.
Plan 3 D4. 📞 24 47 00.
🕐 22h-5h lun.-mar.,
19h-5h mer.-sam.

Spy Bar
Birger Jarlsgatan 20.
Plan 3 D3. 📞 611 65 00.
🕐 22h-5h mer.-sam.

Sturecompagniet
Sturegatan 4. **Plan** 3 D3.
📞 611 78 00.
🕐 11h30-1h ou 3h lun.-
mer., 11h30-5h jeu.-sam.

CABARETS

Hamburger Börs
Jakobsgatan 6. **Plan** 3 D5.
📞 787 85 00.

Wallmans Salonger
Teatergatan 3. **Plan** 3 E5.
📞 611 66 22.

CINÉMA

Filmstaden Sergel
Hötorget. **Plan** 2 C4.
📞 562 600 00.

Röda Kvarn
Biblioteksgatan 5.
Plan 3 D3.
📞 562 600 00.

Sture
Birger Jarlsgatan 28–30.
Plan 3 D3.
📞 678 85 48.

Zita
Birger Jarlsgatan 37.
Plan 3 D3. 📞 23 20 20.

ACTIVITÉS DE PLEIN AIR

Ville sur l'eau, au centre de laquelle pénètre la nature, Stockholm possède une situation idéale pour toutes les occupations en plein air, auxquelles le mode de vie suédois accorde une grande place. La capitale offre de nombreuses activités tout au long de l'année – pour les plus énergiques ou les plus indolents : marche, vélo, patinage, pêche, ski et voyage en montgolfière. Du printemps à l'automne, plus de 80 terrains de golf ainsi

Montgolfière en vol

que des pistes bien conçues de jogging et de cyclisme sont ouverts aux visiteurs. L'été, lorsqu'il fait très chaud, les piscines ouvertes sont très appréciées par les Stockholmois, tandis que l'hiver, on peut patiner sur de longues distances entre les îles, ou encore faire du ski alpin ou du ski de fond.

Il est très facile de pratiquer ces loisirs mais vous pouvez vous renseigner auprès du Stockholm Information Service (SIS, *p. 167*).

Hagaparken, un lieu enchanteur d'exercice et de détente *(p. 122-123)*

JOGGING, MARCHE ET CYCLISME

Faire un peu d'exercice en explorant la capitale permet de joindre l'utile à l'agréable. Le centre se parcourt à pied – sites importants, parcs magnifiques et centres commerciaux modernes se trouvent à quelques pas les

Pêcheur à Blasieholmskajen, en plein centre-ville

uns des autres. Toute promenade dans Stockholm vous mène près de l'eau, ou vous offre un point de vue inattendu. Les visites guidées à pied se font souvent en suédois, sauf à Gamla Stan où certains guides parlent anglais. Le Stockholm Information Service (SIS) peut vous suggérer des parcours.

Si vous désirez sortir du centre, nul besoin d'aller loin. Le bus n° 47 vous conduit à Djurgården, où vous pouvez flâner ou courir le long du rivage, sur les avenues bordées de chênes ou sur l'herbe verte. Des chemins piétonniers au bord de l'eau *(p. 40-41)* permettent de marcher confortablement et d'admirer des perspectives superbes. Les pistes de jogging sont éclairées et l'on peut assister aux nombreuses manifestations amusantes qui s'y déroulent périodiquement *(p. 26-29)*.

Skansen, musée en plein air *(p. 96-97)* ou le parc

d'attractions de **Gröna Lund** *(p. 95)* offrent une journée au grand air à toute la famille.

Djurgården regorgent de pistes cyclables ; on peut louer des vélos auprès de **Cykel & Mopeduthyrningen** ou de **Skepp och Hoj** *(p. 197)*, près de Djurgårdsbron *(p. 98)*. Tout près de là, on loue des rollers.

Les cyclistes désireux d'effectuer de plus grands parcours peuvent s'adresser au SIS et contacter Cykelfrämjandet, organisation de cyclisme.

ÉQUITATION

Non loin du centre, plusieurs écoles d'équitation, telles que **Stockholms Ridhus** proposent des cours. Pour découvrir les environs de Stockholm, des circuits à dos de poney d'Islande sont organisés.

Frilufsryttarna loue des chevaux à des cavaliers confirmés pour leur permettre d'explorer la réserve naturelle de Tyresö, au sud-est de la ville, après une courte séance d'informations.

SPORTS NAUTIQUES

Canoës, canots à rames, pédalos ou bateaux plus volumineux pour de plus longues promenades, se louent auprès de **Tvillingarnas Båtuthyrning** et de **Skepp och Hoj** *(p. 197)*, tous deux situés près de Djurgårdsbron. Il est agréable de faire du canoë sur le canal près de Karlberg *(p. 118-119)* où **Kanotbryggan** loue des embarcations.

BAIGNADES

L'été, on peut nager dans nombre de piscines ouvertes : **Eriksdalsbadet**, à Södermalm, **Kampementsbadet**, à Gärget et **Vanadisbadet**, à Vasastan.
À Kungsholmen, les rives de Riddarfjärden, offrent quelques baignades agréables.
À Långholmen s'étendent plages de sable ou rochers à partir desquels on peut se mettre à l'eau.
À Hasseludden, **Yasuragi**, des bains japonais, constituent une expérience totalement différente. Centralbadet *(p. 69)* et Sturebadet *(p. 71)* sont des piscines couvertes.

GOLF

P rès de 80 terrains de golf sont facilement accessibles à partir du centre-ville. Les plus proches, tels que **Djursholms Golfklubb**, offrent un cadre superbe.
Vous devez réserver votre parcours car les golfs de Stockholm sont très fréquentés. Connectez-vous sur le site Internet officiel de Stockholm (www.stockholmtown.com).

AUTRES ACTIVITÉS

D es montgolfières aux couleurs vives s'élèvent fréquemment dans le ciel de la capitale en début de soirée. Plusieurs compagnies vous proposent des promenades en ballon. Vous pouvez réserver par l'intermédiaire du SIS ou vous adresser directement aux organismes tels que **City Ballong**.

Vanadisbadet, à Vasastan

La pêche au saumon et à la truite se pratique en plein cœur de la ville, près du Palais royal. On peut louer du bon matériel chez **Fiskarnas Redskapshandel**. **Anglers'Association** fournit tous les renseignements désirables sur la pêche dans Stockholm ou ses environs.
Des courts de tennis couverts sont disponibles à plusieurs endroits, notamment à **Kungliga Tennishallen**.
Vous pouvez également pratiquer la plongée sous-marine autour de la capitale. Le SIS vous renseigne sur les écoles de plongée.
Les patineurs chevronnés patinent sur les eaux de l'archipel lorsqu'elles ont gelé. La patinoire de **Kungsträdgården**, ouverte tout l'hiver, loue des patins. **Friluftsfrämjandet**, une organisation d'activités en plein air, fournit des informations sur le patinage et le ski dans la région.
Les visiteurs handicapés doivent contacter **De Handikappades Riksförbund** *(p. 183)*.

L'un des nombreux terrains de golf de Stockholm

Qu'acheter à Stockholm ?

Bougeoir

**Sabots peints
à la main**

L e *dala* (cheval de Dalécarlie) est probablement le souvenir le plus typique de Suède, mais il est sérieusement concurrencé par l'élan, symbole d'un pays aux vastes étendues vierges. Les Suédois, amateurs de grands espaces, ont à leur disposition de nombreux magasins de sport vendant du matériel de qualité. Les verreries et cristaux suédois ont acquis une renommée internationale ; Orrefors et Kosta proposent des créations classiques et modernes. Des jouets éducatifs en bois et des sabots constituent de charmants souvenirs, toujours fort appréciés.

ARTISANAT ET DESIGN

De nombreuses maisons du monde entier s'ornent d'objets suédois aux lignes modernes, souvent à usage quotidien *(p. 38-39)*. Les artisans contemporains aiment travailler des matières telles que le fer forgé, le tissage, la poterie et la gravure sur bois.

Dala et coq
À l'origine, ces chevaux et coq aux couleurs vives étaient des jouets sculptés dans des chutes de bois. Aujourd'hui, le cheval, devenu symbole national, prend des aspects différents.

Verrerie suédoise
Des cristaux artistiques et des objets quotidiens superbes sont fabriqués dans les ateliers de Suède, ici des verres soufflés.

**Plateau dessiné par Josef
Frank, Svenskt Tenn**

**Couteaux à fromage,
Michael Björnstierna**

**Carafe de verre *Nobel*,
Gunnar Cyrén,
ateliers Orrefors**

**Verres à schnaps
traditionnels**

Objets design
Les grands magasins commandent aux créateurs les plus réputés des objets de porcelaine, de verre et de textile. Ceux-ci constituent des cadeaux utiles et exquis.

Mama, cintre humoristique

***Crux*, tapis de Pia Wallén**

Jouets
Les jouets de bois colorés de Brio sont appréciés dans le monde entier. Les livres d'images, les jeux et puzzles raviront les enfants.

LOISIRS EN PLEIN AIR

Pêche, chasse, voile, golf, camping et toutes les sortes de sports d'hiver passionnent les Suédois. Les magasins de sport, nombreux et bien équipés, proposent de magnifiques objets artisanaux lapons fabriqués dans de la corne ou de la peau de renne.

Tricots à la main
Les lovikka, bonnets et gants aux jolis dessins typiques, sont tricotés avec une laine spéciale qui protège bien du froid et de l'humidité.

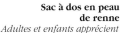

Sac à dos en peau de renne
Adultes et enfants apprécient les sacs à dos. Ce modèle exclusif provient de Laponie.

« Louche » en bois sculpté

Objets lapons
Ces couteaux de chasse au fourreau de corne de renne et ce kåsa, « louche » sculptée dans du bois de bouleau, sont utilisés par les Lapons.

Moulinet et leurres
ABU-Garcia fabrique du matériel de pêche de grande qualité, parfait pour les étendues maritimes, lacustres et fluviales où frétillent d'innombrables poissons.

GOURMANDISES SUÉDOISES

Confitures d'airelles rouges (pour les boulettes de viande) ou de mûres sauvages (servies avec de la crème fouettée), harengs, pain scandinave, biscuits au gingembre et bonbons en vrac sont vendus dans toutes les épiceries. Les mignonnettes de schnaps sont présentées en coffrets-cadeaux.

Confiture d'airelles rouges   **Confiture de mûres jaunes**

Mignonnettes de schnaps suédois

Hareng au vinaigre
Ils se dégustent accompagnés de pommes de terre nouvelles cuites avec de l'aneth, de la ciboulette et de la crème fraîche. On en trouve à la moutarde, à l'aneth, et aux épices.

Bonbons à la framboise   **Réglisse au sel**   **Pain scandinave**   **Biscuits au gingembre**

RENSEIGNEMENTS PRATIQUES

STOCKHOLM MODE D'EMPLOI

Stockholm est une capitale très visitée qui accueille de grands événements culturels ou sportifs. Elle possède de ce fait une infrastructure touristique très développée. Les visiteurs qui ne parlent pas suédois ne sont pas handicapés, car beaucoup de Suédois parlent anglais. Le Stockholm Information Service (SIS), office du tourisme, propose un large éventail de ser-

Symbole de l'office du tourisme

vices ; ses brochures, ainsi que les informations délivrées sur Internet sont presque toujours disponibles en anglais, voire dans d'autres langues ; il en est de même pour les renseignements relatifs à la plupart des sites. Comparée à d'autres capitales, Stockholm est une petite ville, mais elle n'abrite pas moins son lot de pickpockets ; la nuit, il est préférable de se montrer prudent.

INFORMATIONS TOURISTIQUES

Le Stockholm Information Service (SIS), office du tourisme de Stockholm, situé dans la maison de Suède, sur Hamngatan (p. 63-64), fournit des services tout au long de l'année. Pendant les vacances, il ouvre des bureaux temporaires sur les lieux touristiques importants ou dans certains quartiers de la ville, indiqués par un « i » vert. Le personnel des hôtels est, en général, très bien informé. La plupart des établissements, ainsi que de nombreux grands magasins et cafés distribuent gratuitement une brochure mensuelle, *What's On Stockholm (Ce qui se passe à Stockholm)*.

Les policiers de la capitale se montrent toujours ravis de pouvoir aider les visiteurs, à l'instar des habitants, qui connaissent bien leur ville et parlent le plus souvent un anglais courant.

Les voyageurs peuvent consulter Internet avant de partir. Le site officiel de la capitale, www. stockholmtown.com peut

☆ STOCKHOLM INFORMATION SERVICE

Logo du Stockholm Information Service (SIS)

probablement répondre aux questions les plus fréquentes. La majorité des musées possèdent leur propre site web. Le site www.stockholmsmuseet.com, extrêmement utile, propose un grand nombre de liens permettant un survol très intéressant des musées de la ville. On peut également effectuer ses réservations d'hôtel, consulter le calendrier des manifestations, voire réserver ses billets sur Internet. Dans le guide, les adresses web de tous les sites touristiques les plus importants sont précisées.

PASSEPORT ET DOUANE

Les citoyens de presque tous les pays du monde peuvent pénétrer en Suède sans visa. Depuis 2001, les passeports ne sont pas nécessaires pour les visiteurs en provenance des

pays européens ayant signé la convention de Schengen.

Les voyageurs arrivant de l'Union européenne (U.E.), et ceux issus d'autres pays sont parfois soumis à des règles différentes. Les premiers peuvent apporter pour leur consommation personnelle 1 litre d'alcool ou 3 litres d'apéritif, 26 litres de vin, 32 litres de bière et 400 cigarettes. Les seconds peuvent seulement faire entrer 1 litre d'alcool ou 2 litres d'apéritif, 2 litres de bière, 15 litres de bière et 200 cigarettes.

De même, la réglementation qui régit l'importation de nourriture varie : tous les visiteurs peuvent apporter des aliments en conserve, mais ceux en provenance de l'U.E. ont le droit d'y ajouter 15 kg maximum de nourriture fraîche par personne, tandis que les autres doivent produire le certificat d'un exportateur attitré – ils sont également autorisés à faire entrer en Suède des biens d'une valeur maximale de 1 700 couronnes en plus de leur matériel de voyage.

Chiens et chats d'autres pays de l'U.E. peuvent être introduits en Suède, avec un certificat vétérinaire du pays d'où ils viennent. L'animal, qui doit posséder une marque d'identification, entre avec un permis d'importation émis par l'Inspection sanitaire suédoise (fourni par les ambassades).

HEURES D'OUVERTURE

Les musées et les sites, fermés le lundi, ouvrent entre 10h et 11h et ferment entre 17h et 18h – l'amplitude horaire est souvent plus grande en été. La brochure *What's On*

L'office du tourisme dans la maison de la Suède, sur Hamngatan

◁ **Les eaux glacées de Riddarfjärden sont transformées en promenades**

TOALETT

Toilettes pour handicapés, parents de jeunes enfants, dames et hommes

Stockholm, disponible dans les bureaux d'informations touristiques ainsi que dans les hôtels et les grands magasins, vous renseigne sur les manifestations en cours.

VISITEURS HANDICAPÉS

Selon la loi suédoise, tous les lieux publics doivent être accessibles aux handicapés physiques et aux aveugles, ainsi qu'aux personnes souffrant d'allergies. Sur ce plan, Stockholm est très en avance par rapport aux autres grandes villes. Des informations en anglais sont disponibles auprès de **De Handikappades Riksförbund**.

Le réseau souterrain de Tunnelbana et la plupart des bus sont adaptés aux passagers handicapés. Les conducteurs de voiture handicapés, munis d'un permis spécial délivré dans leur propre pays, peuvent se garer sur des emplacements réservés. Des brochures sur les accès pour visiteurs handicapés dans les théâtres, cinémas, musées et bibliothèques sont disponibles dans les bureaux de l'office du tourisme.

PRIX D'ENTRÉE

L'entrée dans les musées de Stockholm coûte de 50 à 70 kr. Des réductions sont accordées aux jeunes enfants, aux étudiants et aux personnes âgées. La *Stockholmskortet* (carte d'accès gratuit) permet d'entrer dans plus de 70 musées ou autres sites ; de voyager dans le Tunnelbana, ainsi que les bus et les trains de banlieue et de se garer dans les parkings officiels de la ville.

La *Stockholmskortet* permet l'accès gratuit à certain sites

Les billets pour les théâtres, les concerts et les manifestations sportives peuvent être achetés sur le lieu même ou sur Internet. On peut également les obtenir dans la boutique « Excursions » de la maison de Suède ou auprès d'agences spécialisées, telles que **Box Office** et **Biljett Direkt** *(p. 167)*.

SAVOIR-VIVRE

L'interdiction de fumer s'applique à tous les endroits publics, y compris les transports en commun et les lieux d'attente – arrêts de bus ou gares. Les restaurants sont obligés de réserver un espace aux non-fumeurs.

Les Suédois, fort patients lorsqu'ils font la queue, gardent cependant jalousement leur place. Très chaleureux, ils aident volontiers les touristes étrangers – il est courant de s'appeler par son prénom et de se saluer par un « Hej ! » amical.

La tenue décontractée est acceptée presque partout, même dans les restaurants, particulièrement en été. Le pourboire est toujours inclus dans l'addition, mais vous pouvez arrondir la note jusqu'à 10 %.

SYSTEM BOLAGET

Logo de Systembolaget, magasin de spiritueux sous monopole d'État

ALCOOL

Vins et spiritueux peuvent être achetés uniquement dans les Systembolaget, magasins sous monopole d'État, relativement peu nombreux et ouverts du lundi au vendredi de 10h à 18h - les queues sont parfois longues le vendredi. Quelques boutiques sont également ouvertes de 10h à 14h le samedi. La vente d'alcool étant interdite aux moins de 20 ans – 18 ans dans les restaurants –, il est préférable de pouvoir prouver son âge. La plupart des restaurants et des pubs cessent

de vendre de l'alcool à 1h, mais quelques bars restent ouverts jusqu'à 5h.

Le taux d'alcoolémie devant être inférieur à 0,2 g par litre, les automobilistes doivent réellement choisir entre boire ou conduire.

La coutume du *skål* déconcerte nombre de visiteurs. Elle consiste à regarder la personne droit dans les yeux, à lever son verre, à boire et à échanger de nouveau un regard en baissant le verre.

Sécurité et santé

Symbole de la police

Stockholm, si on la compare à la majorité des grandes villes du monde, est remarquablement sûre. Jusqu'ici, la capitale n'a pas été touchée par les poussées de violence et de terrorisme vécues par la plupart des grandes métropoles, elle a également été épargnée par les catastrophes naturelles telles que séismes ou grandes tempêtes. Depuis quelques décennies, le cœur de la ville, livré aux bureaux et aux bâtiments publics, est déserté le soir. La Suède s'enorgueillit d'un réseau de services d'urgence très développé, auquel peuvent, bien entendu, s'adresser les visiteurs. Les services de sauvetage et les urgences hospitalières se montrent extrêmement efficaces.

Policier   Gardien

Voiture de police

PROTÉGER SES BIENS

Bien que Stockholm soit une ville sûre, les touristes peuvent y rencontrer quelques problèmes. L'été, en particulier, les nombreuses fêtes et autres manifestations attirent voleurs à l'arrachée et pickpockets. Si vous vous trouvez au milieu d'une foule, surveillez vos sacs et appareils photo.

Lorsque vous sortez, il est plus sage de laisser à l'hôtel passeports et documents de voyage. Les objets précieux et les papiers personnels devraient rester dans votre chambre fermée ou dans le coffre de l'hôtel. N'emportez pas avec vous une grande quantité d'argent liquide : les grandes cartes bancaires sont acceptées dans la presque totalité des restaurants et magasins, et les distributeurs automatiques délivrent petites et grosses coupures.

Veillez également à ne laisser aucun objet de valeur

dans votre voiture ; choisissez de préférence un hôtel avec parc de stationnement.

Les visiteurs se rendant à Stockholm en voiture doivent être en possession de la carte verte délivrée par leur compagnie d'assurance.

SÉCURITÉ

Les policiers de Stockholm, qui parlent en général un bon anglais, se montrent très serviables. Les rondes à pied ou en voiture sont fréquentes et il n'est pas rare de voir la police montée lors d'événements spéciaux. Chaque quartier possède un

Police montée

commissariat ; il en est de même pour la T-Centralen (gare centrale). Outre la police, des gardiens en uniforme sont postés aux stations importantes de Tunnelbana, dans les grands magasins et à certaines entrées de bureaux.

Stockholm est une ville agréable pour les touristes car son centre se parcourt facilement à pied. Le Tunnelbana (métro souterrain), confortable et pratique, est sûr la plupart du temps – évitez cependant les voitures vides. Des systèmes de surveillance vidéo sont installés à la gare centrale, sur les places principales, dans les grands magasins et dans de nombreuses boutiques.

Les visiteurs doivent se montrer prudents lorsqu'ils utilisent des taxis non autorisés, dits « au noir », en particulier à l'aéroport d'Arlanda, ou la nuit, dans le centre-ville.

Depuis quelques années, le commerce du sexe étant interdit en Suède, c'est la personne qui sollicite et non celle qui accorde ses faveurs, qui est poursuivie. En raison de cette loi et des contrôles policiers accrus, la prostitution a presque totalement disparu de la ville même.

OBJETS TROUVÉS

Les objets perdus ou volés doivent être déclarés au commissariat le plus proche. **Police Lost Property Office** (Polisens Hittegodsexpedition) a ses bureaux ouverts du lundi au vendredi de 9h à midi ; une permanence téléphonique est assurée aux heures d'ouverture. Swedish State Railways (Statens Järnvägar), le chemin de fer national, possède un bureau à la gare centrale pour les objets disparus dans les trains. **SL Lost Property Office** (Hittegodsavdelning), ouvert du lundi au vendredi de 10h à 17h, centralise les objets perdus dans un bus ou dans le Tunnelbana.

URGENCES

Il existe un seul numéro d'urgence pour la police, les pompiers ou une ambulance : le 112. Il peut être composé gratuitement de tous les téléphones publics mais ne doit être utilisé que pour des urgences réelles. En cas de soucis de santé mineurs, appelez **Healthcare Information Service** (Sjukvårdsupplysningen).

SANTÉ

Aucune vaccination n'est exigée pour se rendre en Suède. Plusieurs hôpitaux de la ville possèdent un service d'urgences – **Karolinska Sjukhuset, Astrid Lindgren Barnsjukhus** (enfants), **Danderyds**

Sjukhus, St Eriks Sjukhus (urgences oculaires et dentaires), **Skt Görans Sjukhus** (privé) et **Södersjukhuset**. Avant de vous y rendre, contactez Healthcare Information Service.

Cet organisme, tenu au courant de la situation dans les hôpitaux, peut vous donner des conseils en anglais et vous orienter vers l'établissement ou le médecin adapté. Si vous ne vous adressez pas à lui, vous risquez, si vous avez un problème mineur, de subir une attente très longue dans le service d'urgences.

En cas de maux de dents sévères, rendez-vous à **Skt Eriks Sjukhus** entre 7h45 et 20h30 ou à **Emergency Dental Clinic**, après 20h30.

Il est conseillé aux visiteurs étrangers de souscrire, avant leur départ, une assurance médicale couvrant les frais de santé ou une hospitalisation éventuels.

Les citoyens des autres pays de l'UE bénéficient en Suède de soins gratuits, à condition qu'ils produisent le formulaire

Ambulance

E111 ainsi qu'un passeport en cours de validité ou une autre pièce d'identité. Tous les traitements n'étant pas couverts par le E111, il est conseillé de souscrire aune assurance médicale avant le voyage.

MÉDICAMENTS

Les pharmacies vendent des remèdes sans ordonnance pour la plupart des troubles ; les pharmaciens vous conseilleront sur le traitement approprié. Elles sont, en général, ouvertes du lundi au vendredi de 8h30 à 16h ou 18h. Certaines d'entre elles ouvrent le samedi. La pharmacie **C. W. Scheele,** près de la Gare centrale, est ouverte 24h/24h.

Pharmacie

MOUSTIQUES ET TIQUES

Entre juin et septembre, les moustiques peuvent devenir une plaie pour les humains, au crépuscule, dans les parcs et au bord de l'eau, en particulier dans l'archipel. Munissez-vous de produits répulsifs, vendus dans les pharmacies. Les tiques sont également à craindre ; en cas de morsure, il faut aussitôt extraire le parasite avec une pince à épiler. Si la rougeur autour de la morsure persiste, consultez un médecin.

CARNET D'ADRESSES

URGENCES

Ambulance, police, pompiers
☎ 112.

SOINS MÉDICAUX

Danderyds Sjukhus
☎ 655 50 00 (24 h).

Karolinska Sjukhuset
Plan 2 A1.
☎ 517 700 00 (24 h).

Skt Görans Sjukhus
Plan 1 A2.
☎ 58/ 010 00.

Skt Eriks Sjukhus
Plan 1 C2.
☎ 672 31 00.

Södersjukhuset
Plan 8 B4.
☎ 616 10 00.

Astrid Lindgrens Barnsjukhus
Plan 2 A1.
☎ 517 771 02.

Emergency Dental Clinic
Skt Eriks Sjukhus
Plan 1 C2. ⏱ 7h45-20h30
☎ 545 512 20.
après 20h30 : dentiste de garde ☎ 463 91 00.

Pharmacy C W Scheele
Klarabergsgatan 64.
Plan 2 C4.
☎ 454 81 00 (24/24 h).

SERVICE DE SANTÉ 24H/24H

Healthcare Information Service
☎ 463 91 00 (24/24 h).

Poisons Information Service
☎ 33 12 31 (24/24 h).

Pharmaceutical Information
☎ 020 66 77 66 (24/24 h).

OBJETS PERDUS

Police Lost Property Office
Bergsgatan 39.
Plan 1 C3.
☎ 401 07 88.

Swedish State Railways Lost Property Office
Gare centrale, Vasagatan.
Plan 2 C4.
☎ 762 25 50.

SL Lost Property Office
Klara Östra Kyrkogata 4.
Plan 2 C5.
☎ 412 69 60.

Banques et monnaie

La Suède restant en dehors de l'Union économique et monétaire (UEM), les prix sont affichés en couronnes (kronor) et non en euros. On peut changer de l'argent dans les banques, mais les bureaux de change ont une amplitude horaire plus grande, et proposent un taux plus intéressant. Les distributeurs automatiques se trouvent à l'extérieur de la plupart des banques, ainsi que dans les plus grands centres commerciaux. Outre les cartes bancaires, acceptées quasiment partout, les magasins les plus importants prennent les traveller's chèques, voire même parfois les devises les plus fortes.

Un *Bankomat*, distributeur dépendant des banques d'affaires

BANQUES

Le centre-ville compte de nombreuses banques. Elles sont généralement ouvertes entre 9h30 et 15h et leur service est particulièrement efficace. Certaines agences restent ouvertes jusqu'à 18h, au moins un jour par semaine. Toutes les banques sont fermées le week-end et les jours fériés, parfois même la veille de ces derniers.

Les distributeurs automatiques fonctionnent très bien. Il en existe de deux sortes, les *Bankomat*, dépendant des banques

d'affaires et les *Uttag* appartenant à la Föreningssparbanken. Les visiteurs étrangers peuvent utiliser tous les distributeurs de la ville, à condition que le code PIN de leur carte soit relié, par exemple, à Visa ou à MasterCard ; les frais de retrait varient selon les cartes utilisées. La grande majorité des machines dispensent leurs instructions en plusieurs langues.

CHANGE

Plusieurs chaînes de bureaux de change sont représentées à Stockholm. Ils sont toujours facilement accessibles et leur taux est souvent plus intéressant que celui des banques. Nous vous déconseillons de changer de l'argent à l'hôtel car l'opération risque d'être très coûteuse. Comparez toujours les taux de change et le montant des frais ; les différences peuvent être importantes.

Vous pouvez changer votre argent à l'aéroport d'Arlanda, à partir de 5h30 et à la gare centrale à partir de 7h. Ces deux bureaux restent ouverts

CARNET D'ADRESSES

BANQUES

Handelsbanken
Kungsträdgårdsgatan 2.
Plan 4 C1. ☎ 701 10 00.

Merita Nordbanken
Hamngatan 10. **Plan** 3 D4.
☎ 614 70 00.

S-E-Banken
Sergels Torg 2. **Plan** 2 C4.
☎ 763 51 00.

CARTES DE PAIEMENT

Diners Club
☎ 14 68 78 (cartes étrangères perdues).

MasterCard
☎ 020 791 32 48
(assistance d'urgence pour visiteurs internationaux).

Visa
☎ 020 79 31 46
(cartes étrangères perdues).

American Express
Magnus Ladulåsg. 5. **Plan** 8 B3.
☎ 429 54 29 (cartes perdues).
☎ 020-795 1555 (trav. chèques).

Thomas Cook
☎ 754 43 04.

BUREAUX DE CHANGE

Forex
Maison de la Suède, Hamngatan 27.
Plan 3 D4. ☎ 20 03 89.
NK. **Plan** 3 D4. ☎ 762 83 40.
Gare centrale.
Plan 2 C5. ☎ 411 67 34.
Gare routière.
Plan 2 B4. ☎ 21 42 80.
Vasagatan 14.
Plan 2 C5. ☎ 10 49 90.
Aéroport d'Arlanda, terminal 2.
☎ 593 622 71. ☒ www.forex.se

X-change
Kungsgatan 30.
Plan 3 D4. ☎ 506 107 00.
Centre commercial PUB, Hötorget.
Plan 2 C4. ☎ 10 30 00.
Aéroport d'Arlanda, terminal 5.
☎ 797 85 57.
☒ www.x-change.se

Le siège de Handelsbanken à Kungsträdgården, dans la City

12 heures tous les jours. La gare centrale abrite deux comptoirs, l'un situé dans le hall principal, l'autre en sous-sol, au niveau des voies.

Un bureau Forex à l'office du tourisme, dans la maison de Suède *(p. 183)* permet aux visiteurs de changer de l'argent tout en se renseignant sur les manifestations culturelles et sportives de Stockholm.

CARTES DE PAIEMENT

Toutes les cartes de paiement internationales, telles que **Visa**, **MasterCard**, **American Express** et **Diners Club** sont acceptées pratiquement par tous les magasins et organismes. Seuls les magasins de spiritueux sous monopole d'État, Systembolaget, font exception à cette règle : ils ne prennent que les cartes bancaires suédoises ou les espèces. Lorsque vous payez par carte, il vous est parfois demandé de fournir une pièce d'identité.

Il est possible d'effectuer des retraits aux distributeurs automatiques avec des cartes de crédit internationales, munies d'un code PIN.

TRAVELLER'S CHÈQUES

Si vous devez effectuer des achats coûteux, les traveller's chèques constituent un bon moyen de paiement. Ils ne sont pas acceptés partout, mais ils peuvent être changés dans les banques. Lorsque vous les prenez dans votre propre pays, renseignez-vous sur la procédure à suivre si vous les perdez ; conservez un reçu comportant leur numéro de série dans un endroit séparé.

MONNAIE

L'unité monétaire suédoise est la couronne ou krona – au pluriel kronor -, abrégée en SEK ou kr. Elle se divise en 100 öre. La pièce la plus petite est celle de 50 öre, disponible en deux versions ; le billet le plus gros est celui de 1 000 kronor, rarement utilisé. Il est conseillé de ne pas garder sur soi de billets de plus de 500 kr.

20 kronor

Billets

Il existe des billets de 20, 50, 100, 500 et 1 000 kronor. Y sont représentés des monarques, savants, écrivains et artistes suédois.

50 kronor

500 kronor

100 kronor

1 000 kronor

Pièces

Il existe des pièces de 50 öre, de 1,5 et de 10 kronor. Le revers de la pièce de 1 kr représente le roi de Suède, tandis que celui de la pièce de 5 kr comporte son monogramme. La pièce de 50 öre arbore les « trois couronnes », symbole national.

50 öre

1 krona

5 kronor

10 kronor

Communications

Téléphone mobile

La Suède s'enorgueillit d'un système de téléphone public de haut niveau. Une industrie de télécommunications de pointe et un niveau de vie élevé placent les Suédois parmi les premiers utilisateurs de téléphones mobiles et d'Internet au monde. Le système « Inform@fon » sert non seulement à passer un coup de fil, mais aussi à taper des messages, à envoyer un fax ou un e-mail ou encore à « surfer sur le Net ». Les cartes de téléphone – ainsi que la plupart des cartes de paiement-, permettent d'appeler d'une cabine publique.

TÉLÉPHONE

Les cabines publiques détenues par Telia, compagnie nationale, fonctionnent à l'aide d'une carte de 30, 60 ou 100 unités, que l'on peut acheter dans les kiosques à journaux ou dans des magasins. Un appel local coûte une unité par minute tandis que les autres appels coûtent deux unités par minute. Les cartes bancaires ou les cartes de téléphone internationales, telles qu'Access, peuvent également être employées. De tous les téléphones publics, il est possible de passer des appels en PCV et d'appeler le 112, numéro d'urgence gratuit.

Les instructions d'utilisation des téléphones publics sont en anglais mais les bottins ne sont pas toujours disponibles. On peut obtenir des numéros en appelant le service des renseignements téléphoniques de Telia au 118 118.

Pour les appels internationaux, composez le 00, suivi, successivement, de l'indicatif du pays, de l'indicatif local (sans le zéro) puis du numéro.

Les appareils à pièces, très rares, affichent des instructions en anglais.

LE TÉLÉPHONE À CARTES

1 Sélectionnez la langue de votre choix pour les instructions.

2 Décrochez.

3 Insérez la carte et attendez la tonalité.

4 Composez le numéro et attendez la sonnerie. Si votre carte est épuisée, vous entendez un signal : appuyez sur le bouton d'éjection de la carte et insérez-en une autre pour poursuivre votre conversation.

5 Après avoir raccroché, retirez votre carte. Si vous l'oubliez, vous entendez un signal.

Cartes téléphoniques de 30 unités.

Cabine téléphonique Telia à cartes

TÉLÉPHONES MOBILES

Le nombre de cabines téléphoniques décroît nettement ces dernières années car pratiquement tous les Suédois possèdent un téléphone mobile. Dans la plupart des cas, les visiteurs peuvent utiliser leur mobile en Suède ; la couverture est en effet très bonne, même à l'extérieur des villes. À l'intérieur de Stockholm, il leur suffit de composer l'indicatif régional 08 avant le numéro appelé.

FAX, TÉLÉGRAMMES ET E-MAILS

Un système de communications avancé, « Inform@fon », a été introduit à Stockholm. Il est localisé à plus de 100 endroits, à l'intérieur des aéroports, des gares, des centres commerciaux et d'autres lieux publics. On peut l'utiliser comme un téléphone normal, un SMS et un fax, pour envoyer des e-mails, surfer sur le Net ou laisser des messages sur un téléphone mobile. Ce système est très utilisé par les malentendants, qui tapent tout simplement leurs messages sur le clavier. Il est possible de payer le service obtenu avec une carte téléphonique ou une carte de paiement.

Les plus grands hôtels offrent à leurs clients les services de fax, de télégramme et d'e-mail.

On peut envoyer ou recevoir des messages par e-mail à **Kulturhusets Internetcafé**, sur Sergels Torg.

Timbres-poste suédois de 5, 7 et 8 kr

COURRIER

Tous les quartiers de la ville et de la banlieue possèdent des bureaux de poste, en général ouverts de 10h à 18h en semaine, et de 10h à 13h le samedi. Le bureau de la gare centrale est ouvert de 7h à 22h en semaine, et de 10h à 19h le samedi et le dimanche. Les timbres s'achètent à la poste, dans les *pressbyrån* (kiosques à journaux) et les bureaux de l'office du tourisme. Il faut affranchir les cartes postales ou les lettres pesant moins de 20 g à 5 kr pour le courrier intérieur ; à 7 kr pour un autre pays européen ; et à 8 kr pour le reste du monde. Les boîtes aux lettres sont peintes de différentes couleurs : les jaunes sont réservées aux lettres à destination de l'étranger ; les bleues, au courrier circulant à l'intérieur à Stockholm (codes postaux commençant par 1) ; les rouges, au courrier local affranchi avec des timbres spéciaux achetés dans les

Logo de la poste

pressbyrån ; et les blanches, aux virements bancaires uniquement. Les heures de levée sont indiquées sur les boîtes.

Il est possible de recevoir des lettres en poste restante. L'adresse doit comporter le nom du destinataire, ainsi que le nom et le code postal du bureau récepteur. Les lettres sont conservées un mois après réception.

La plupart des services de courrier international sont représentés à Stockholm ; la poste suédoise propose également des prestations spéciales.

TÉLÉVISION ET RADIO

Pratiquement toutes les chambres d'hôtel sont pourvues d'une télévision diffusant des chaînes nationales et étrangères. Les chaînes les plus couramment regardées sont SVT1, SVT2, TV3, TV4 et Channel 5, ainsi que CNN, Sky News, MTV et Eurosport. SVT1 et 2 sont des chaînes publiques. SVT2 et TV4 diffusent des programmes locaux le matin et le soir, comprenant des bulletins météorologiques.

Il existe un certain nombre de stations de radio locales, diffusant essentiellement de la musique suédoise et internationale. La station internationale P6 propose des émissions en anglais et en allemand sur 89.6 MHz.

QUOTIDIENS ET MAGAZINES

On trouve à Stockholm pratiquement tous les journaux et magazines étrangers. **Press Point**, **Press Center** et **Press Specialisten** offrent le choix le plus vaste. Les nombreux *pressbyrån* et les bureaux de l'office du tourisme proposent un choix limité de publications étrangères.

Les *pressbyrån* vendent des timbres

Boîtes aux lettres pour le courrier national, international et local

ALLER À STOCKHOLM

La situation centrale de Stockholm dans la région balte en fait un nœud de communications important. Des vols quotidiens directs relient la ville aux principales métropoles d'Europe et d'Amérique du Nord. L'aéroport d'Arlanda, l'un des mieux organisés du monde, est desservi par une soixantaine de lignes aériennes nationales et internationales. La Suède s'est dotée de

Avion de la Scandinavian Airlines (SAS)

nouvelles autoroutes et de voies ferrées adaptées aux TGV. Les ferries relient Stockholm à la Finlande en 14 h environ. Les TGV et les autoroutes permettent de gagner la capitale au départ des côtes ouest et sud de la Suède en moyenne en 6 heures. La Suède est directement reliée au continent par le pont routier et ferroviaire, récemment construit, franchissant l'Öresund jusqu'au Danemark.

AVION

Les grandes villes d'Europe proposent des vols directs pour Stockholm. De nombreuses grandes compagnies aériennes internationales et des lignes intérieures desservent l'aéroport d'Arlanda, situé à 40 km environ au nord du centre-ville.

La capitale possède deux autres aéroports : Bromma, non loin du centre, utilisé par certaines compagnies intérieures, telles que **Malmö Aviation** et Skavsta, près de Nyköping, à une centaine de kilomètres au sud de Stockholm, d'où la compagnie **Goodje**t assure, à certaines périodes de l'année, des liaisons quotidiennes avec Paris (Beauvais). Une navette transporte les voyageurs de Skavsta à Stockholm.

Air France assure au départ de Paris quatre vols directs par jour pour Stockholm. **Sabena** assure cinq liaisons Bruxelles-Stockholm par jour. **Swissair** relie Zurich à Stockholm 4 fois par an.

Le train express d'Arlanda relie l'aéroport à Stockholm

ALLER OU VENIR DE L'AÉROPORT D'ARLANDA

Il existe plusieurs moyens de se rendre à Stockholm de l'aéroport d'Arlanda. Le « Flygbussarna », navette de bus qui propose des départs toutes les cinq minutes aux heures de pointe, et atteint en 45 minutes la gare routière de la gare centrale, coûte environ 60 kr. Il est possible de réserver un taxi

Logo de la SAS

à l'arrivée du bus. Le trajet en taxi de l'aéroport, plus rapide, est aussi plus cher ; la plupart des compagnies demandent 350 kr jusqu'au centre-ville ; demandez le tarif au chauffeur avant de monter dans le taxi. Il est conseillé d'éviter les taxis non autorisés, « au noir ». Le train Arlanda Express vous emmène directement à la gare centrale en 20 minutes, pour 120 kr. Il existe deux gares à l'aéroport : une pour les terminaux 2, 3, 4 ; et l'autre pour le terminal 5. La gare Sky City est desservie par les trains longue distance.

TARIFS DES VOLS

Les compagnies proposent de nombreux vols ; vous aurez l'embarras du choix, en particulier si vous n'êtes pas fixé sur une date précise pour votre voyage ou si vous pouvez réserver longtemps à l'avance. SAS, par exemple, propose des tarifs peu élevés si vous réservez votre vol au moins une semaine avant le départ et si votre séjour inclut la nuit du samedi au dimanche. En général, ce type de réservation ne peut être modifié.

Les compagnies aériennes maintiennent le plus souvent leurs tarifs pour l'année entière, mais elles proposent parfois des offres spéciales, très intéressantes. Les promotions de dernière minute sont souvent annoncées sur leurs sites Internet et dans la presse.

Le terminal 5 (international) de l'aéroport d'Arlanda

Ferry reliant la Finlande à Stradsgården

TRAIN OU AUTOCAR

L e voyage du continent à Stockholm est relativement rapide, confortable et peu coûteux. Sa durée a été raccourcie grâce à l'ouverture du pont d'Öresund, structure à la fois routière et ferroviaire, reliant le Danemark à la Suède. Les agences de voyages donnent des informations sur toutes les options proposées.

En Suède, la compagnie de chemin de fer nationale **Statens Järnvägär** gère la plupart des trains longue distance. Certains trajets sont effectués par des compagnies privées, en particulier, **Tågkompaniet** (Stockholm-Nord de la Suède). Depuis quelques années, les vols reliant Stockholm à Malmö ou à Göteborg sont concurrencés par le train à grande vitesse X 2000. Ce dernier permet de gagner la capitale, en 5 heures au départ de Malmö, et en 3 heures, au départ de Göteborg.

Les mêmes routes sont desservies par des lignes d'autocar telles que **Swebus**. Les voyages sont naturellement

SJ

Logo des chemins de fer suédois

Hall d'arrivée à la gare centrale de Stockholm

plus longs (7 heures de Göteborg et 9 h de Malmö), mais ils sont aussi beaucoup moins chers ; en outre, il n'est pas indispensable de réserver à l'avance.

FERRY

F erries et bacs desservent Stockholm depuis la Finlande. **Viking Line** et **Silja Line** organisent des liaisons quotidiennes et possèdent leurs propres débarcadères, respectivement à Stadsgården, près du centre, et à Värtahamnen. Le trajet dure 15 heures à partir d'Helsinki et 11 heures à partir de Turku. Les deux lignes offrent d'excellentes prestations. De Tallin, en Estonie, **Est Line** effectue des voyages quotidiens jusqu'à Värtahamnen.

VOITURE

L es visiteurs passant par le Danemark peuvent utiliser le spectaculaire pont à péage d'Öresund, qui relie Copenhague à Malmö. Du côté suédois, le pont est relié à l'autoroute E4, menant à Stockholm (550 km). Il est également possible d'emprunter le bac reliant Elseneur (Danemark) à Helsinborg (Suède).

Les bacs en direction de Göteborg, partant du Danemark (Frederikshavn) et d'Allemagne (Kiel) permettent de rejoindre Stockholm par l'autoroute E3 (450 km). La formule la plus rapide de l'Allemagne à la Suède consiste à prendre le ferry

Attention aux élans

(catamaran) de Rostock à Trelleborg, ville du Sud de la Suède, puis l'autoroute E6, jusqu'à Malmö, et enfin l'autoroute E4 jusqu'à Stockholm. La limitation de vitesse est de 110 km/h sur les autoroutes suédoises, et de 90 km/h sur les autres routes ; en agglomération, elle varie entre 50 et 70 km/h. Lorsque vous conduisez en pleine campagne, redoublez de vigilance au crépuscule.

CARNET D'ADRESSES

AVION

SAS (Sacandinavian Airlines)
020 72 75 55.

Malmö Aviation
020 55 00 10.
0207 473 1043 (UK).

Air France
0 802 802 802.

Sabena
723 23 25.

Swissair
0 848 800 700.

TRAIN

Statens Järnvägär (SJ)
020-75 75 75.

Tågkompaniet (Svenska)
020-444 111.

FERRY

Silja Line
22 21 40.

Viking Line
452 40 00.

Est Line
667 00 01.

AUTOCAR RAPIDE

Swebus
0200-21 82 18.

CIRCULER À STOCKHOLM

Stockholm est le paradis des piétons. De courtes distances séparent les sites et chaque coin de rue réserve une agréable surprise. La capitale s'étend sur une multitude d'îles offrant des panoramas et des perspectives sur l'eau d'une beauté à couper le souffle. La ville abrite de nombreuses pistes cyclables – un peu moins dans le centre des affaires – mais les cyclistes inexpéri-

Piste pédestre et cyclable

mentés se cantonneront aux espaces verts de Djurgården. Les transports en commun, bus, métro, tramways et trains, très commodes, desservent le centre ville ainsi que la région environnante. Il est relativement facile de se déplacer en voiture dans Stockholm, sauf à Gamla Stan et aux heures de pointe mais la meilleure façon de découvrir la ville est de circuler à pied.

STOCKHOLM À PIED

Nous vous conseillons de visiter la plupart des quartiers centraux de Stockholm à pied mais vous devez respecter les règles suivantes. La traversée des rues est interdite si le signal est rouge *(voir illustration ci-dessous)* ; motards doivent s'arrêter et laisser passer les piétons aux passages dépourvus de feux (faites preuve de vigilance). Si vous patientez à un carrefour, appuyez sur le bouton car vous risquez d'attendre longtemps l'autorisation de traverser.

Les panneaux de rue, très clairs, permettent de trouver son chemin facilement ; en outre, les habitants de Stockholm se montrent toujours très serviables. Il existe des pistes cyclables et piétonnes partout dans la ville, ainsi que des zones et des parcs réservés aux marcheurs.

Gamla Stan et Kungsträdgården accueillent de nombreux visiteurs pédestres. Une promenade le long du quai face au Grand Hôtel et au Nationalmuseum, suivie du tour

Flânerie le long de Djugårdsbrunnsviken

de Skeppsholmen, constitue un parcours très agréable, à l'instar de la visite de Djurgården et de son parc d'attractions, non loin du centre-ville.

Si vous aimez flâner au bord de l'eau, suivez les quais. Par exemple, partez de Stadshuset et suivez Norr Mälarstrand, puis le rivage de la baie de Riddarfjärden. Vous ne manquerez pas de compagnie – le jogging est très apprécié à Stockholm. *Fjällgatan (p. 129)* qui offre une vue magnifique de la ville, mérite également une promenade lente et attentive.

Des visites guidées à pied sont organisées régulièrement, souvent autour d'un thème particulier. L'été, elles sont effectuées dans plusieurs langues étrangères. La plupart d'entre elles se déroulent dans la vieille ville, mais quelques-unes ont lieu sur d'autres sites – renseignez-vous à l'office du tourisme *(Carnet d'adresses, p. 183)*.

Signaux pour piétons ; rouge : attendez, vert : traversez

CONDUIRE À STOCKHOLM

Il est relativement facile de circuler à Stockholm, sauf aux heures de pointe (7h30-9h30, 12h-13h et 15h30-18h). L'utilisation de la voiture est superflue dans le centre-ville en raison des courtes distances séparant les sites à visiter et de l'efficacité des transports en commun. Toutefois, la voiture est un avantage lorsque vous désirez vous aventurer un peu plus loin.

La limitation de vitesse en ville est en général de 50 km/h, mais elle peut descendre à 30 km/h à proximité des écoles. Vous ne pouvez rouler à 70 km/h que sur les routes d'accès à la capitale. Les amendes pour excès de vitesse sont élevées ; même si le

Passage piéton

dépassement est faible, votre permis de conduire risque d'être supprimé. Attachez votre ceinture de sécurité. La tolérance zéro est appliquée aux conducteurs en état d'ébriété – taux limite d'alcoolémie : 0,2 g par litre. Aux carrefours sans feux, les motards doivent laisser le passage aux piétons - le feu jaune signifie « STOP ».

PANNEAUX DE RUE

Nom de la rue

Roslagsgatan

kv. Ingemar 46-34

Pâté de maisons

N° dans le groupe d'immeubles

LOCATION DE VOITURES

Les compagnies de location de voitures internationales et plusieurs firmes nationales sont représentées à Stockholm. Les plus grands hôtels ainsi que l'office du tourisme, à la maison de Suède *(p. 183)* peuvent vous faire livrer une voiture où et quand vous le désirez. Le seul document exigé est le permis de conduire que vous devez présenter à la signature du contrat.

PARC DE STATIONNEMENT

Malgré les nombreuses places de stationnement, le long des rues ou dans les grands parkings souterrains, il est parfois difficile de trouver une place, surtout en été. Si vous vous garez dans la rue, vous devez vous familiariser avec les panneaux. Au centre-ville, il faut compter 10 kr de l'heure. Dans de nombreuses rues, le stationnement est gratuit, en particulier le week-end, ou entre 17h et 9h, sauf lors du nettoyage de rues, indiqué sur les panneaux. Les sites importants, tels que

Gardienne de parking

Stationnement interdit : ce signe permet un court arrêt pour prendre ou déposer quelqu'un (5-10 min).

Arrêt interdit, indiqué par une ligne jaune sur le sol.

Parking

Payant de 9h à 17h seulement

Parking interdit les nuits de semaine, entre minuit et 6h

les musées, possèdent souvent un parking payant.

Les gardiens de parkings de la ville se montrent diligents. Toute enfreinte à la réglementation peut entraîner une amende de 400 kr ou plus. Se garer à moins de dix mètres d'un carrefour coûte 700 kr. Ne laissez pas d'objets précieux dans votre voiture, même dans les parkings gardés.

PARCMÈTRES

Prix et heures · **Fente pour pièces** · **Bouton vert : non-résidents** · **Bouton jaune : résidents**

Jour et date · **Heure d'expiration**

Ticket de parking pour non-résidents

CIRCULER EN TAXI

Au centre-ville, le taxi n'est pas indispensable en raison de la courte distance séparant les sites, mais il peut se révéler commode et relativement bon marché sur de courtes distances.

À l'exception des heures de pointe, les taxis attendent leurs clients aux stations ou devant les lieux touristiques ; vous pouvez aussi les héler. Il est également possible de réserver un taxi par téléphone, directement ou à l'avance. La prise en

Signe allumé : taxi libre

Station de taxis

charge se monte en principe à 30 kr. Une course en centre-ville coûte environ de 60 à 100 kr. Demandez le prix approximatif de la course avant de monter en voiture. Il est déconseillé d'utiliser les taxis dits « au noir » (non autorisés), particulièrement la nuit.

Taxi de Stockholm

CARNET D'ADRESSES

TAXI

Taxi Stockholm 15 00 00.

Taxi Kurir 30 00 00.

Taxi 020 020-93 93 93.

LOCATION DE VOITURES

Avis 020-78 82 00.

Europcar 020-78 11 80.

Hertz 020-211 211.

Statoil 020-252525.

Circuler en Tunnelbana et en autobus

**Logo du
Tunnelbana**

Tous les sites de Stockholm sont accessibles par les transports en commun. SL, secondée par différentes compagnies, gère le Tunnelbana (métro), les autobus et certaines navettes. Ces différents réseaux qui se complètent efficacement desservent Stockholm et sa banlieue. Vous trouverez un plan des lignes du Tunnelbana (métro) ci-dessous et un plan des lignes d'autobus à la fin du guide.

**Coupon plein tarif (en haut) et
ticket SL d'une journée**

TUNNELBANA

La construction du métro de Stockholm débuta à la fin des années 1940. Aujourd'hui, ce dernier comporte une centaine de stations réparties sur trois lignes principales – verte, rouge et bleue – qui se rejoignent à T-Centralen, jouxtant la gare centrale.

Pratiquement tous les sites décrits dans cet ouvrage sont accessibles par le Tunnelbana ou les lignes d'autobus principales. Le métro suédois s'étend sur quatre zones, la première couvrant une grande partie du centre-ville, ce qui signifie que l'on peut visiter la plupart des lieux intéressants qui s'y trouvent pour 20 kr. Outre les tickets à l'unité, on peut acheter des cartes de transport pour une journée,

Rame moderne du Tunnelbana

trois jours ou un mois. Ces cartes sont valables pour toutes les zones. Il est également possible d'utiliser la *Stockholmskortet (p. 183)*. Pour 100 kr, il est parfois avantageux de prendre un carnet de coupons à tarif réduit, valables pour 10 trajets dans la ville même. Les tickets s'achètent dans les kiosques *pressbyrån*, au bureau central de SL ou dans les stations. Pour un seul trajet, ils sont vendus dans les stations de Tunnelbana ou dans les bus. Les nuits du dimanche au jeudi, le Tunnelbana fonctionne jusqu'à 1h, tandis que le vendredi et le samedi, il ne s'arrête qu'à 4h. Il est ensuite relayé par les autobus de nuit.

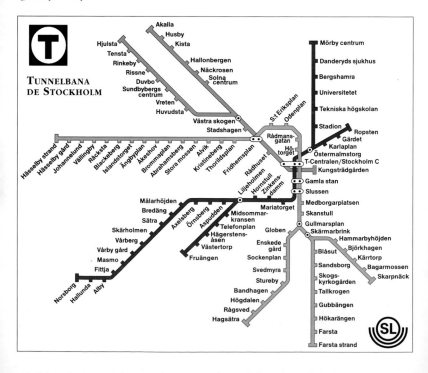

**TUNNELBANA
DE STOCKHOLM**

AUTOBUS

Le réseau des autobus « rouges » de la ville s'est élaboré autour de bus « bleus » qui prolongent le Tunnelbana. De nombreuses rues dans le centre-ville ont des voies réservées à ces véhicules modernes et confortables, où l'on peut monter avec un landau, et qui fonctionnent avec des carburants écologiques, éthanol ou gaz.

Le bus est un moyen agréable et économique de visiter Stockholm. Avec un ticket unique à deux coupons, vous pouvez voyager deux heures, avec un nombre illimité de correspondances. Les lignes les plus touristiques – 3, 4, 46, 47, 62 et 69 – desservent la plus grande partie du centre-ville et

Le vieux tramway restauré est un agréable moyen de gagner Djurgården

s'arrêtent devant de nombreux sites. Les lignes 47 et 69, partant de Norrmalmstorg, par exemple, permettent de se rendre sur des lieux non desservis par le Tunnelbana. La ligne 47 emmène les visiteurs jusqu'à Djurgården – abritant Skansen, Gröna Lund, Vasamuseet et Nordiska Museet -, et poursuit sa route jusqu'à Waldemarsudde. La ligne 69 va jusqu'à Gärdet sud, comportant quatre imposants musées, et Kaknästornet, et continue via Thielska Galleriet, jusqu'à Blockhusudden, à

Autobus rouge, de ville, et bleu, de grande banlieue

la pointe la plus orientale de Djurgården.

TRAMWAY D'ÉPOQUE

Un moyen charmant de se rendre à Djurgården, en particulier pendant l'été, consiste à prendre le tramway ancien soigneusement restauré. Les tramways ont cessé de fonctionner à Stockholm en 1967, lorsque la Suède a adopté la conduite à droite. Toutefois, depuis 1991, une organisation de bénévoles enthousiastes a rétabli un service sur l'ancienne ligne 7, reliant Norrmalmstorg à Djurgården.

Chaque année, plus de 300 000 passagers empruntent le tramway.

ART DANS LE TUNNELBANA

Le Tunnelbana mérite une visite. Dès l'origine, du temps et de l'argent furent investis dans la décoration artistique des stations. Aujourd'hui, plus de 130 créateurs y ont signé des sculptures, des mosaïques et des peintures. SL possède un conseil artistique responsable du choix des futures œuvres d'art et qui dispose d'un budget annuel de 3 millions de couronnes. Citons quelques stations particulièrement remarquables :

Kungsträdgården
Sculptures, cascade, peintures, etc. (Ulrik Samuelson, 1977-1987).

Fridhemsplan
Murs vernissés et sculpture en terre cuite « *Hommage à Carl von Linné* » (Dimas Macedo, 1977).

Zénith, **sculpture d'acier peinte, de Leif Tjerned, station Gullmarsplan**

Östermalmstorg Reliefs sur le thème : *Droits des femmes, la paix et les mouvements écologistes* (Siri Deckert, 1965).

Stadion Sculptures de bois liées aux Jeux Olympiques de 1912, au stade de Stockholm, et à l'Académie royale de Musique (Enno Hallek, Åke Pallarp, 1973).

Universitetet
Déclaration des Droits de l'Homme des Nations Unies,

décoration murale en céramique (Françoise Schein, 1998), installation vidéo (Fredrik Wretman, 1998).

Rissne
Axe du temps des pyramides à ce jour (Madeleine Dranger, Rolf H. Reimers, 1985).

Un guide en anglais sur l'art dans le Tunnelbana est disponible au guichet central du SL ou à l'office du tourisme.

Circuler en ferry et en bateau

Logo de Waxholmsbolaget

Stockholm, située entre le lac Mälaren et l'archipel baltique, est une ville où l'eau joue un rôle majeur. Bateaux et ferries, qui font partie du décor familier, sont un moyen très agréable de mieux connaître la capitale et ses environs. De nombreuses possibilités d'excursions et de visites guidées s'offrent aux visiteurs. Ces derniers peuvent également louer des embarcations à moteur ou à rames, des pédalos et des canoës.

Bateau de tourisme traversant Stockholms Ström

CIRCULER EN FERRY

Depuis plusieurs décennies, les visiteurs ont coutume de se rendre à Djurgården en ferry, à partir du centre-ville. Cette plaisante croisière, en correspondance avec les lignes d'autobus et de Tunnelbana, est gratuite pour les utilisateurs de la carte SL de 1 ou 3 jours (pas pour ceux de la *Stockholmskortet*).

Il existe un service de ferry fonctionnant toute l'année, de 7h30 à au moins minuit, entre Slussen et Allmänna Gränd – près de Gröna Lund –, via Skeppsholmen. De mai à août, un trajet relie Nybroplan, Vasamuseet, Skeppsholmen et Gröna Lund de 9h à 18h. Les départs de ces deux ferries ont lieu à des fréquences différentes. En été, les petits ferries de **Strömma**

Kanalbolaget font le tour des jetées du Brunnsviken en longeant Hagaparken *(p. 121)*.

VISITER EN BATEAU

La visite de Stockholm est particulièrement agréable sur les bateaux gérés par **Strömma Kanalbolaget** (Stockholm Sightseeing). Un circuit « Autour de Kungsholmen » part toutes les heures du quai situé près

Ferry de Djurgården devant Nordiska Museet

de l'hôtel de ville, entre 10h30 et 16h30 ; les billets, coûtant environ 100 kr, s'achètent à l'embarcadère. Les guides parlent à la fois anglais et suédois, voire parfois une troisième langue.

Les circuits « Sous les ponts de Stockholm » et « Autour de Djurgården » partent toutes les heures de Strömkajen, près du Grand Hôtel ; les bateaux embarquent d'autres passagers à Nybroplan - les billets sont vendus aux deux endroits. Le premier circuit, effectué de 10h à 20h, coûte environ 150 kr ; le second, proposé entre 10h30 et 18h, coûte 100 kr. Un casque fournit des commentaires en plusieurs langues. Toutes ces visites ont lieu l'été seulement, sauf « Autour de Djurgården » qui est proposée jusqu'en décembre. L'office du tourisme délivre billets et informations.

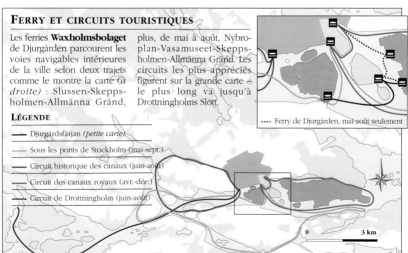

FERRY ET CIRCUITS TOURISTIQUES

Les ferries **Waxholmsbolaget** de Djurgården parcourent les voies navigables intérieures de la ville selon deux trajets comme le montre la carte *(à droite)* : Slussen-Skeppsholmen-Allmänna Gränd,

plus, de mai à août, Nybroplan-Vasamuseet-Skeppsholmen-Allmänna Gränd. Les circuits les plus appréciés figurent sur la grande carte – le plus long va jusqu'à Drottningholms Slott.

LÉGENDE

— Djurgårdsfärjan *(petite carte)*

— Sous les ponts de Stockholm (mai-sept.)

— Circuit historique des canaux (juin-août)

— Circuit des canaux royaux (avr.-déc.)

— Circuit de Drottningholm (juin-août)

···· Ferry de Djurgården, mai-août seulement

0   3 km

LOCATION DE BATEAUX ET CANOËS

Naviguer par soi-même au cœur de Stockholm est un délice. Canots à avirons, canoës, kayaks, pédalos et petits hors-bord se louent près du pont de Djurgården, chez **Tvillingarnas Båthyrning** et chez **Skepp och Hoj**. Les eaux calmes du canal de Djurgården sont idéales pour les bateaux à rames et canoës. Il faut environ une heure pour faire le tour de Dujrgården en hors-bord. Pour explorer l'archipel, on peut louer de plus grands bateaux à l'heure ou à la journée.

EXCURSIONS EN BATEAU

Les trajets réguliers en bateau organisés par **Waxholmsbolaget** fonctionnent en principe toute l'année, mais à une fréquence plus grande entre juin et la mi-août. Un excellent moyen d'explorer l'archipel de façon indépendante consiste à prendre à Strömkajen un bateau qui s'arrête à de nombreux endroits pittoresques. Les compagnies de ferries et l'office du tourisme peuvent suggérer des itinéraires intéressants.

Dans l'archipel et sur le lac Mälaren, des excursions sont organisées par **Strömma Kanalbolaget** ou par d'autres tour-opérateurs. Vous pouvez choisir une croisière gastronomique le soir jusqu'à Vaxholm – départ à 19h et retour à 21h45 ou différentes options. Un certain nombre de

Croisière en bateau à vapeur dans l'archipel et gastronomie suédoise

sites desservis par des bateaux rapides ou des bateaux à vapeur traditionnels sont énumérés pages 134 à 145.

sites desservis par des bateaux rapides ou des bateaux à vapeur traditionnels sont énumérés pages 134 à 145.

CARNET D'ADRESSES

EXCURSIONS ET VISITES EN BATEAU

Gripsholms-Mariefreds Ångf. AB
Stadshusbron. **Plan** 2 C5.
📞 669 88 50.

Strömma Kanalbolaget
Nybrokajen. **Plan** 3 E4.
📞 587 140 00.

Waxholmsbolaget
Strömkajen. **Plan** 3 D5.
📞 679 58 30.

LOCATION DE BATEAUX ET DE VÉLOS

Cykel och Mopeduthyrningen
Strandvägen, quay berth No. 24.
Plan 3 F4. 📞 660 79 59.

Cykelstallet
S:t Eriksgatan 34. **Plan** 1 C2.
📞 650 08 04.

Djurgårdsbrons Sjöcafé
Galärvarvsvägen 2. **Plan** 3 F5.
📞 660 57 57.

Kartbutiken
Kungsgatan 74. **Plan** 2 B4.
📞 20 23 03.

Kartcentrum
Vasagatan 16. **Plan** 2 C5
📞 411 16 97.

Tvillingarnas Båtuthyrning
Djurgårdsbron. **Plan** 3 F4.
📞 663 37 39.

Circuler en vélo

Circuit conseillé aux cyclistes

Le réseau de pistes cyclables de la capitale s'élargit constamment, mais il faut avoir l'habitude de la circulation urbaine pour visiter le centre à vélo. Cela dit, Stockholm et ses alentours semblent conçus pour la bicyclette. Nul besoin de s'éloigner du cœur de la ville pour savourer verdure, air pur et paysages magnifiques.

Les visiteurs désirant se renseigner à l'avance sur les locations de vélo peuvent consulter le site Internet www.rentbike.com. Situé dans la maison de Suède *(p. 183)*, le SIS, office du tourisme, peut mettre les cyclistes en contact avec une organisation locale qui se fera un plaisir de leur fournir quelques suggestions.

Deux compagnies de location de bicyclettes, **Djungårdsbrons Sjöcafé** et **Cykel och Mopeduthyrningen** sont situées sur Strandvägen, près du pont de Djurgården. De cet endroit, il est facile de rouler jusqu'à Djurgården, où abondent pistes cyclables et routes très peu fréquentées.

On peut également faire du vélo à Gärdet, Lilljanskogen et Haga, sur des routes signalées qui s'étendent au-delà du centre-ville, ainsi que sur certaines parties d'Ekoparken *(p. 121)*, dénuées de trafic.

Des rollers peuvent être loués au même endroit que les bicyclettes. **Cykelstallet** propose des V.T.C.

Des cartes et plans sont vendus, entre autres, chez **Kartcentrum** et **Kartbutiken**.

Promenade paisible à Djurgården

ATLAS DES LIEUX CITÉS

Touristes japonais

a carte ci-dessous montre les quartiers de Stockholm détaillés par les plans des pages suivantes ; Gamla Stan y figure à une échelle plus grande que celle du reste de la ville. Les références accompagnant les endroits mentionnés dans ce guide – sites, hôtels, restaurants, magasins et lieux de distraction – se rapportent aux plans de cette section. Le premier chiffre indique le numéro du plan auquel il faut se rapporter ; la lettre et le chiffre qui la suit renvoient aux cases qui le découpent. Tous les sites importants sont indiqués. La légende ci-dessous explique à quoi correspondent les symboles. Une carte globale de Stockholm figure pages 12 et 13.

0   2 km

VALHALLAVÄGEN
ODENGATAN
SVEAVÄGEN
STURE GATAN
KARLAVÄGEN
ARTILLERIGATAN
S:T ERIKSGATAN
KUNGSGATAN
ÅSÖGATAN
HANTVERKAR-GATAN
MÄLAREN
SÖDER MÄLARSTRAND
HORNSGATAN
SALTSJÖN
GÖTGATAN
RENSTIERNAS GATA
RINGVÄGEN

LÉGENDE DE L'ATLAS DES LIEUX CITÉS

- Site important
- Endroit intéressant
- Autre édifice
- Gare
- Station de Tunnelbana
- Arrêt de bus principal
- Gare routière
- Embarcadère de ferry
- Arrêt de tramway
- Parc de stationnement

- Office du tourisme
- Hôpital
- Commissariat
- Église
- Synagogue
- Bureau de poste
- Point de vue
- Ligne ferroviaire
- Rue à sens unique
- Rue piétonne

ÉCHELLE DES PLANS 1 À 3 ET 6 À 9

0   250 mètres

ÉCHELLE DES PLANS 4 À 5

0   250 mètres

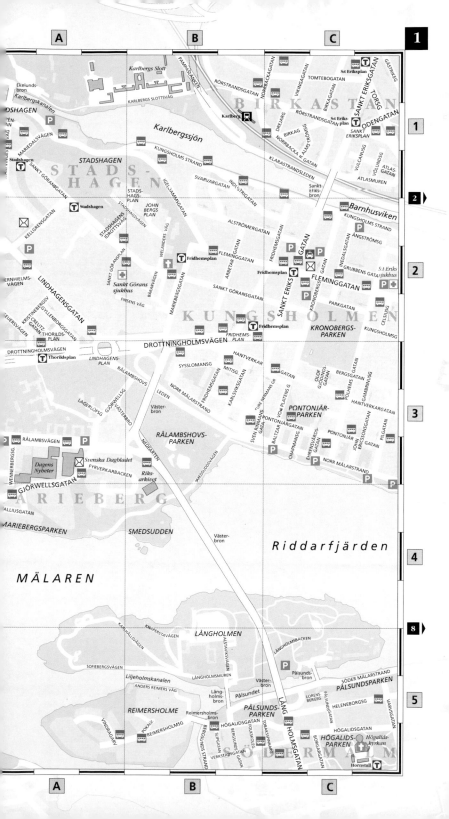

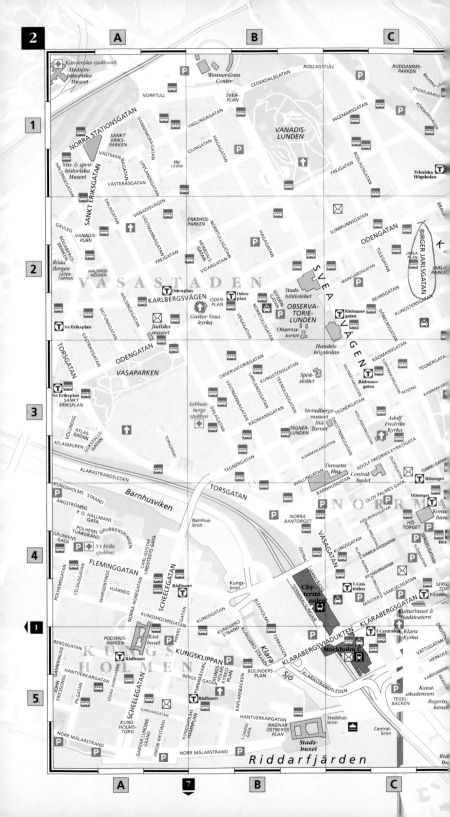

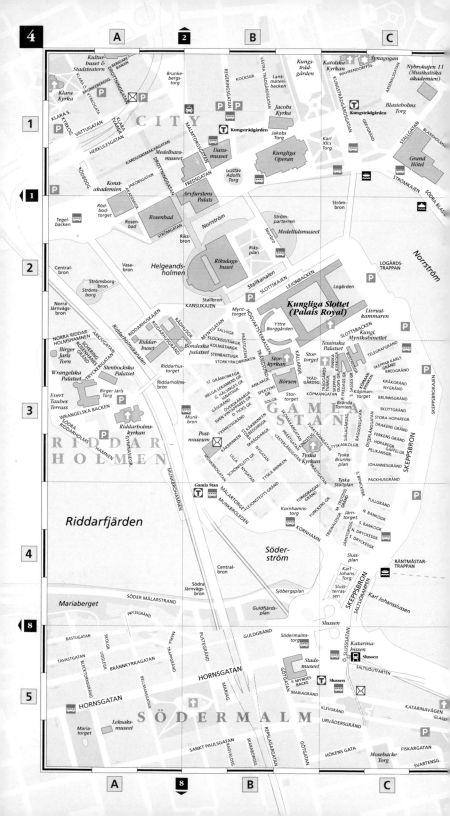

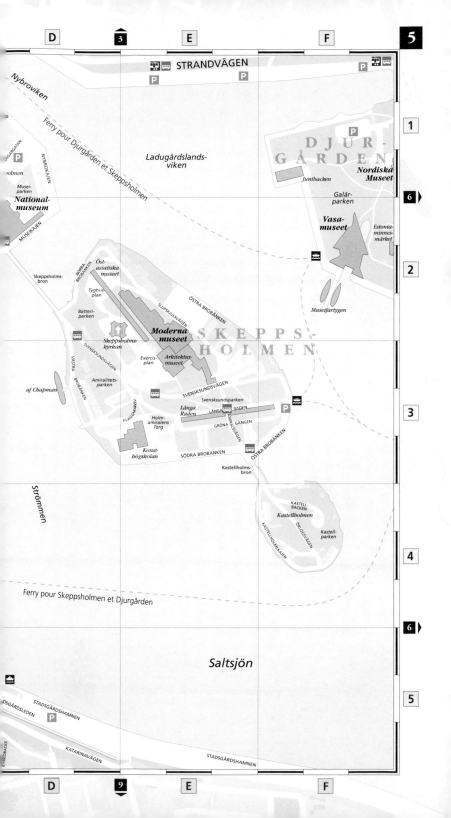

STRANDVÄGEN

DJUR-
GÅRDEN

1

Nybroviken

Ferry pour Djurgården et Skeppsholmen

Ladugårdslands-
viken

Junibacken

Nordiska
Museet

6

Galär-
parken

Musei-
parken

National-
museum

Vasa-
museet

Estonia-
minnes-
märket

MUSEIKAJEN

2

Skeppsholms-
bron

Öst-
asiatiska
museet

NORRA BROBÄNKEN

ÖSTRA BROBÄNKEN

Tyghus-
plan

SLUPSKJULSVÄGEN

Batteri-
parken

Moderna
museet

SKEPPS-
HOLMEN

Skeppsholms-
kyrkan

Exercis-
plan

Arkitektur-
museet

VÄSTRA BROBÄNKEN

SVENSKSUNDSVÄGEN

af Chapman

Amiralitets-
parken

SVENSKSUNDSVÄGEN

Svensksundsparken

Långa
Raden

LÅNGA RADEN

P

3

FLAGGMANSV.

Holm-
amiralens
Torg

GRÖNA GÅNGEN

AMIRALSVÄGEN

Strömmen

Konst-
högskolan

SÖDRA BROBÄNKEN

ÖSTRA BROBÄNKEN

Kastellholms-
bron

KASTELL
BACKEN

Kastellholmen

ÖRLOGSVÄGEN

Kastell-
parken

KASTELLHOLMSKAJEN

4

6

Ferry pour Skeppsholmen et Djurgården

Saltsjön

5

STADSGÅRDSHAMNEN

...DSGÅRDSLEDEN

P

KYRKOBACKE

KATARINAVÄGEN

STADSGÅRDSHAMNEN

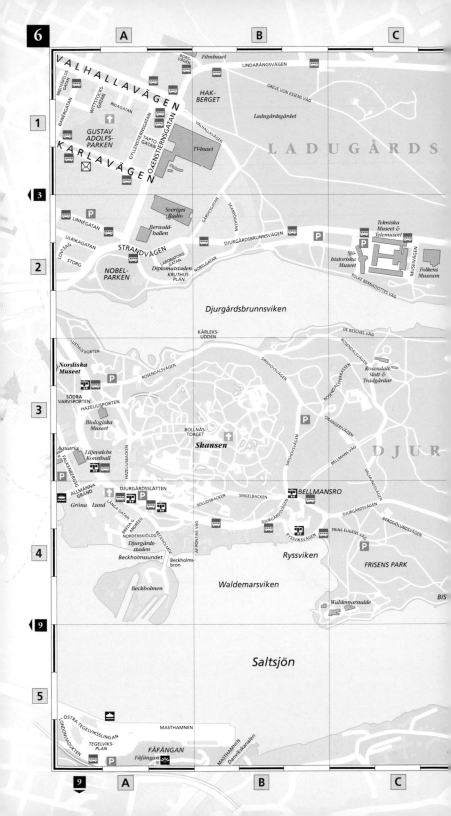

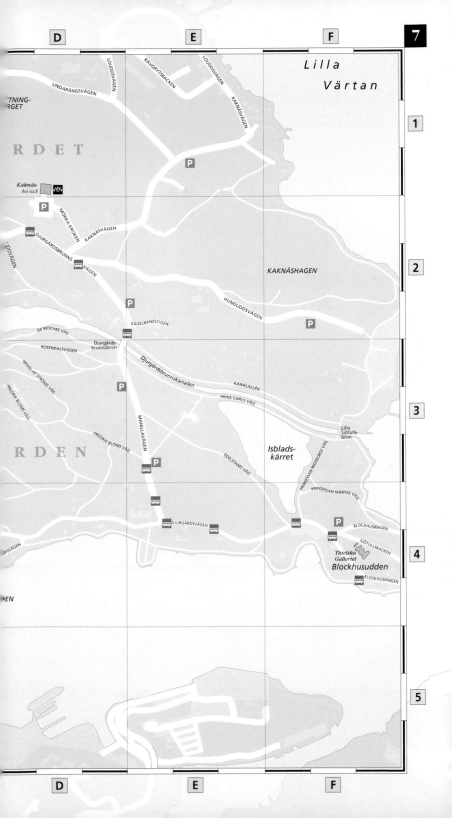

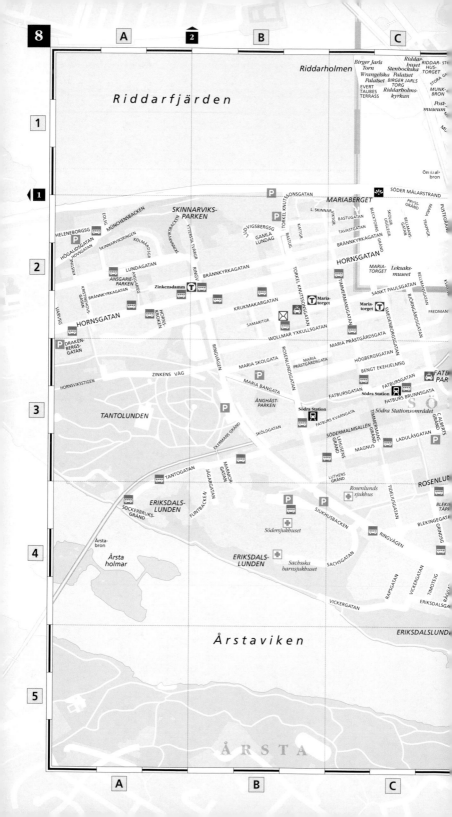

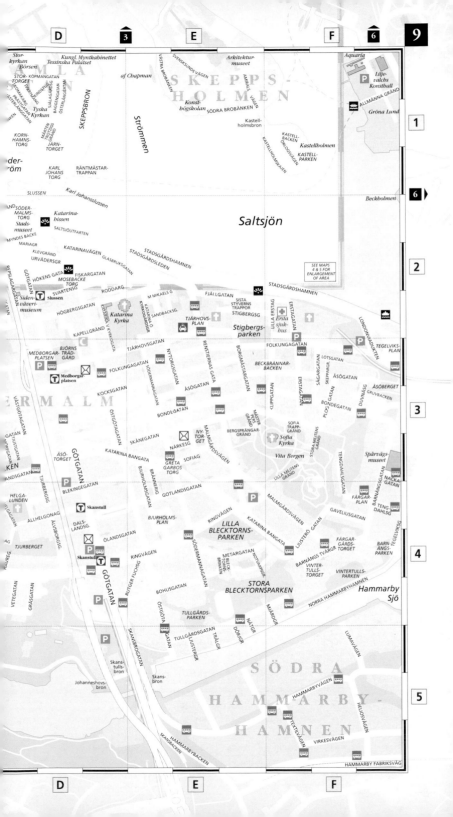

Stor-
kyrkan
Börsen
Kungl. Myntkabinettet
Tessinska Palatset
STOR- KÖPMANGATAN
TORGET
SVARTMANG
BAGGENSGATAN
SJÄLAGÅRDSG
ÖSTERLÄNGGATAN
af Chapman
VÄSTRA BROBÄNKEN
SVENSKSUNDS VÄGEN
Arkitektur-
museet
Aquaria
Lilje-
valchs
Konsthall
PRÄSTGATAN
Tyska
Kyrkan
MÅRTEN
TROTZIGG

SKEPPS-
HOLMEN
Konst-
högskolan
SÖDRA BROBÄNKEN
AMIRAL
VÄGEN
ALLMÄNNA GRÄND
Gröna Lund

KORN-
HAMNS
TORG
JÄRN-
TORGET
SKEPPSBRON
Strömmen
Kastell-
holmsbron
KASTELLHOLMSKAJEN
KASTELL-
BACKEN
ÖRLOGSVÄGEN
Kastellholmen
KASTELL-
PARKEN

der-
röm
KARL
JOHANS
TORG
RÄNTMÄSTAR-
TRAPPAN

SLUSSEN
Karl Johansslussen
Beckholmen

AND
SÖDER-
MALMS-
TORG
Stads-
museum
Katarina-
hissen
SALTSJÖUTFARTEN

Saltsjön

MYNDES BACKE
MARIAGR
KLEVGRÄND
URVÄDERSGR
REPSLAGAREGAT
GÖTGATAN
KATARINAVÄGEN
GLASBRUKSGATAN
STADSGÅRDSHAMNEN
STADSGÅRDSLEDEN

SEE MAPS
4 & 5 FOR
ENLARGEMENT
OF AREA

HÖKENS GATA
MOSEBACKE
TORG
SVARTENSG
Siden-&
väveri-
museum
Slussen
HÖGBERGSGATAN
RODDARG
FISKARGATAN
M MIKAELS G
FJÄLLGATAN
KATARINA V KYRKOGATA
LANDBACKSG
SISTA
STYVERNS
TRAPPOR
STIGBERGSG
STADSGÅRDSHAMNEN
LILLA ERSTAG
Ersta
sjuk-
hus
ERSTAGATAN
LONDONVIADUKTEN

KAPELLGRÄND
Katarina
Kyrka
KATARINA Ö KYRKOGATA
TJÄRHOVS-
PLAN
Stigbergs-
parken
FOLKUNGAGATAN
TEGELVIKS-
PLAN

SÖDER
MALM
MEDBORGAR-
PLATSEN
BJÖRNS
TRÄD-
GÅRD
Medborgar-
platsen
TJÄRHOVSGATAN
FOLKUNGAGATAN
SÖDERMANNAGATAN
NYTORGSGATAN
RENSTIERNAS GATA
BORGMÄSTARGATAN
BECKBRÄNNAR-
BACKEN
ERSTAGATAN
SÅGARGATAN
LOTSGATAN
SKEPPARG
ÅSÖGATAN
DUVNÄS
GRUVBACKEN
ÅSÖBERGET

VÄSTGÖTAGATAN
KOCKSGATAN
ÖSTGÖTAGATAN
BONDEGATAN
ÅSÖGATAN
MALMGÅRDSVÄGEN
MÄSTER
GRÄND
Bergsprängar-
GRÄND
CLIPPGATAN
PLOG
BONDEGATAN

KEN
GATAN
ÅSÖ-
TORGET
VÄSTGÖTAGATAN
KATARINA BANGATA
GÖTGATAN
TJURBERGSG
BLEKINGEGATAN
SKÅNEGATAN
NÄRKESG
GRETA
GARBOS
TORG
SOFIAG
NYTORGET
BRÄNNERG
GOTLANDSGATAN
SOFIA
TRAPP-
GRÄND
Sofia
Kyrka
Vita Bergen
STORA MEJTENS GRÄND
LILLA MEJTENS GRÄND
TENGDAHLSGATAN
Spårvägs-
museet
NACKA
GATAN

HELGA-
LUNDEN
HELGAGATAN
ALLHELGONAG
DALS-
LANDSG
Skanstull
BJURHOLMS-
PLAN
RINGVÄGEN
MALMGÅRDSVÄGEN
FÄRGAR-
PLAN
GAVELIUSGATAN
FÄRGARGATAN
TENG-
DAHLSG
BARN-
ÄNGS-
PARKEN

KAVLREG
TJURBERGET
ÅLVSBORGSG
ÖLANDSGATAN
Skanstull
RINGVÄGEN
RUTGER FUCHSG
LILLA
BLECKTORNS-
PARKEN
SÖDERMANNAGATAN
KATARINA BANGATA
LJUSTERÖ GATAN
FÄRGAR-
GÅRDS-
TORGET
BARNÄNGS TVÄRGR
VINTERTULLS-
TORGET
VINTERTULLS-
PARKEN
BARN-
ÄNGS-
TEGELVIKSG

VETEGATAN
GRÄSGATAN
GÖTGATAN
BOHUSGATAN
ÖSTGÖTA-
GATAN
METARGATAN
BLECK-
TORNS
BRINKEN
NOTVARPSGR
STORA
BLECKTORNSPARKEN
MJÄRDGR
NORRA HAMMARBYHAMNEN
Hammarby
Sjö

SKANSBROGATAN
TULLGÅRDS-
PARKEN
TULLGÅRDSGATAN
TRÅLGR
JUSTERGR
DÖRGR
NÄTGR

LIMAVÄGEN

Skans-
tullsbron
Johanneshovsbron
Skans-
bron
SÖDRA

HAMMARBY

HAMMARBYBACKEN
SKANSVÄGEN
HAMMARBYVÄGEN
TEXTILVÄGEN
HAMNEN
HELIOSVÄGEN
VIRKESVÄGEN
HAMMARBY FABRIKSVÄG

Répertoire des lieux cités

Index

Remerciements

L'éditeur remercie les personnes suivantes chez DORLING KINDERSLEY :

PRINCIPAL COLLABORATEUR
KAJ SANDELL a débuté sa carrière comme journaliste ; il a écrit pour la maison d'éditions Ahlén och Åkerlund et pour *Dagens Nyheter*, le plus grand quotidien de Suède. Il a ensuite participé à l'élaboration de plusieurs guides. Pendant quelques décennies, il a dirigé le service de communication d'une société de transports, Scania Trucks and Busses. Il est l'auteur de plusieurs monographies relatives à de grandes compagnies suédoises.

COLLABORATION SPÉCIALE
Le Stockholm Information Service (SIS), ses membres – Roland Berndt, Kjell Holmstrand, Charlotta Lorentz –et tous les autres employés qui ont soutenu et fait avancer ce projet. Merci également à Dorothée Greitz (consultante en nourriture et boissons), Olof Hultin (consultant en architecture) Christina Sollenberg-Britton (consultante en design suédois).

DIRECTION GÉNÉRALE
Louise Bostock Lang.

DIRECTION ÉDITORIALE
Vivien Crump.

DIRECTION
Douglas Amrine.

TRADUCTION ANGLAISE
Philip Ray.

RÉDACTION, ÉDITION ANGLAISE
Jane Hutchings, Caroline Radula-Scott.

CORRECTION
Michelle Clark.

INDEX
Viveka Mörk.

COLLABORATION ARTISTIQUE ET ÉDITORIALE, ÉDITION ANGLAISE
Liz Atherton, Maite Lantaron, Anna Ohlsson, Monica Nilsson, Lee Redmond.

ILLUSTRATIONS D'APPOINT
Jan Rojmar, Jane Bark.

PHOTOGRAPHIES D'APPOINT
Ulf Svensson, Neil Fletcher.

RÉFÉRENCES ARTISTIQUES
Svenska Aerobilder AB.

AUTORISATIONS DE PHOTOGRAPHIER
L'éditeur tient à remercier toutes les personnes lui ayant donné l'autorisation de photographier les églises, musées, restaurants, hôtels, magasins et autres sites trop nombreux pour être énumérés. Il remercie tout particulièrement la Guilde des Directeurs de Musées qui lui a ouvert les archives photographiques de ces institutions et qui l'a autorisé à photographier des expositions en cours.

CRÉDITS PHOTOGRAPHIQUES
h = en haut ; hg = en haut à gauche ; chg = au centre en haut à gauche ; hc = en haut au centre ; chd = au centre en haut à droite ; hd = en haut à droite ; cgh = au centre à gauche photo du haut ; ch = au centre en haut ; cdh = au centre à droite photo du haut ; cg = au centre à gauche ; c = au centre ; cd = au centre à droite ; cgb = au centre à gauche photo du bas ; bc = en bas au centre ; cdb = au centre à droite photo du bas ; bg = en bas à gauche ; b = en bas ; bc = en bas au centre ; bd = en bas à droite.

Nous avons fait notre possible pour retrouver les détenteurs des droits photographiques. En cas d'omission involontaire, Dorling Kindersley présente ses excuses et sera heureux de réparer cette lacune dans les éditions futures.

L'éditeur remercie les personnes, compagnies et photothèques suivantes pour avoir permis de reproduire leurs photographies :

STEN ANDERSSON : 77hc ; AQUARIA VATTENMUSEUM : 95c.

BERGIANSKA TRÄDGÅRDEN : Åsa Stjerna 124b.

GUNNAR CYRÉN : © BUS 2000 176ch.

DANSMUSEET : 35bc, 62hd ; DROTTNINGHOLM SLOTTSTEATER : Bengt Wanselius 143hd, 143bc.

FJÄRILS OCH FÅGELHUSET : 122cgh ; FOLKENS MUSEUM ETNOGRAFISKA : Bo Gabrielsson 108h.

GRAND HOTEL : 149hg. HALLWYLSKA MUSEET : 35hd ; Sven Nilsson 73hc ; S. Uhrdin 73c. IMS bildbyrå : 25hg.

Kungliga Myntkabinettet : 47cdb, 68bd ; Jan Eve Olsson 48cr ; Kungliga biblioteket : 18bd, 19cd, 37hd, 70hdc ; Kungliga Husgerådskammaren : *Triomphes de Charles XI*, Jacques Foucquet 19hg, 32bc, 50hg, 51hc, 51cd ; Alexis Daflos 52hd, 52cgb, 53hd, 123bg, 139hgc, 140ch, 140bg, 141hc 141bg, 142hd, 142cgb ; Håkan Lind 5cg, 50cdh, 50cdb, 50bd, 52cgh, 141cd ; Kungliga Operan : Mats Bäcker 62bc, 65hg, 65cg. Livrustkammaren : 19bg, 23bd ; Göran Scamidt 23cgh, 34cgh, 47hg ; Nina Heins 48bg.

Medelhavsmuseet : Ove Kaneberg 62cgh ; Medicinhistoriska museet : 121bd ; Moderna museet : *Petit déjeuner en plein air*, Pablo Picasso 80hd ; *Le Dandy agonisant*, Nils Dardel ©BUS 2000 80bg, *Monogramme*, Robert Rauscaenberg © BUS 2000 80cdb, *Le Cerveau de l'enfant*, Giorgio De Chirico ©BUS 2000 81cg ; Per Anders Allsten 80bd ; tre kronor museet : 53bd ; Musikmuseum : Nina Heins 72c.

Nationalmuseum : 38cgb, 39hd, 51bd, 82cgb ; *La Parhélie*, Urban Målare 14 ; *Entrée du roi Gustave Vasa de Suède à Stockholm, en 1523*, Carl Larsson 16h ; *Portrait d'Érik XIV*, Steven van der Meulen 16c ; *L'Incendie du Palais royal, le 7 mai 1697*, Johan Fredrik Höckert 17hd, *Portrait de la reine Christine*, David Beck 17cg ; *Mort de Gustave II Adolphe de Suède à la bataille de Lützen*, Carl Wahlbom 18bg ; *La Traversée du Grand-Belt*, Johan Philip Lemke 18 -19c ; *Dernier voyage de Charles XII*, Gustaf Cederström 19bd ; *Gustave III de Suède*, Lorens Pasca the Younger. 20hg ; *Portrait de la famille Bernadotte*, Fredrik Westin 20cdb ; *Couronnement de Gustave III de Suède*, Carl Gustav Pilo 22cgh ; *Bataille de Svensksund*, J. T. Scaoultz 22cgb ; *Un Dîner bruyant*, Johan Tobias Sergel 22bc ; *Conversation à Drottningholm*, Pehr Hilleström 22 -23c ; *Le Meurtre de Gustave III*, A.W. Küssner 23hd ; *Bacchanale sur le mont Andros*, Peter Paul Rubens 32cgb ; *Amour et Psyché*, Johan Tobias Sergel 34b ; *Fleurs sur la fenêtre*, Carl Larsson 38 -39c ; *La Conspiration des Bataves sous Claudius Civilis*, Rembrandt 82cgh ; *David et Bethsabée* 82bg ; *La Leçon d'amour*, Antoine Watteau 82hd ; *La Dame au voile*, Alexander Roslin 83hg ; *Le Faune*, Johan Tobias Sergel 83cb ; Åsa Lundén 125bd ; Hans Thorwid 138hd ; Naturhistoriska riksmuseet : Staffan Waerndt

124hg, 124c ; Nordiska museet : 33c, 91hd ; Peter Segemark 31hc, 91hg ; Birgit Brånvall 90hd ; Mats Landin 90cg, 91cdh ; Sören Hallgren 90bc.

Postmuseum : 55cgb ; Pressens bild : 133bd ; Rolf Hamilton 25cd ; Hans T. Dahlskog 25bd ; Jan Collsiöö 50bg, 70bg ; Jan Delden 67hg ; Hans Dahlskog 88bd ; Gunnar Seijbolds 109bc ; Axel Malmström 117bg.

Riksarkivet : Kurt Eriksson 15hc.

Sjöhistoriska museet : 33cdh, 107hd, 107cg ; Skansen : 33bc ; Marie Andersson 97hc, 87bc, 97cdh ; Skogskyrkogården : 133cg ; Statens Historiska Museet : 34hd, 104cgh, 104cgb, 104bg, 104bd, 105hc, 105ch, 105cb, 105bd, 105bg, 138cg, 138bg ; Carister Åhlin 31cg, 33hd ; Steninge slott : 139b ; Stockholms Auktionsverk : 23bg ; J. L. Sáncaez, Hans Hedberg © BUS 2000 38hd, Sigurd Persson © BUS 2000 39hg ; Stockholms stadsbyggnadskontor : 110cg ; Stockholms Stadshus : Jan Asplund 114bd, 115hg ; *Mosaïques de la salle Dorée*, Einar Forseth © BUS 2000 114hd ; Stockholms stadsmuseet : 24bg, 25cgb ; *Château de Tre Kronor*, Govert Camphuysen 18cg ; Gustaf Carleman 21cb ; *Lecteurs de journaux*, J. A. Cronstedt 21hg ; *Châtiment du régicide Anckarström devant la maison des Nobles*, 23cd ; Stockholms Universitet : Per Bergström 116b ; Strindbergsmuseet : Per Bergström 69bd ; Strömma produktion AB : 197hd ; Svenska Akademien : Leif Jansson 22hd ; Sveriges Riksdag : Holger Staffansson 59hc ; Telemuseum : Carl-Erik Viphammar 107bd ; Thielska Galleriet : *Hornsgatan*, Eugène Jansson 99hd.

Vasamuseet : 94bd ; Hans Hammarskiöld 3ch, 4hd, 33bd, 86cgh, 92td, 92cgh, 92bg, 92bd, 93hc, 93cdh, 93cdb, 93bc, 94cgh, 94hd ; Vin och Sprithistoriska museet : 120bd : Pia Wallén : © BUS 2000 176bg ; Ingrid Vang Nyman : 86hd ; Claes Westlin 38cgh.

Östasiatiska museet : Erik Cornelius 76cgh, 78bg.

Couverture : première de couverture : DK Picture Library : Erik Svensson/Jeppe Wikström bg, cbg ; Getty Images : Chad Ehler photo principale ; Robert Harding Picture Library : Richard Ashworth cb. Quatrième de couverture : Kungliga Biblioteket : h ; Jeppe Wikström b. Dos : Getty Images : Chad Ehlers. Autres photographies © Dorling Kindersley.

Lexique

Lorsque vous lisez la transcription d'un mot, allongez la voyelle de la syllabe soulignée. Prononcez clairement chaque syllabe et vous serez suffisamment compris par votre interlocuteur. L'**alphabet suédois** comporte quelques lettres supplémentaires, qui figurent après la lettre « z » : « å », « ä », « ö ». Leur prononciation est la suivante :

« **å** » : « o » ouvert, comme dans « pomme ».
« **ä** » : « è », comme dans « mèche ».
« **ö** », « eu », comme dans « feu »

Le « **j** » se prononce comme le son « ye » de « papaye ».
le « **o** » se prononce ou, comme dans « roux ».
Le « **y** » se prononce u, comme dans « mur ».
Le « **r** » doit être bien sonore.
Dans la transcription, le « o » se prononce comme dans « pomme », tandis que le « ô » se prononce comme dans « fantôme ».
Le « é » en fin de mot indique que le « e » n'est pas muet.

« **Tu** » ou « **vous** »
« Tu » se dit « du », et vous « ni ». Le fait de s'adresser à un étranger en le tutoyant n'est pas considéré comme impoli.

EN CAS D'URGENCE

Au secours !	**Hjälp !**	yèlp
Stop !	**Stanna !**	stanna !
Appelez un docteur !	**Ring efter en doktor !**	ring éftèr enn dôktôr
Appelez une ambulance !	**Ring efter en ambulans !**	ring éftèr enn ambulance
Appelez la police !	**Ring polisen !**	ring pôlissen
Appelez les pompiers !	**Ring efter brandkåren !**	ring éftèr brandkorenn
Où se trouve le téléphone le plus proche ?	**Var finns närmaste telefon ?**	var finnss nèrmasté-téléfonn
Où se trouve l'hôpital le plus proche ?	**Var finns närmaste sjukhus ?**	var finnss-nèrmasté chyoukous

L'ESSENTIEL

Oui	**Ja**	ya
Non	**Nej**	neye
S'il vous plaît	**Varsågod**	varchogoud
Merci	**Tack**	tak
Excusez-moi	**Ursäkta**	ourchèkta
Bonjour	**Hej**	heye
Au revoir	**Hej då/adjö**	heydo/adyeu
Bonne nuit	**God natt**	gôd natt
Matin	**Morgon**	môrrôn
Après-midi	**Eftermiddag**	éftermiddag
Soir	**Kväll**	kyèll
Hier	**Igår**	igor
Aujourd'hui	**Idag**	idag
Demain	**I morgon**	imorron
Ici	**Här**	hèr
Là	**Där**	dèr
Quoi ?	**Vad ?**	vah
Quand ?	**När ?**	nèr
Pourquoi ?	**Varför ?**	varfeurr
Où ?	**Var ?**	var

QUELQUES PHRASES UTILES

Comment allez-vous ?	**Hur mår du ?**	hour mor dou
Très bien, merci.	**Mycket bra, tack.**	muké bra, tak
Heureux de faire votre connaissance.	**Trevligt att träffas.**	trévlit att trèffas
À bientôt.	**Vi ses snart.**	vi sjs snartt
Très bien.	**Det går bra.**	dé gor bra
Où est/sont.	**Var finns... ?**	var finnss...
À quelle distance se trouve ?	**Hur långt är det till ?**	hour lonngt è dé till
Comment aller à. ?	**Hur kommer jag till... ?**	hour kommer ya till...
Parlez-vous anglais ?	**Talar du/ni engelska ?**	talar dou/ni engélska
Je ne comprends pas	**Jag förstår inte.**	ya feurchtor inté
Pourriez-vous parler moins vite s'il vous plaît ?	**Kan du/ni tala lång- sammare, tack ?**	kan dou/ni tala lonng- samaré tak
Je suis désolé(e).	**Förlåt.**	feurrlot

QUELQUES MOTS UTILES

grand	**stor**	stor
petit	**liten**	litenn
chaud	**varm**	varrm
froid	**kall**	kall
bon	**bra**	bra
mauvais	**dålig**	dolig
assez	**tillräcklig**	tillrèklig
ouvert	**öppen**	euppenn
fermé	**stängd**	stèngd
gauche	**vänster**	vènsterr
droit	**höger**	heugerr
tout droit	**rakt fram**	rakt frammm
près	**nära**	nèra
loin	**långt**	longt
haut/sur	**upp/över**	oup/euver
bas/sous	**ner/under**	nerr/ounder
tôt	**tidig**	tjdi
tard	**sen**	senn
entrée	**ingång**	inngonng
sortie	**utgång**	outgonng
toilettes	**toalett**	toalett
plus	**mer**	mer
moins	**mindre**	mjnndré

LES ACHATS

Combien coûte ceci ?	**Hur mycket kostar den här ?**	hour muké kôstar dénn hèrr
J'aimerais	**Jag skulle vilja.**	ya skoule vilya
Avez-vous ?	**Har du/ni... ?**	har dou/ni...
Je regarde seulement	**Jag ser mig bara omkring**	ya serr may bara omkrinng
Prenez-vous les cartes bancaires ?	**Tar du/ni kreditkort ?**	tar dou/ni krédjtkortt
À quelle heure ouvrez-vous ?	**När öppnar ni ?**	nèr eupnar ni
À quelle heure fermez-vous ?	**När stänger ni ?**	nèr stènnger ni
celui-ci	**den här**	denn hèr
celui-là	**den där**	denn dèr
cher	**dyr**	dur
bon marché	**billig**	billig
taille (vêtements)	**storlek**	storlék
blanc	**vit**	vit
noir	**svart**	svartt
rouge	**röd**	reudd
jaune	**gul**	goull
vert	**grön**	greunn
bleu	**blå**	blo
magasin d'antiquités	**antikaffär**	antjkaffèrr
boulangerie	**bageri**	bageri
banque	**bank**	bank
librairie	**bokhandel**	boukandel
boucher	**slaktare**	slaktaré
pâtisserie	**konditori**	konditori
pharmacie	**apotek**	apoték
poissonnerie	**fiskaffär**	fiskaffèr
épicerie	**speceriaffär**	spesserjaffèr
coiffeur	**frisör**	frisseur
marché	**marknad**	marknadd
presse	**tidningskiosk**	tjdningskiosk
bureau de poste	**postkontor**	posstkontor
magasin de chaussures	**skoaffär**	skoaffèr
supermarché	**snabbköp**	snabbkeup
débit de tabac	**tobakshandel**	tobakchandel
agence de voyages	**resebyrå**	rèsséburo

LE TOURISME

galerie d'art	**konstgalleri**	konnstgallérj
église	**kyrka**	kjrka
jardin	**trädgård**	trèdgordd
maison	**hus**	houss
bibliothèque	**bibliotek**	biblioték
musée	**museet**	mouséoum
place	**torg**	tôrdj
rue	**gata**	gata
office du tourisme	**turist- informations- kontor**	tourjst- innformachonns- konntor
hôtel de ville	**stadshus**	statshous
fermé pour vacances	**stängt för semester**	stèngt feur séméster
arrêt de bus	**busstation**	bouss-stachonn
gare (train)	**järnvägsstation**	yèrnvègs-stachonn

À L'HÔTEL

Avez-vous des chambres libres ?	**Har ni några lediga rum ?**	ar ni nogra lédiga roum
chambre double	**dubbelrum**	doubelroum

avec lit double	**med dubbelsäng**	médd doubel-sènng
avec lits	**dubbelrum**	doubelroum
jumeaux	**med två sängar**	médd tvo sènngarr
chambre simple	**enkelrum**	ennkélroum
chambre avec	**rum med**	roum médd
baignoire	**bad**	bad
douche	**dusch**	douche
clé	**nyckel**	nuckél
J'ai une	**Jag har**	ya har
réservation	**beställt rum**	béstèlt roum

AU RESTAURANT

Avez-vous une	**Har ni ett**	ar ni ett
table pour...	**bord för... ?**	bordd feurr...
J'aimerais	**Jag skulle vilja**	ya skoulé vilya
réserver une table.	**boka ett bord.**	boka ett bourdd
L'addition		
s'il vous plaît.	**Notan, tack.**	nootann, tack
Je suis	**Jag är**	ya èrr
végétarien	**vegetarian**	végétariann
serveuse	**servitris**	sèrvitrjss
garçon	**servitör**	sèrviteurr
menu	**meny/ matsedel**	ménu matsedell
menu	**meny med**	menu medd
prix fixe	**fast pris**	fast priss
carte des vins	**vinlista**	vjnnlista
verre d'eau	**ett glas**	ett glass
	vatten	vatten
verre de vin	**ett glas vin**	ett glass vjnn
bouteille	**flaska**	flaska
couteau	**kniv**	kniv
fourchette	**gaffel**	gaffell
cuillère	**sked**	skédd
petit déjeuner	**frukost**	froukost
lunch	**lunch**	lounch
dîner	**middag**	middag
plat principal	**huvudrätt**	houvoudrètt
entrée	**förrätt**	feurètt
plat du jour	**dagens rätt**	dagenss rètt
café	**kaffe**	kaffé
saignant	**blodig**	bloudi
à point	**medium**	médieum
bien cuit	**välstckt**	vèlstckt

LIRE LE MENU

abborre	abborré	perche
ansjovis	anshjouvis	anchois
apelsin	appelsjnn	orange
bakelse	bakelsé	pâtisserie, gâteau
banan	banann	banane
biff	biff	bœuf
bröd	breud	pain
bullar	boullar	petits pains
choklad	chouklad	chocolat
citron	citrounn	citron
dessert	dessèr	dessert
fisk	fisk	poisson
fläsk	flèsk	porc
forell	fourell	truite
frukt	frukt	fruit
glass	glass	glace
gurka	gourka	concombre
grönsaksgryta	greunnsaks-gruta	ragoût de légumes
hummer	hummerr	homard
kallskuret	kall-skourett	viande froide
korv	kouru	saucisses
kyckling	kuklinng	poulet
kött	keutt	viande
lamm	lamm	agneau
lök	leuk	oignon
mineralvatten	mineral-vatten	eau minérale
med/utan	médd/outan	plate/gazeuse
kolsyra	kolsura	
mjölk	myeulk	lait
nötkött	neutkeutt	bœuf
nötter	neutter	noix
ost	oust	fromage
olja	olya	huile
oliver	oliverr	olives
paj/kaka	pay/kaka	tourte/gâteau
potatis	potatis	pommes de terre
ris	riss	riz
rostat bröd	rostat breud	pain grillé
räkor	rèkour	crevettes
rökt skinka	reukt skjnnka	jambon
rött vin	reutt vinn	vin rouge
saft	safft-	limonade
sill	sill	hareng
skaldjur	skalyour	fruits de mer
smör	smeurr	beurre

stekt	stékt	frit
strömming	streumming	hareng de la Baltique
salt	sallt	sel
peppar	peppar	poivre
socker	soker	sucre
soppa	soppa	soupe
sås	sos	sauce
te	té	thé
torr	torr	sec
ungsstekt	ounngs-stekt	au four, rôti
vinäger	vinègerr	vinaigre
vispgrädde	visp-grèddé	crème fouettée
vitlök	vit-leuk	ail
vitt vin	vitt vinn	vin blanc
ägg	ègg	œuf
älg	èly	élan
äpple	èpplé	pomme
öl	eul	bière

LES NOMBRES

0	**noll**	noll
1	**ett**	ett
2	**två**	tvo
3	**tre**	tré
4	**fyra**	fura
5	**fem**	fem
6	**sex**	seks
7	**sju**	chiou
8	**åtta**	otta
9	**nio**	njou
10	**tio**	tjou
11	**elva**	elva
12	**tolv**	tolu
13	**tretton**	trettonn
14	**fjorton**	f-yourtonn
15	**femton**	femmtonn
16	**sexton**	sekston
17	**sjutton**	chioutonn
18	**arton**	artonn
19	**nitton**	nittonn
20	**tjugo**	tchiougou
21	**tjugoett**	tchiougou-ett
22	**tjugotvå**	tchiougou-tvo
30	**trettio**	tretti
31	**trettioett**	tretti-ett
40	**fyrtio**	furrti
50	**femtio**	femmti
60	**sextio**	seksti
70	**sjuttio**	chjouti
80	**åttio**	otti
90	**nittio**	nitti
100	**(ett) hundra**	(ett) houndra
101	**etthundraett**	ett-houndra-ett
102	**etthundratvå**	ett-houndra-tvo
200	**tvåhundra**	tvohoundra
300	**trehundra**	trehoundra
400	**fyrahundra**	furahoundra
500	**femhundra**	femhoundra
600	**sexhundra**	sekshoundra
700	**sjuhundra**	chiouhoundra
800	**åttahundra**	ottahoundra
900	**niohundra**	nj-ouhoundra
1 000	**(ett) tusen**	(ett) toussen
1 001	**etttusenett**	ett-toussen-ett
100 000	**(ett) hundra-**	(ett) houndra
	tusen	toussen
1 000 000	**en miljon**	ehn milyoun

LE TEMPS

une minute	**en minut**	enn minout
une heure	**en timme**	enn timmé
une demi-heure	**en halvtimme**	enn halutimmé
une heure dix	**tio över ett**	tjou euverr ett
une heure et quart	**kvart över ett**	kvart euverr ett
une heure et demie	**halv två**	halu tvo
deux heures		
moins vingt	**tjugo i två**	tchiougou i tvo
deux heures		
moins le quart	**kvart i två**	kvart i tvo
deux heures	**klockan två**	klockann tvo
13 h	**klockan tretton**	klokan tretton
16 h 30	**sexton och trettio**	sèkston ok tretti
midi	**klockan tolv**	klockan tolv
minuit	**midnatt**	mjdnatt
lundi	**måndag**	monndag
mardi	**tisdag**	tjsdag
mercredi	**onsdag**	ounssdag
jeudi	**torsdag**	toursdag
vendredi	**fredag**	fredag
samedi	**lördag**	leurdag
dimanche	**söndag**	seundag

GUIDES  VOIR

PAYS

AFRIQUE DU SUD • ALLEMAGNE • AUSTRALIE • CANADA
CUBA • ÉGYPTE • ESPAGNE • FRANCE • GRANDE-BRETAGNE
IRLANDE • ITALIE • JAPON • MAROC • MEXIQUE
NOUVELLE-ZÉLANDE • PORTUGAL, MADÈRE ET AÇORES
SINGAPOUR • THAÏLANDE

RÉGIONS

BALI ET LOMBOCK • BARCELONE ET LA CATALOGNE
BRETAGNE • CALIFORNIE
CHÂTEAUX DE LA LOIRE ET VALLÉE DE LA LOIRE
ÉCOSSE • FLORENCE ET LA TOSCANE • FLORIDE
GRÈCE CONTINENTALE • GUADELOUPE • HAWAII
ÎLES GRECQUES • JÉRUSALEM ET LA TERRE SAINTE
MARTINIQUE • NAPLES, POMPÉI ET LA CÔTE AMALFITAINE
NOUVELLE-ANGLETERRE • PROVENCE ET CÔTE D'AZUR
SARDAIGNE • SÉVILLE ET L'ANDALOUSIE • SICILE
VENISE ET LA VÉNÉTIE

VILLES

AMSTERDAM • BERLIN • BRUXELLES, BRUGES, GAND ET ANVERS
BUDAPEST • DELHI, AGRA ET JAIPUR • ISTANBUL
LONDRES • MADRID • MOSCOU • NEW YORK
NOUVELLE-ORLÉANS • PARIS • PRAGUE • ROME
SAINT-PÉTERSBOURG • STOCKHOLM • VIENNE

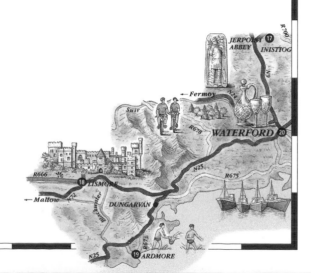

Plan des transports de Stockholm